青柳碧人

実業之日本社

目次

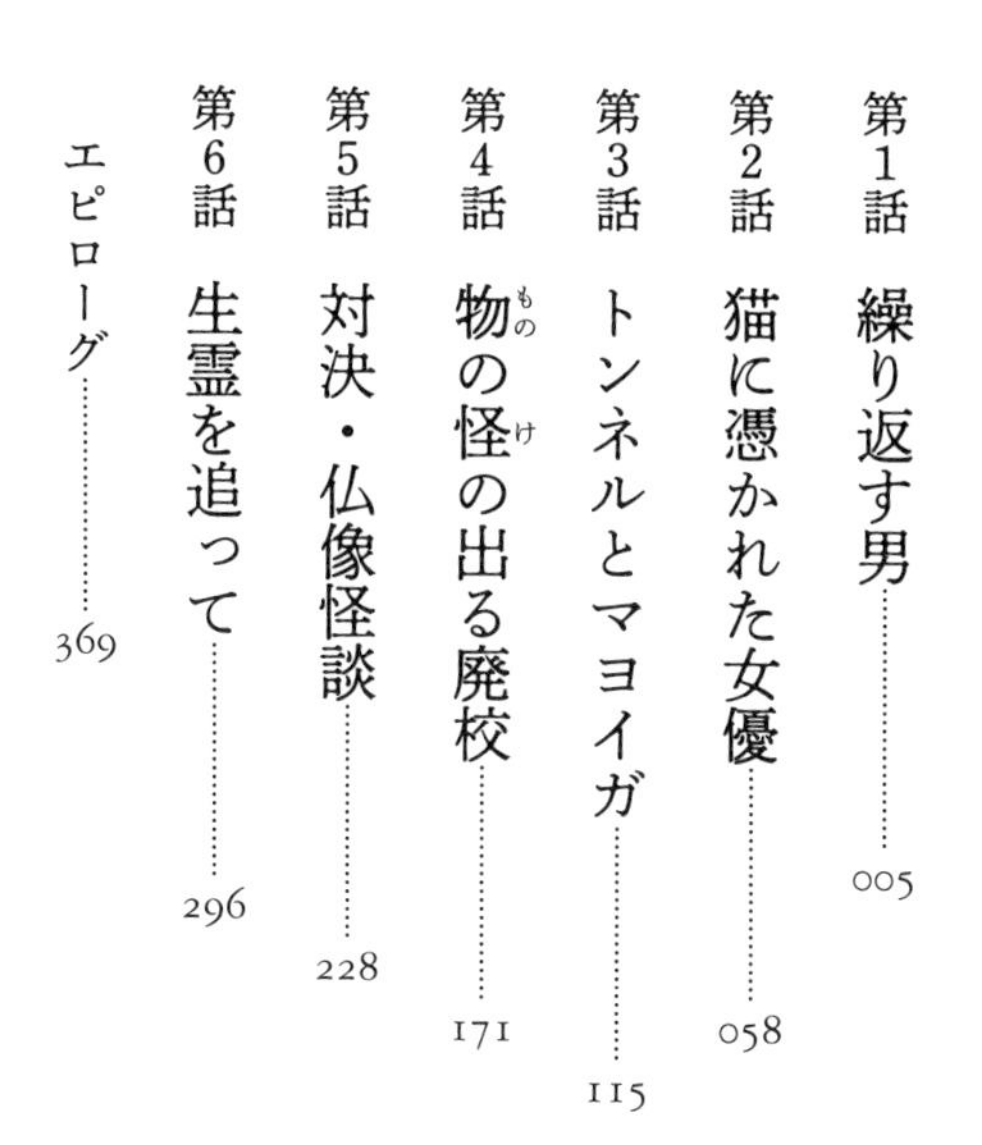

装画　市川友章
装幀　大原由衣

怪談刑事（デカ）

第1話　繰り返す男

1

東京メトロ・霞ケ関駅の階段を上がると、七月の烈しい日差しが襲ってきた。都心のどこでそんなに鳴いているのかわからないが、蟬の声が響いている。

只倉恵三は額に浮かぶ汗を拭きつつ、すぐ近くの建物――警察庁の入り口を目指す。

自動ドアを入ると冷気が体を包み、思わずふっ、と息が漏れる。

「すみません。この度、警視庁から転属になった只倉という者です」

「タダクラさんですね。少々お待ちください」

二十代半ばぐらいの受付嬢はタブレットを操作し、眉根を寄せた。

「ああ……第二種未解決事件整理係ですか。あちらのエレベーターで地下四階へどうぞ。ホールに案内が出ております」

声がどことなく震えているのが気にかかる。第二種未解決事件整理係。今日から勤務するその部署がどういう仕事内容なのか、只倉は聞かされていなかった。

エレベーターに入り、B4を押す。ぐんと下がっていく感覚。なぜか、寒気を感じた。さっきまであんなに暑い日差しの中にいたというのに、警察庁の内部は冷房が効きすぎているのかもしれない。

やがてエレベーターは止まり、扉が開いた。只倉は、降りるのを一瞬、ためらった。

薄暗いのである。それに、廊下の壁は無機質で、ポスターの一枚も貼っていない。一歩廊下へ出て左右を見ると、右手の突き当りに「第二種未解決事件整理係」と書かれた案内板が出ていた。

肩にずっしりと、疲労に似た重力を感じる。定年まで所轄の刑事課に勤めると思っていたのに、まさか五十五歳で転属を命じられるなんて。しかも、畑違いの警察庁。どんな仕事を任されるのかわからないが、どう考えても閑職だろう。

ひんやりした廊下に、只倉の靴音だけが響く。案内板のとおりに右折すると、昭和からずっと取り残されているような、古びた鉄扉があった。その前まで足を運んだところで、ふと、床に何かが置かれているのに気づいた。

盛り塩だった。たまに居酒屋の入り口前などに置かれているのを見るが、警視庁でも所轄署でもこんなのは見たことがない。警察庁には不思議な習慣があるものだと思いながらドアノブを握る。

「失礼します」

古びたスチールデスクが向かい合わせに並べられていた。

薄暗い。窓はなく三方の壁はスチール棚になっており、ファイルや書籍類がびっしりと並べられていた。だがこの暗さは、それだけが理由ではないようだった。

陰気なのである。

六つのデスクが向かい合わせになっているがドアに一番近いデスクにいる男は、なぜかリアルな髑髏（どくろ）の置物をせっせと磨いているし、その隣のデスクの中年女性はカッターナイフで木の棒のようなものをがりがり削っている。

「ちょっと……」

髑髏を磨いている痩（や）せた男の横に立ち、声をかけると、彼はどろりとした目を只倉のほうに向けた。

「今日から配属になった只倉だが」

「ああ、聞いています。僕は鴛海（おしうみ）と言います。係長はあちらです」

細い指で、部屋の奥を指さす。向かい合わせになった六つのデスクから少し距離を置き、唯一スチール棚のない壁に背を向けるようにして、白髪の男が一人座っていた。怪我でもしているのか、黒い眼帯をしている。

手前の方の壁とデスクに腰かけている三人とのあいだに通り抜けるスペースがなさそうなので、一度奥へ進み、向こうの壁際を通ることにした。

髑髏の男の向かいのデスクの若い女性は、涼しい顔をしてファイルを開いている。

只倉は誤ってそのデスクに足をぶつけてしまった。何かがぽろりと床に落ちる。わらでできた馬の置物だった。

「きゃあああっ！」

女は火が付いたように椅子から飛び上がり、只倉を突き飛ばして両手で馬を拾い上げ、それを額にぴたりと付けた。

「アカヒデさんごめんなさい、アカヒデさんごめんなさい、アカヒデさんごめんなさい……」

何が起こったのかと呆然（ぼうぜん）としていると、長髪の若い男がやってきて、彼女の背中をさすりながら、只倉に笑いかけた。

「大丈夫すよ。迷信ですから。係長は、あっちです」

「あ、ああ……」

只倉は逃げるように奥へ進む。女の叫び声などまるでなかったかのように、眼帯の男は破れかけた骨董品（こっとうひん）のような扇子をぱたぱたさせながら「やあ」と只倉を迎え入れた。他の職員より一回り大きな彼のデスクの上には、変色した古い本が山と積まれている。

「今日から配属になった、只倉です」

「係長の牛斧（うしおの）だ。助かったよ。ちょうど欠員が出てね。そこを使ってくれ」

閉じた扇子で示されたのは、係長の位置からもっとも近いデスクだった。片づけをしていかなかったのか、ファイルが三つ積まれた上に、《平成××年度　樹金山（こがねやま）中学校》と書かれた卒業アルバムが一冊置かれている。

「あの、ここの部署はどういう……」

「ああ、仕事内容ね」牛斧係長は扇子で頭を掻く。「第二種未解決事件の記録と、場合によっては再調査だね」

「そういった部署なら警視庁にもあると思いますが、なぜ警察庁なんです？」

「それは、ただの未解決事件だろう？　そんなのは警視庁とか県警とか、各地の警察が独自に整理しとけば済む話だ。うちで扱うのは全国で起きた第二種未解決事件。平たく言えば、呪いとか心霊とか、そういったものが関わって未解決になってしまった事件なんだよ」

「はっ？」

「『警察庁・呪われ係』なんて呼ぶ輩もいるがね。むしろ最近では、そっちの通り名のほうがメジャーになってしまった感もあるよ」

冗談を言っているのだろうかと只倉は思ったが、牛斧はいたって真面目な様子で「これを見て」と、例の卒業アルバムを開く。クラスの集合写真のページだが、何人かの生徒の顔に赤いシミのようなものが浮き出ている。

「熊本県のある中学校なんだけどね。この、顔が赤くなってしまっている七人、みんな焼死したんだ」

「はい？」

あまりにあっさりと言うので、聞き違えたのかと只倉は思った。

「県警が消防と共に数年かけて調査したんだが、どの火事現場も不慮の失火ということなんだよね。写真が赤くなった理由もまるっきりわからないし」

「偶然っすよ、偶然」

いつの間にか自分のデスクに戻っていた長髪の若者がニヤける。

「この部署にはこういう、巷でいう怪奇現象のような事件の報告書が全国から集まる。県警ごとに報告書のフォーマットも違うし、中にはノート一冊送られてくるケースもね。こういう不可解な事件でも、全国的に収集してデータベース化していけば、何かパターンが見つかって対策が練られるだろうと。それが、上が下した判断なんだね。我々の仕事はまずその未解決事件の報告書を吟味すること。そして、『これは人間の力で起こせた事件なのではないか』と疑問がわいたら、現地へ飛んで再調査をする。そして、怪奇現象ではなく、解決ができそうな新たな捜査方針が提案できるようなら、現地の署に事件を差し戻す」

全然ピンとこなかった。

「この再調査ってのがやっかいでね」

牛斧係長は眉をひそめた。

「現地の刑事としては、表向きはこちらの方針に従って報告を送りはするが、再調査となると『未解決とするより仕方ありません』と結論付けた事件を蒸し返されるわけだから面白くないんだよ。どこへ行っても煙たがられる」

「はあ……」

「しかし我々は我々でれっきとした仕事なんだからね。只倉さんも、ファイルを読んでこれは人間の仕業だと思ったら、どんどん再調査に出かけるように。そういうわけでまず、前任者の残したこのファイルをしっかり読んでくれたまえ。データ入力の方法は、明日以降、ゆっくり教えるから」

2

フィットネスクラブの中吊り広告が揺れる地下鉄の車内。シートに腰かけた只倉ははらわたが煮えくり返って仕方がなかった。

二十二歳で大学を卒業し、すぐに警察学校に入った。卒業後は多摩署の刑事課に配属され、一年目にして強盗致傷事件の犯人を挙げることに成功、その後、東京各地の警察署の刑事課を転々とし、三十九歳のときに深川署に配属された。以後十六年、様々な刑事事件に関わってきた。只倉さんほどの実力があれば、本庁（警視庁）に転属になってもおかしくないんですけどねと後輩に何度も持ち上げられたものだ。だが只倉は所轄の仕事が好きだった。現場に出て犯罪者を追うことができ、「この町を守っているんだ」というプライドが持てるからである。このまま定年まで深川署の一刑事として働けたらそれでいい――そう思っていた。

それが、突然、三日前のことである。課長に呼び出されたかと思うと、

「君の転属が決まった。警察庁の第二種未解決事件整理係だ」

そう告げられた。

「待ってください。警察庁ですか？　警視庁ではなく」

警視庁は東京都の警察の統括、いわゆる県の「県警」に当たる組織である。それに対し警察庁は日本全国の警察を束ねる国の組織である。もちろん、警視庁と警察庁の人事交流があることは知っている。だが、所轄署の刑事課の一刑事、しかも五十五歳の古株が、突然警察庁に転属など……。

「まあ、給与は少し上がるみたいだから」

よかったね、と課長は笑ったが、只倉は給与などどうでもよかった。定年まで深川署の刑事課で働いていたかった。しかし、組織にいる以上、命令には従わなければならないことは承知している。

だが……この配属先はひどい。

「いったい、なぜ……」

地下鉄に揺られながら、膝の上に抱えた紙袋の中のファイルを恨めしげに眺める。新しい上司、牛斧治（おさむ）が「持って帰ってもう一度じっくり読んでくるように」と、わざわざ紙袋を渡してきたのだった。

もう一度読むまでもない。書かれているのは、とんでもなく奇怪な事件である。

日付は二年前の十一月十五日。場所は群馬県のある自治体の、篠瀬（しのせ）という集落だ。

この集落のはずれに、《野上（のがみ）酒店》という名の二階建て家屋が一軒ある。その名のとおりかつては一階で酒屋が営まれていたが、すでに廃業し経営者夫婦は沖縄に移住、一人息子の野上善（ぜん）という男性が二階の居住スペースに一人暮らしをしている状況である。経営者夫妻は集落を去るとき、かつての店舗スペースを集会所として集落に貸与することにした。現在は寄り合いの他、老人たちがふらりとやってきては談話をする場所として機能している。二階に住む善は在宅仕事の傍ら集会所の管理をして家賃収入を得ているが、事件当日は、朝からキノコ狩りに出かけていて不在だったと、のちに事情聴取で証言している。

その日の昼過ぎ、集会所に佐藤、小林、合田という男性の老人が三人やってきて、碁を打ちながら二時間ばかり他愛もない話をしていた。

すると突然、車いすに乗った若者が入ってきた。集会所から川をはさんだ向こう岸の家に住む栗中泡夫という男（当時三十二歳）だった。三人は驚いた。というのもこの栗中、若いころに自動車事故で車いす生活になって以来、家をあまり出ない生活を送っているのだ。両親はすでに亡く、一緒に暮らしていた祖母も一年前に亡くしていた。人前に出ることを極端に嫌がっているはずの彼がどうして出てきたのか——老人たちがそう思っていると、彼は挨拶もせず、膝の上に掛けた薄手の毛布の下で手をもぞもぞさせながら、こんなことを言った。

『うちの婆さんの金のありかがわかりました。お手伝いしてくれたらいくらかあげますので、明平寺に行っとってください』

三人は顔を見合わせた。一年前に亡くなった栗中の祖母、武江はかつて事業でたんまりため込んだ遺産があり、それを家族の誰にも秘密の場所に隠したと生前吹聴していたのだ。結局のところ、武江はその金のありかを告げないばかりか、死の床で「盗もうとするやつは呪ってやる」とうわごとのように言い続けて死んだという。

老人たちが呆然としていると、

『うちの婆さんの金のありかがわかりました。お手伝いしてくれたらいくらかあげますので、明平寺に行っとってください』

栗中はまた言った。しかし、あげるといっても……と老人の一人が言うと、

『うちの婆さんの金のありかがわかりました。お手伝いしてくれたらいくらかあげますので、明平寺に行っとってください』

また同じことを言う。何を話しかけてもまったく同じ文言を繰り返すので、三人は気味が悪くなり、言われたとおりに近所の明平寺に行った。住職と話をしながら一時間ほど待ったが、いっこうに栗中が来る様子がない。どうしたのかと集会所に三人が戻ると、栗中は車いすから転げ落ち、床に仰向けになって死んでいた。

検視の結果、死因は心臓発作ということだった。しかし不可解なことに、死亡推定時刻は死体発見から二〜三時間前ということだった。すなわち、三人の前に現れたとき、栗中はすでに死んでいたはずなのだ——。

いったい何だ、この事件は。

死んでいたはずの男がいきなり現れ、同じ話を何度も繰り返す?

警察庁・呪われ係……牛斧係長に告げられた冗談めいた通り名が、悪魔の笑い声のように只倉の脳内に響いた。

そもそも只倉はこういった非科学的な話が、子どものころから嫌いだった。こんな与太話を大人が真面目に扱うなんて正気の沙汰ではない。どうして警察庁はこんな事件を全国から集めさせ、整理しようなどと考えたのか。そして、どうしてそんな不可解な仕事を自分がしなければならないのか。

「体力の衰え……か」

フィットネスクラブの中吊り広告を見ながら、只倉は嘆息した。写真の男ほど筋肉はないにせよ、昔は体力が有り余っていた。十キロ走っても息はさほど上がらなかったし、三メートルくらいの壁なら平気でよじ登れた。それが、最近ではめっきり衰えを感じる。先月など、ひったくり犯を追う途中、わずかな段差につまずいて顔面を打ちつけてしまった。まさか鼻血を出したことが直接の理由ではないだろうが、きっと同僚がその衰えを報告していたのだろう。刑事課に老いたる人間は必要ないということか……。

最寄り駅に着き、自宅へ向かう道すがらも、何度もため息をついた。妻は給料が上がると喜んでいたが、とても明るい表情で玄関を開けられるものではない。

「ただいま」

それでも気を取り直し、只倉は帰宅した。

土間に、見慣れない草履がそろえてあった。只倉は妻の早苗（さなえ）、それに二十五歳の一人娘、日向（ひなた）の三人暮らしであるが、男物である。

八畳敷きの居間に入る。奥に早苗が座り、手前に日向と知らない背中が並んでいた。紺色の和服を着て、ウェーブのかかった固そうな髪を後頭部でまとめている。

「あら、お帰りなさい」

早苗の言葉に日向と和服の者がそろって振り返る。やはり男だ。長い髪の間から、小さな目が二つ、只倉を見据えている。

「誰だ？」

「やだわあなた。今日は日向が彼氏を連れてくるって言ったじゃないですか」

紙袋をその場にとり落とした。

「彼氏だと？」

「おじゃましております」

和服男は丁寧に畳に手をつき、頭を下げる。

「いや何もそんなに丁寧に……」

「本当に何も聞いていないんだから。はやく、着替えてきてください」

早苗にせっつかれ、寝室へと向かう。日向が彼氏を？　頭の中が忙しくなる。

子どものころから、親に心配をかけない子だった。成績はいつも上位をキープし、学校に呼び出しを食らうこともなく、ピアノや習字といった習い事も一度も休まなかった。大学も学費の安い国立大学に進み、就職もすんなり優良企業に採用された。

唯一心配事があるとすれば、交友関係だった。おとなしく真面目な性格ゆえか、友達を家に連れてきたことは一度もない。当然、男の影など感じたこともない。雰囲気はおっとりしていて派手ではないものの、不器量ではないはずなのだが――。そんな娘も二十代の半ばにさしかかり、只倉と妻との共通の話題は専ら、「日向は結婚を考えているのか」ということだった。娘が自分の結婚した年齢になったことで早苗は余計に心配しているようだった。

それが今夜、急に彼氏を連れてきた。早苗は朝、告げたと言ったが本当だろうか。たしかに突然の転属にショックを受けていてあまり話を聞いていなかったが……それにしても、日向には彼氏がいたようなそぶりはなかったじゃないか。

いや、と思い返す。深川署での最後の一か月は忙しく、ろくに家に帰っていなかった。もともと日向は学生のころから、父親には普段の生活のことをあまり話さなかった。早苗には話していたのかもしれない。

何はともあれ、日向の父親としての威厳というものは示さなければならないだろう。紋付き袴でも着るか……そんなものがどこにしまってあるのか知らない。

結局、いつもの部屋着に身を包み、居間に戻った。早苗は台所に立ち、何かの盛り付けをしている。

日向たちの向かいに腰を下ろす。さっきは気づかなかったが、食卓の上には寿司や中華オードブルなど、いつもよりもだいぶ豪華なメニューが並んでいる。

「お父さん」日向がずいぶんとかしこまった様子で口を開いた。丸眼鏡の向こうの目がおどおどとしている。

「私が今、お付き合いしている、関内さん」

「関内えんげつと申します」

「日向の父の、恵三です」

返しながら、えんげつ？　と大きなクエスチョンマークが脳内に浮かび上がった。刑事の性で、その男の観察をしてしまう。着ているものといい、髪型といい、特徴的なことが多すぎる。警察にも潜入捜査に都合がいいという理由でわざわざこういう外見を通している若い連中もいるが、どうやら普通の勤め人ではなさそうだった。

「珍しい名前だが、どういう字を書くのかな」

「炎に、月と書きます」

「ほう。親御さんはずいぶん風流なんだね」

「あ、いえいえ。本当の名前は健太郎といいます」

額に垂れた前髪を掬い上げながら、彼は答えた。

「健康の健に、桃太郎の太郎で、健太郎です。炎月というのは、自分でつけた芸名です」

思わずわが娘を見た。真面目な顔でうなずいている。男のほうに視線を戻す。

「芸名ということは、仕事は？」

芸能人か？　俳優か、落語家か、まさかお笑い芸人ではないだろうな……などと胸の中で不安をかき回す。だが、返ってきた答えは、只倉の予想をはるかに上回るものだった。

「カイダンシをしております」

快男子、という漢字が頭に浮かんだ。だが炎月の次の言葉で、勘違いに只倉は気づかされることになる。

「怖い話、不思議な話を収集し、お客様の前で語るという仕事です」

つまり、「怪談師」ということらしい。彼の横で日向の表情がぱっと明るくなる。

「お父さん、炎月さんはすごいのよ。イベントをやったらチケットは即完売、本も四冊も出してるの」

「二冊は共著ですが」

日向は半年前、職場の同僚に「舞台を観(み)にいこうよ」と誘われ、ついていくとそれは怪談イベントだったという。初めは嫌だったが、入れ替わり立ち替わりステージに現れる怪談師たちの話にいつしか引き込まれ、あっという間に怪談の虜(とりこ)になった。中でも気になったのがこの関内炎月という男で、日向はＳＮＳをフォローし、彼の出るイベントに通うようになった。

「それであるとき、思い切って出待ちして、私のほうから声をかけたんだ。炎月さんも、よく見かける顔だなって思っていてくれたみたいで、何度か話をしているうちに、お付き合いするようになったの」

恥ずかしそうに話す日向。只倉は開いた口がふさがらない。あの真面目だった娘が、怪談なんぞに夢中になり？　イベントに足を運び？　怪談師と付き合い？　――そもそも何なのか「怪談師」という職業は。

ぐわらぐわらと頭の中に赤黒い渦が巻いてくるような感覚に陥った。浮かんでくるのは、白髪のミイラのような眼帯男――牛斧係長の顔だ。髑髏を磨く男、木札を削る中年女、アカヒデさんごめんなさいと謝り続ける若い女——あんな気持ち悪い連中のいるばかりの部署に飛ばされた日に、紹介された娘の恋人が怪談師だなんて。

「冗談じゃないぞ！」

只倉は怒りまかせに立ち上がった。

「そんな怪しい人間と交際するなんて、認めるわけにはいかん！」

「落ち着いてお父さん。怪談師って今、すごく人気があるのよ」

日向がなだめるが、只倉の怒りは収まらない。

「人気があるか知らんが、怖い話をして金をとるなんて、まともな仕事とは思えん！　帰れ！今すぐ、帰れっ！」

「まあまああなた。お酒でも飲みなさい」早苗が一升瓶を持ってやってきた。「こちら、炎月さんからもらったのよ」

「『炎月さん』だなんてお前まで……」と言いかけ、只倉の目は一升瓶のラベルに吸い寄せられる。——『十四代　双虹』。

「嘘だろ？」

山形県の銘酒、十四代。その中でも高級で知られる一本で、値段は十五万円を軽く超える。

「お客さんの社長からいただいたものです」

今の今まで怒鳴られていたことなどまるでなかったかのように、炎月という男は平然とガリをつまんでいた。

「私も日本酒は嫌いではないのですが、舌が未熟で味がわかりません。お義父さんはお酒が好きだとお聞きしましたので、ご賞味いただければと思い、お持ちしました」

馬鹿丁寧な口調と、何より「お義父さん」という言葉が気に入らないが、日本酒好きの只倉としては、この酒を前に彼を追い返すわけにはいかなかった。

「……ちくしょう！」

再び座布団に腰を落とす。

「炎月さんも飲むでしょう？」

早苗が訊いた。

「一緒に、いただいてもよろしいでしょうか」

只倉の顔を覗き込む炎月。

「君の持ってきた酒だ。嫌とは言えん」

不機嫌さを隠さず、それでも只倉は言った。

3

「うう……ううう……」

自分の唸り声に目が覚める。

重い瞼を開けると、木目の天井が見えた。体に布団の重みを感じる。肩が痛い。畳の上に直接寝てしまったようだ。二つに折りたたんだ座布団を枕にしている。

酔っていた。

……ああそうだ。あの関内炎月という男。……あの男と酒を飲んだのだ。

『双虹』はさすがに美味(うま)かった。気分がよくなり、寿司も進んだ。怪談師などといういかがわしい男とは口も利かないつもりだったが、只倉が怪談嫌いだと知るや否や、炎月は一切怪談めいた話を封印し、警察の仕事について質問をしてきた。

意外なことに炎月は只倉の話に前のめりで相槌(あいづち)を打ち、要所要所に的確な合いの手を入れた。只倉もすっかり饒舌(じょうぜつ)になり、どんどん酒を飲んだ。

「あいててて……」

頭が痛い。二日酔いだ。炎月も同じペースで飲んでいたが、顔色はまったく変わらなかった。それが小憎たらしくて進んでしまったきらいもある。

炎月めと、怒鳴り散らしたくなる。イベント慣れしているからか、話は上手(うま)いし、声の耳触りもいい。浮世離れしたような外見からは想像もできないほど、常識もある。だがあれは猫をかぶっているに違いない。あんなのは、詐欺師だ。日向は騙(だま)されているに決まっている。

「うう……」

とにかく、転属二日目から二日酔いはまずい。水を飲もう。食卓の縁に手を付いて、「よっ」と体を起こし――、

「ぎゃああっ！」

思わず叫んでのけぞってしまった。

食卓の上にろうそくが一本立ち、ゆらゆらとおぼろげな光を放っている。その向こうに、髪を垂らした顔があり、じっと虚空を見つめているのだった。

「おはようございます」

相手は言った。よく見たら、炎月だった。まとめられていた髪が、今は海藻のように顔を覆い、陰気さを際立たせているのだった。

「き、君、何を……」

「客間に布団を敷いていただき、泊まらせていただいたのですが、妙に目が冴えてしまい、起きてきました。ちなみにこのろうそくは本物ではなく、本物っぽいペンライトです」

かちりかちりと音を立ててろうそくを明滅させる炎月。

「……どうでもいい」

吐き捨てるように言うと、頭がまた痛んだ。そんな只倉の様子を察してか、炎月はグラスにペットボトルの水を注ぎ、「どうぞ」と差し出してくる。

「あ、ああ、ありがとう」一応礼を言ってそれを飲み干した。

「今、何時だ？」

「そろそろ五時になるかと。古の言い方をすれば、寅の刻が終わろうとしているといったところでしょうか」

うっとうしい表現をする男だ。

「ところでお義父さん、これはすごい資料ですね」

炎月は唐突に、ろうそくの横に何かを置いた。昨日、只倉が持ち帰ってきた「第二種未解決事件」のファイルだった。

「お前、何を勝手に……いたたた！」

頭を押さえる只倉の前に、炎月は顔を近づける。ろうそく照明に照らされ、いっそう不気味だ。

「まるで『田中河内介(たなかかわちのすけ)の最期』です」

「なんだと？」

「大正時代に実際にあった話です」

そして炎月は、静かに語りはじめた。

*

東京は京橋(きょうばし)に、画博堂(がはくどう)という名の、今で言う画廊のような店があり、その三階では定期的に怪談会が開かれていました。怪談が好きな同志が集まり、それぞれの持ち寄った話を披露して楽しむ会でございます。

ある夜、いつものように怪談会を開いていると、見慣れない青年がふらりと入ってきて、私にも一つ話を披露させてくださいと言うのです。みな、怖い話には目がありませんからどうぞ話してくれと促しました。

青年は一同の前に出ると、話を始めました。

『田中河内介が寺田屋事件のあとどうなってしまったかは、話せばよくないことがその身に降りかかると言われていて、話をする者がいない。本当のことを知る人はどんどん少なくなっていき、自分がとうとう最後の人間になってしまった。この文明開化の世の中に、話せばよくないことがあるなんてことはなかろうから、今日は話しておきたいのです』

この、田中河内介というのは幕末に生きた尊王攘夷派の志士でして、寺田屋騒動に関与したとされて薩摩藩に捕縛され、船で護送される最中に切り捨てられたと伝わっています。しかしその最期について詳しいことは知られておらず、それをこの青年が語るというのでみな身を乗り出して耳を傾けました。ところが――

『田中河内介が寺田屋事件のあとどうなってしまったかは、話せばよくないことがその身に降りかかると言われていて……』

青年はさっきと同じことを繰り返す。そして、『今日は話しておきたいのです』まで行くと、また『田中河内之介が……』と頭に戻ってしまいます。初めは興味を持っていた聴き手たちも、だんだんいらいらしてきたり、飽きてきたりしました。

そのうち、階下から呼び出しがかかったりして、聴き手が一人立ち、二人立ち、ついに聴衆の最後の一人も電話がかかってきたと呼ばれて階下に降りていきました。階下で『あの青年はいったいどうしてしまったのか』などと話していると、様子を見に行った一人が慌てて降りてきたのです。

『誰もいなくなっている間に……』

彼は血相を変えて震えていました。

青年はその部屋で、死んでいたということでした。

＊

ふっ——ろうそく照明に右手を添え、息を吹きかける炎月。灯(あか)りは消えたが、それは炎月自身がタイミングよくかちりとスイッチを切ったからだった。

「何をしてるんだ？」

「すみません、話の終わりにはこうするのが決まりなので」

炎月はすぐにまたスイッチを入れた。

「池田弥三郎(いけだやさぶろう)という国文学者が、父親から聞いた話として記録しているものです。徳川夢声(とくがわむせい)もどこかからこの話を聞き及び、ラジオなどで話していたということです」

「知らん知らん、そんなやつらは」

「聞いていただいておわかりかと思いますが、突然現れた男が何度も何度も話の導入ばかりを繰り返すという不気味さが、この事件に通じております」

開いたファイルに手を載せる炎月。

「さらに、誰も聴衆がいなくなったところで話し手が死んでしまうという結末までそっくりです。しかも、死亡推定時刻という要素の導入により、話を繰り返していたときにはすでに死んでいたはずだという奇怪さまで加わっている。この事件はまさに『田中河内介の最期』のアップデート版。……イベントで話せば、怪談ファンのみなさんは大喜びするでしょう」

そして炎月はあとずさりして正座をし、両手を畳についた。

「お義父さん、どうか私に、このお話をください！」

深々と頭を下げる。まるで「お嬢さんをください」と言っているみたいだなと感じ、一瞬のち、殺意を覚えるほど憎らしくなった。

「いいかげんにしろ！」

「お願いですお義父さん！　次のイベントで話す披露するための強力なネタがなく、困っているのです！」

「まず、お義父さんというのをやめろ！」

只倉は立ち上がり、その怪談師に人差し指を突きつけた。

「何か理由があるに決まっているんだ。……よし決めたぞ。再調査して真相を明らかにしてやる」

「は、はい？」

「刑事畑三十二年をなめるなよ。こんな怪談、俺が怪談じゃなくしてやるからな！」

4

只倉が篠瀬の地を踏んだのは、それから二日後だった。

炎月に啖呵を切ったあの日、出勤した只倉はすぐに牛斧係長に「直ちにこの事件の再調査に出かけたい」と申し出たのだった。牛斧係長はきょとんとしていたが、

「それなら申請書を書きなさい」

すぐに笑顔でそう答えた。そもそも上からは、全国から集まる案件の再調査をすることが望ましいと言われているのだそうだ。ところが案件は膨大だし、呪いや怪奇現象の関わる事件に対して、皆、腰が重くなる。しびれを切らした上層部にはノルマを課せられたが、まったく達成できる見込みはないと係長は頭を抱えているのだそうだ。

「こんなに早く再調査を希望してくれるなんて助かるよ。さっそく明日、行ってきてくれ」

牛斧係長は嬉々として申請書を受理し、部屋中の職員たちが拍手をした。

第二種未解決事件整理係に警察庁があてがっている車は、エンジン音が小さく、乗り心地のいいセダンだった。首都高速と関越自動車道を経て三時間、そこは田畑の中に家屋が散在する、のどかな田舎だった。

只倉がまず訪れたのは、合田竜也の家である。二年前の事件当日、栗中に会った三人の老人の一人だった。……というより、関係者で会えるのが、彼しかいなかったのである。

「小林さんも、佐藤さんも、もう話を聞くのは難しいだろうな」

縁側に腰掛け、合田竜也は遠い目をした。ポロシャツにスラックス、銀縁の眼鏡が真面目な印象を与える。只倉は彼の隣に腰掛けて話を聞いている。

「小林さんは泡夫くんの件の一か月後に倒れて寝たきり、佐藤さんもほどなく、腸の病気が再発

して入院してしまって……」

　面会謝絶状態なのだと合田はため息をつく。証人が老人ばかりだとこういうこともあることを、只倉は十分心得ていた。一人でも話を聞ける相手がいることが救いである。

「事件の再調査をしているのですが、二年前の十一月十五日のことを、詳しくお話しいただけますか」

「詳しくと言われてもねえ」

　思い出すのも気味が悪いというような表情を浮かべながら合田が話したのは、ファイルに記載されているのとほぼ同じ内容だった。

「しかし検視によると、あなた方と話をしたときには、栗中はすでに死んでいたことになっている」

「だから、気味が悪いんだ。あれは幽霊だったのかと……いや、幽霊だったら集会所に死体が現れたのはおかしいな。死んだあと、彼が私たちに会いに来たのか」

　真面目そうに見えて、この老人もまた、オカルトめいたことを口にするのだった。

「確実に、栗中さんだったのですね？」

「ダウンジャケットというのか、彼が愛用していたものは特徴的なデザインで、体の部分は黒いのに、襟だけがオレンジ色だった。それから、緑色のニット帽と白いマスク」

「顔がほとんど隠れていますが」

「声が確実に泡夫くんのものだった。膝の上に薄手の毛布を掛けていてね、その下でもぞもぞと手を動かすしぐさも昔見たような感じだったよ」

只倉はファイルを開き、質問を重ねる。

「彼が何度も繰り返した言葉をもう一度、教えていただけますか」

「『うちの婆さんの金のありかがわかりました。お手伝いしてくれたらいくらかあげますので、明平寺に行っとってください』」

「ここに書かれているのと、まったく一緒ですね」

「当然だ。私が証言したんだから」合田は初めて、口元を緩ませた。「六十で定年になるまで、高校で現代文を教えていた。言葉の言い回しには人一倍敏感だと自負しておるよ。『行っとってください』という言い方が年寄り臭くて引っかかったので、一言一句正確に覚えているんだ」

ずいぶんな自信だ。遥か昔の高校生時代を思い出す。只倉の担任はまさに現代文の教師で、言葉の使い方には厳格で、生徒が一度話したことを、正確に覚えていたものだった。「一言一句正確」という合田の証言は信じていい気がした。

只倉は次の質問に移る。

「栗中泡夫さんのことについて、知っていることを教えていただけますか？　たとえば、彼が起こした事故について」

「車いす生活のきっかけになってしまった事故のことか。あれは彼が起こしたものじゃない。彼の兄だ」

「兄？」

「名前は波夫（なみお）というんだが、双子の兄がいるんだ。これが、とんでもない不良でね。まあそもそも、双子が子どものころに、両親は相次いで病気で亡くなっているんだが」

両親を亡くした波夫・泡夫の双子は父方の祖母の武江に育てられたのだと合田は言った。武江はかつて事業をしていたころの貯え（たくわ）があったが締まり屋で、双子には新しい服も満足に買ってやらなかったという。波夫のほうは反発し、高校を中退して悪い連中と付き合い、十八のときに中古の車を手に入れ、夜ごと乗り回していたという。

「あれはいつのときだったか、弟の泡夫くんを乗せて乗り回していたときに大事故を起こしてしまった。運転していた兄のほうは無事だったんだが」

「弟は車いすになってしまったと」

「そうだ」合田は悲しそうにうなずいた。「それが理由で波夫くんは祖母の武江さんとの関係がさらに悪くなり、家出して、そのまま行方をくらましたんではないかな。結局、武江さんの葬儀にも顔を出さなかった。泡夫くんのほうは、あまり家を出ないようになった」

複雑な事情が詳（つまび）らかになっていく中、只倉は一つ、気になった。

「あまり家を出ない泡夫さんが、どうして特徴的なデザインのダウンジャケットを着ていることを知ってるんです？」

「ああ、それなんだがね」合田は只倉のほうを向いた。「事件の少し前から、また外に出るようになってね。よく見かけるようになった。高そうな釣り竿（ざお）まで買って、池で釣りをしていたのを見たよ」

「釣りですか。何かきっかけがあったのでしょうか」

「さあ、相変わらずの人嫌いで、心配した年寄りが近づいていくと逃げてしまうんだ。……彼のことは友人に訊いたほうがいいんじゃないのか」

「友人？」

「そうそう。双子の幼馴染で、さっき話した大事故のときにも車に同乗していた、野上善くんだよ」

「野上善というと、集会所の管理をしている野上さんですか？」

事件当日はキノコ狩りで不在だったという彼のことだった。

「そうそう。まあ、彼も事故の被害者なんだがね」

これ以上は本人に訊くといい。合田老人の表情はそう語っていた。

5

それは、川沿いにある二階建て家屋だった。ファイルに書いてあった通り、現在は一階が集会所として利用されているものの、《野上酒店》の看板はそのまま残されている。夏らしく開け放たれたガラス戸の向こうには長机と椅子が置かれており、簡易なキッチンもある。利用者は一人もおらず、がらんとしていた。

只倉は中に入り、「ごめんください」と声をかけた。誰も出てくる様子がない。奥の木製の引き戸の脇にブザーのようなボタンがあるので押すと、びー、と電子音が鳴った。

ややあって、階段を下りてくる音がした。引き戸が開き、半袖シャツを着た、細面の男性が現れる。

「野上善さんですね？」

「そう――ですが――」

潰れたような、聞き取りづらい声で彼は応じる。只倉は警察手帳を見せ、事件のことを再調査しているのだと説明した。野上は迷惑そうにしていたが、只倉が引かず、質問が多そうだと見るや、「ここは暑い。どうぞ上へ」と招き入れた。

靴を脱いで上がると、すぐ右が階段になっていた。

階上は二間続きの居住スペースになっており、なるほど冷房が効いていた。ソファーの前のローテーブルにノートパソコンが置いてあり、その背後に、見慣れない機械がたくさんある。野上はノートパソコンを閉じ、只倉にソファーを勧めた。

「何か――お飲みになりますか――」

「どうぞ、お構いなく」

「そうですか――すみません――聞き取りにくい――声で――」

「二十代の頃、事故に遭われたそうですね。集落を去られた、栗中波夫さんの運転だったと」

誰がしゃべったのかと野上は嫌そうな顔をしたが、「ええ――」と応じる。

「もう十年になります――。後部座席に――いましたが――、つんのめった拍子に――前の席の

――ヘッドレストが――喉に――、声帯をやられて――しまいました――」

それより質問とは何でしょうか？　と、彼は迷惑そうに訊いた。

「栗中さんが亡くなったあの日、朝からキノコ狩りに行っていたそうですが」

「はい――ここから四キロほどの――天神山で」

「帰ってきたときには警察がいて騒ぎになっていたと、事件直後の聞き込みで話されていますね。キノコ狩りはよく行かれるのですか」

「一年に――三、四回――」

事件当日は山のふもとに住む名人がほとんど採ってしまったあとで、収穫は思ったほどじゃありませんでした、と野上は言った。

「ご遺体とご対面はできたのですか？」

「いえ――警察が――運んだあとで――帰ってきました」

「そうですか。ちなみに、死亡推定時刻をめぐる不思議な話は？」

聞いていますよと野上は答える。

「僕は――、佐藤さんたちの――見間違いだと――思います――。死んだ人間が――現れるわけがない」

「しかし、三人とも栗中さんを見ています。栗中さんが同じことを何度も繰り返したというのも」

「ああ――その気味の悪い話も――。僕は――幽霊は――信じないが、――ひょっとしたら――

泡夫が——死んだことを——伝えに来たのかとも、——思ったりします。そのとき——僕はここには——いなかったわけですが」

野上は頭の後ろを掻いた。

「わかりました。次に、栗中泡夫さんのことを聞かせてください」

まだあるのかと、野上は顔をゆがめるが、只倉は気にせず続けた。

「あなたと栗中さんは、幼馴染だったそうですね。亡くなった栗中泡夫さんのお兄さん、栗中波夫さんも含めて」

「そうです——」

子どものころは一緒に野山を駆けずり回ったものだが、事故をきっかけにぎくしゃくしてしまった。波夫は祖母の武江と喧嘩(けんか)して出ていき、泡夫は車いすになってひきこもりがちになり、すっかり疎遠になった、と野上は言った。

「泡夫さんは、その後、仕事はしていたのですか」

「ネットを通じ——内職は——していたようです——。めっきり会わなく——なったので——あまり知りません」

「その泡夫さんが、亡くなる少し前から外に出はじめたという情報があるのですが」

「事件の——一年前——武江さんが亡くなったあとから——、そんな噂も——。よく知りません——」

「釣りに出ていたそうなんですが」

「知りません――」

ごほんと咳ばらいをすると、「もうそろそろ――」と野上は背後のパソコンと電子機器類を振り返った。

「仕事の納期が――迫ってまして――」

「そうでしたか。ちなみに、どういうお仕事を?」

主に音楽の制作です、と彼は答えた。

「これでも――事故の前は――バンドを――やっていまして――」

声が出なくなったことをきっかけに人前に出なくなったが、知り合いから頼まれてイベントの音楽を作曲しているのだという。

「その他――動画の編集も――しています――。披露宴や――イベントに使うもの――。動画チャンネルのものを――請け負うことも――」

編集機器さえあれば田舎で引きこもっていてもできる仕事なのだと彼はどこか寂しそうに笑った。

「それでは失礼します」

只倉は部屋を出て、廊下に向かう。さっきは気にならなかったが、廊下の真ん中に直径十五センチメートルほどのこげ茶色の柱が立っている。不思議な構造の家だ、こんなところに柱が――と観察して、妙なことに気づいた。床から一メートルくらいの高さの位置、こげ茶色の塗料が剝げて木肌が見えている。まるで何か紐のようなものを巻き付けて擦った跡のようだった。

「これは？」

刑事の性で、気になったことはすぐ訊ねてしまう。

「え？　――ああ――ガキの頃――私が――」

野上は笑いながら左手にあった窓をガラガラと開ける。幅が三十メートルほどの川が流れており、すぐ下が河原になっているのだった。家から川下に三十メートルほどの位置に、石橋がかけられている。

「勉強を――終えるまで――遊びに行ってはいけない――決まりに――なってまして――」

両親はそう言いつけて野上を残し、下の酒屋に出るのだという。階下との行き来はさっき只倉が上がってきた狭い階段しかない。野上は部屋に隠し持っていたロープをこの柱に結び付け、窓から忍者のように河原に降りて遊びに行き、また両親の目を盗んで戻ってくるという悪さを繰り返していたのだという。

「あの石橋を渡って――栗中の家にも――よく行きました――結局――この柱の――跡で――ばれて――余計怒られました――」

懐かしむように笑いつつ、野上は窓を閉める。只倉は川の向こうに、黒い瓦屋根の二階建ての建物がぽつんとあるのを見た。

「ひょっとしてあれが、栗中兄弟の家ですか？」

「そうです――。そこの河原で――、よく遊んだものです――。あの――そろそろ――」

「すみませんでした。こちらでけっこうです」

「そうですか――」

野上は部屋の中へ戻っていく。

「ありがとうございました」

声をかけると、彼は会釈をしてドアを閉めた。

只倉は素早くスマートフォンを取り出し、柱のロープの跡を撮影した。

6

《野上酒店》を出て、蟬の鳴く田舎道をしばらく歩いた。夏の日射しがじりじりと只倉の襟足を灼く。大きな地蔵が祀られているお堂を右に曲がると、正面に小高い山があった。鬱蒼と木々が生い茂る中、古い石段が伸びている。

石段はゆうに五十段はあり、《明平寺》という扁額のある山門をくぐったときには、顔中から汗が噴き出ていた。ハンドタオルでそれを拭いつつ境内を行くと、作務衣を着た年配の僧がやってきた。

こんにちはと声をかけると、

「警察の方ですかな?」

柔和な顔立ちで僧は訊ねた。田舎の情報は早い。野上のところへ行っているあいだ、合田は知り合いに只倉が来たことを話し、その噂がすでに広まっていたようだった。

只倉が何も言わないうちから、三次林邦と自己紹介したその僧は、

「鐘楼をご覧になりたいのでしょう」

勝手に決めつけ、どうぞこちらへと只倉を案内していく。やがて、木々に囲まれた涼しい空間の中に、鐘の吊り下げられた鐘楼があった。

「武江さんが倒れていたのはこのあたりです」

鐘楼へ上る十段ほどの階段の上り口を、三次は指し示した。

「うちの寺は篠瀬の方々の散歩コースになっていましてな。向こうへ降りる道もありますから、石段を上ってきてここで一休みする方が多いのです。武江さんも健康のために週に二、三度散歩をしていましたが、あの石段がお体に負担をかけてしまったのでしょう」

三次は手を合わせ、目をつむった。たしかに心臓の悪い人間には、あの石段はきついかもしれない。あの日、栗中に「明平寺に行ってください」と言われた三人の老人も苦労したのではないだろうかと只倉は考えた。

「篠瀬の人たちもみな、歳をとりました」三次は静かな口調で話し始めた。

「法要や葬儀などの際、毎度あの石段を上ってもらうのが私も心苦しく、町の斎場を借りてやりませんかと提案することもあるのですが、みな、寺がいいと言いましてね」

只倉は一つ、引っかかったことがあった。

「武江さんの葬儀も、寺でやったのですか？」

「ええ、そうです。生前からの武江さんのご依頼でしたから」

「しかしあの石段があって、車いすの泡夫さんは参加できなかったのでは？」

「喪主ですから参加しないわけにはいきません。あれが、今の時代のやり方なんですね。オンラインで参加したのです」

「オンライン？」

意外な言葉に、只倉は甲高い声を上げてしまった。

「はい。野上くんにはもう、お会いになりましたか？」

「ええ」

「彼が手伝ってくれましてね、うちの本堂にモニターを設置し、栗中家とつないでくれたんです。泡夫くんはうちに居ながらにして、本堂での葬儀に参加できたわけです」

泡夫とはすっかり疎遠になっていたと野上は言っていたはずだが――。

「事故以来、人前に出ることがなくなった泡夫くんですが、オンラインなら参列者と目を合わせずすみますからね、しっかり喪主挨拶をやり遂げましたよ」

遠い目をする三次。もしかして――と、只倉は事件解決の糸口をつかんだ気がした。

「その喪主挨拶の映像は、録画されていませんか？」

「録画？……いえ。葬儀の様子は録画していません」

あてが外れたか。いや、野上が勝手に録画していたとは考えられないか。そんなことを考えていたら、

「しかし、葬儀のお知らせのＤＶＤならあります」

三次は言った。

「DVD？　なんですかそれは」

「武江さんの葬儀を執り行うにあたって、生前武江さんが親しかった人たちに向けたメッセージを、泡夫くんは映像としてDVDに記録し、配ったのです」

自分は車いすだし人前に出られないので、生前親しかった人たちに手伝いをお願いしたい――という内容だったらしい。

「たしかあれも、野上くんが協力して作ったのではなかったかな」

「そのDVDが、あるというのですか？　見せてもらえますか？」

只倉は湧き上がる興奮を抑えきれない。三次は只倉の変容ぶりに驚いていたが、「ええ、どうぞ」と答えた。

只倉が案内されたのは本堂ではなく、離れの一室だった。二十畳ほどの広さがあり、大きな木像が安置されていた。檀家(だんか)を対象に仏法の勉強会を催すことがあり、液晶モニターとDVDプレイヤーがセットされているのだった。

「こちらです」

三次が持ってきたのは「栗中武江　葬儀の告知」とペンで書かれた白いDVDだった。プレイヤーにセットすると、映像が現れた。喪服姿の瘦せた青年の上半身。背中の後ろに、車いすの背もたれが見え、その後ろは白い壁と窓。窓外の川をはさんだ向こうには《野上酒店》の建物が映っている。

〈人前に出るとしゃべれなくなるので、野上が撮ってくれています。お付き合いください〉

低く、しめやかな口ぶりで、彼は話を始めた。

〈昨日、明平寺の鐘のところで、うちの婆さんの倒れているのが見つかりました。救急車で運ばれましたが、すぐに死亡が確認されました〉

両親の代わりに育ててくれた祖母の死を語るには、淡々としすぎているように思えるが、若者とはこうしたものかもしれない。

〈最近はいくらか調子がいいと言っとって、私も安心していたのですが、心臓が相当悪かったのだと医者の説明でわかりました。急に石段を上がったことによる血圧の変化が原因かもしれないということでした〉

話が進むにつれ、只倉はこくこくと自然とうなずいていた。すぐにファイルを取り出し、はさんできたメモ用のルーズリーフを広げる。

〈葬儀をあげますので、お寺に頼みましたが、私はこの体でいろいろ不自由もあり、みなさんにお手伝いいただけたらと、お願いする次第であります。どうか、このとおりです〉

映像はここで終わった。ボールペンをルーズリーフの上に走らせながら、傍らで見守っている三次のほうを向いた。

「住職――もうあと何度か、拝見させていただいてもいいでしょうか」

「どうぞ、ご自由に」

三次は只倉の前にリモコンを置く。

「ありがとうございます」

只倉はすぐに映像を早戻しした。ぼつぼつと再び話を始める栗中泡夫の顔に、関内炎月の顔が重なった。

怪談師だと？　ふざけるなよ。貴様なんかと娘を交際させるわけにはいかん――仏の木像に見守られながら怪談話の謎を解明していく心地よさを、只倉は味わった。

7

群馬県警高崎署に到着したときには午後四時をすぎていた。

あまりに興奮していたため昼飯を食べそびれたが、空腹など感じなかった。

「どうも」

ノートパソコンと資料を抱えて応接室に現れたのは三十そこその、素朴な顔立ちの男だった。

「高崎署刑事課の後藤田翔太と言います。ええと、只倉恵三さん。呪われ係の方とお聞きしましたが」

「それは通称だ。正式名称は、第二種……ええと、未解決……」

ムッとしたものの、自分も正確に言えなかった。

「第二種未解決事件整理係、ですよね。篠瀬集落の、栗中泡夫の事件ですか」

「そうだ。本日、現地にて事件を再調査した。結果、この事件を差し戻すことにした」

「差し戻す？　なぜです？　栗中泡夫は心臓発作で亡くなったんですよ？」

「あれは栗中泡夫じゃない。そもそも私は、送られてきた資料を読んだときから引っかかっていたんだ。遺体は発見されたとき、車いすに座っておらず、床に仰向けになって体を伸ばした状態だった。それで、死後二〜三時間経過したと判断されたということは、死後硬直が始まっていたということだろう？」

「ええと……そうなりますね」

後藤田という男はどうも、あまり聡明ではないようだった。

「もし死んでからずっと車いすに座りっぱなしだったのだとしたら、遺体は座った状態で固まってしまい、床に転がしても仰向けにはならないはずだ」

「あっ、たしかに」

頭に手をやる後藤田に、只倉は話を続ける。

「ということは、心臓発作で仰向けに倒れてから二〜三時間、体を伸ばした状態で放っておかれたということになる」

もちろん泡夫だって四六時中車いすに乗っているわけではないだろうからそういうこともあるだろうが、ひょっとしたら誰か、泡夫に似た別人の可能性もあるのではないか……、只倉は初めて資料を読んだときからそう思っていたのだった。

「篠瀬に行って聞き込みを始めたらどうだ。すぐに波夫という双子の兄がいたことが判明した。資料に書いていなかったぞ」

「ああ……たしかに双子の兄がいたと聞いたような。そうそう。泡夫が車いす生活になったのは、二十二歳のときに兄が運転する車が事故ったからでしたよね。でも、その事故の直後に兄は家出して、行方知れずになったとか。事件には関係ないじゃないですか」

「いいか。事件の一年前の十月に武江が死んだ直後から、泡夫が外出しているところがたびたび目撃されているんだ。ダウンジャケットを羽織り、高級そうな釣り竿で釣りをしていたという証言もあった。その変わりようは何だ？　人知れず波夫が帰ってきていて、泡夫に成り代わったと考えるのが自然だろう」

「ええっ？」後藤田は飛び上がった。「じゃあ、あの死体は、波夫だというのですか」

「そうだ」

「しかし……」

と、後藤田は考えるそぶりを見せたが、

「それでも、死亡推定時刻より後に集会所の老人たちの前に姿を現した事実は変わりません。やっぱりこれは呪いによる不審死として記録されるべき案件……」

「黙れ！　まったくどいつもこいつも、すぐオカルトに持っていきたがる。いいか。そのとき波夫はすでに死んでどこかに放置されていたと仮定する。だとしたら老人たちの前に現れた泡夫は、泡夫でも波夫でもない、別の男だったということだ。特徴的なダウンジャケットを着て、マスクとニット帽で顔を隠せば、老人たちは泡夫と勘違いするだろう」

「いったい、誰だというのです？」

「野上善だよ」

「のがみ……あの、キノコ狩りに行っていた、集会所の管理人ですか？」

信じられないといったように、後藤田は口を開けた。右奥歯が銀歯だった。

「キノコ狩りは嘘だ。野上は波夫が泡夫のフリをしていることを知っていた。のみならずあの日、老人たちが来る前から二階の部屋で波夫とよからぬ相談をしていたんだ」

「なんです？　よからぬ相談って？」

「その話はとりあえず後回しだ。いいか、ふとした拍子に、波夫は心臓発作で死んでしまった。直後、老人たちが集会所にやってきた気配を野上は感じた。野上は焦った。彼には泡夫が実は波夫なのだと知られてはいけない事情があったんだ。老人たちに、波夫が死んだことを知られるわけにはいかなかった」

「どうしてです？　『上で話していたら泡夫が死んだ』ってごまかせばよかったじゃないですか」

「ごまかせはしない。車いすの泡夫は、二階には上れないのだから」

「あっ！」

「老人たちは碁を始めたら夕方まで帰らないこともざらだ。考えた末、野上は、泡夫が集会所にやってきて急死したように見せかけることにした。階段を下りていけば老人たちに姿を見られるが、あの家の二階の廊下には太い柱があり、そこにロープを結び付けて、窓から裏の河原に降りることができるようになっている」

「そうなんですか？」

「ああ。子どものころ、両親の目を盗むためによくそうやって抜け出したのだと、野上自身が言っていた。野上は波夫の死体をそのままにし、波夫が着ていたダウンジャケットと帽子を身に着け、マスクをして人目につかないように河原へ降り、川の向こうの栗中家へ急いだ。そこには、波夫が泡夫のフリをするための車いすがあった。車いすに乗って《野上酒店》へ戻り、老人たちに武江の財産の話をふっかけ、寺へ行かせる。三人がいなくなったところで、二階から波夫の遺体を降ろし、自分はこっそり天神山へ向かう。あとは誰かが波夫の遺体を見つけてくれるのを祈りつつ、じゅうぶん時間を潰して戻るだけだ」

　後藤田は不安そうにも見える表情で只倉の話を聞いていたが、

「おおもとの疑問は放っておくとしても」

　と右手の人差し指と中指を立てた。

「今のお話に二点、疑問があります」

「言ってみろ」

「老人たちが碁を打ち始めてから、謎の泡夫がやってくるまで二時間あったんです。だから死後硬直が始まってしまったということなんだと思いますが、どうしてそんなに時間がかかったんでしょう？　栗中の家は川の向かいで、すぐ川下に橋があります。車いすに慣れていなかったにしろ、二時間もかかると思えません」

「ふん。もう一つの疑問は？」

「声です。お話を聞いているうちに思い出しましたが、野上は事故で喉がつぶれて、声がとても聴きとりにくかった。栗中泡夫、……波夫でもどっちでもいいのですが、声色をマネできたとは思えません」

聡明ではないと思っていた後藤田が、しっかりと話のツボを押さえていたことに、只倉は満足した。

「その二つの疑問、そして、『なぜ何度も同じ話を繰り返したか』という最も気味の悪い謎をすべて解消するのが、これだ」

明平寺の三次住職から借りてきたＤＶＤを只倉は取り出した。後藤田がノートパソコンを起動させるあいだ、只倉はそのＤＶＤがどういうものかを説明した。ＤＶＤドライブを引き出し、ＤＶＤを再生させる。画面に、三年前の十月の栗中泡夫が現れ、感情のない淡々とした口調でしゃべりはじめる。

〈人前に出るとしゃべれなくなるので、野上が撮ってくれています。お付き合いください……〉

時間にしてわずか三十秒ほどの映像が終わった。

「これが何です？」後藤田は怪訝（けげん）そうな顔だった。

「見ろ」

只倉はファイルを開き、ある記録を指し示す。

『うちの婆さんの金のありかがわかりました。お手伝いしてくれたらいくらかあげますので、明平寺に行っとってください』

「三人のうちの一人、合田が証言した、事件当日に〝泡夫〟が繰り返した言葉だ。合田はもと現代文の教師で、一言一句正確に覚えている自信があると言った」

「はい。私にもそう言いました」

「次に、これを見ろ」

それは、一枚のルーズリーフだった。DVDの栗中泡夫のセリフを正確に只倉が書き写したものだが、ところどころに蛍光マーカーで印がつけてある。さらにその下に、合田が証言した繰り返しフレーズを平仮名に直して区切ったものも添えてある。

後藤田は瞬(まばた)きをしながらそれをじっと見ていたが、やがて意味がわかったらしく、

「これは！」

と、頬を紅潮させた。


『人前に出るとしゃべれなくなるので、野上が撮ってくれています。お付き合いください。

昨日、明平寺の鐘のところで、うちの婆さんの倒れているのが見つかりました。救急車で運ばれましたが、すぐに死亡が確認されました。最近はいくらか調子がいいと言っとって、私も安心していたのですが、心臓が相当悪かったのだと医者の説明でわかりました。急に石段を上がったことによる血圧の変化が原因かもしれないということでした。

葬儀をあげますので、お寺に頼みましたが、私はこの体でいろいろ不自由もあり、みなさんにお手伝いいただけたらと、お願いする次第であります。どうか、このとおりです』

『うちのばあさんの／かねの／あり／かが／わかりました。／おてつだい／して／くれ／たら／いくらか／あげますので、／めいへいじ／に／いっとって／ください』

「在宅で音楽制作や映像編集の仕事をしている野上にしてみれば、かつて自分が撮ったＤＶＤの音声をパソコンに取り込み、細切れにした言葉の必要な部分を抽出して別の文章に編集するという発想はすぐに浮かんだだろう。波夫ではなく本物の泡夫の肉声だし、淡々とした口調は編集して一つの文章にするのに都合がいい。しかし、さしもの野上も、三人の老人を階下から追っ払うのに都合のいい文章を、限られた素材から考える作業には時間がかかったと見える。二時間でもむしろ、早いくらいだ」

「たしかに……」

「こうして作った音声を携帯型の音楽プレイヤーに保存した野上は、泡夫に化けて老人たちの前に現れた。膝の毛布の下に隠したプレイヤーから声が聞こえたらおかしいから、ブルートゥースといったか、あれでつながる小型のスピーカーをマスクの下の口にくわえていたのかもしれないな。とにかくそうして泡夫の声を再生させたが、ここで誤算が一つ生じた。老人たちは戸惑って、一向に外に出ようとしなかったんだ」

「それで、もう一度同じ音声を再生したというのですか？」

「そうだ。何しろ野上はその音声しか持っていないのだから。焦っただろうが、何度も同じフレーズを繰り返すしかない。これが思わぬ功を奏することになった。繰り返される同じフレーズに老人たちは気味悪くなり、野上の思惑どおり、外へ出ていったんだ」

　まるで田中河内介の話のように、と頭のどこかで炎月の声が聞こえる。只倉はそれを振り払いながら話を続ける。

「計画通り階上から波夫の遺体を下ろしてきたところで、死後硬直に野上は気づいた。かくなるうえはと車いすの脇に横たえ、キノコ狩りへと向かったというわけだ。どうだ？　少なくとも、死んだ男が三人の老人の前に現れ、何度も同じことを繰り返したという話よりは現実的じゃないか？」

　後藤田はしばし、口を半開きにしたまま呆然としていた。だがすぐにはっとしたように居住まいを正した。

「しかし、まだ、大元の疑問が残っています。野上と波夫の『よからぬ相談』とは何です？　どうして波夫は泡夫のふりをしていたんです？　そして、本物の泡夫はどこにいったんです？」

「たとえばだが」只倉は言った。「武江が死んだことをどこかで聞き及んだ波夫はその財産目当てに人知れず篠瀬に戻ってきた。泡夫は知らないと言い張ったが波夫は『隠しているんだろう』と逆上し、泡夫を殺害。遺体を隠し、泡夫に成り代わった。野上はどこでその事実を知ったか、武江の財産が見つかったら山分けするという条件で、波夫に近づいた」

「しかしそれはすべて、只倉さんの想像でしょう？」

　只倉はルーズリーフの上にばん、と手を置く。

「あの日、野上が泡夫に成り代わった可能性には、検討の余地がある！　野上に突き付ければ、新たな事実がわかるだろう」

「え、ええ……」

「この事件は、高崎署に差し戻す。いいな?」

「かしこまりました!」

後藤田はピンと立ち上がり、敬礼をした。

8

篠瀬集落の山林から栗中泡夫の白骨死体が発見されたと第二種未解決事件整理係に報告があったのは、それからわずか二日後のことだった。

きっかけは、後藤田率いる高崎署刑事課の面々が、野上に事情聴取をしたことだという。初めは白を切っていたが、只倉が解明した音声編集のトリックを突き付けると明らかに態度がおかしくなり、追及するとついにすべてを白状した。

真実は、只倉が推量した内容とほぼ合致していた。武江の葬儀が終わって二日後の深夜、仕事をしていた野上の耳に、何やら争う声が聞こえてきた。廊下の窓から外を見ると、川の向こうの栗中家の窓の中で、栗中兄弟が言い争っているのが見えた。波夫のやつ帰ってきたのかと思いながら見ていると、その波夫が陶器の置物で弟を殴りつけた。その後、何度も殴りつけたあとで呆然としている波夫を見て、野上は何が起きたのかを悟り、すぐに栗中家に向かった。

予想はしていたが、泡夫は死んでいた。波夫は財産目当てで帰郷し、その隠し場所について何も知らないととぼける泡夫にかっとなってしまったのだと言う。財産を見つけたときに半分をもらいうけるという約束を取り付け、野上は殺人の隠ぺいと死体の処理を手伝った。波夫には泡夫になりすますように命じ、人目につかないように連絡を取りながら武江の財産を二人で探していたのだという。

「波夫が――目の前で――心臓を押さえて――倒れたとき、財産を――独り占めしろと――天の声が――聞こえた気がしましたが――思い過ごしだった――ようですね」

野上はそんなことを言い、ぽつぽつと供述を始めているという。

「すごいじゃないか、只倉さん！」

高崎署からの報告を受け、牛斧係長は嬉しそうに只倉の肩を叩いた。

「これでノルマひとつ、クリアしたよ。みんな、喜びなさい」

「おめでとうございます」「われわれも頑張ります」「やっぱ迷信っすよ、全部」

「まあまあ、みなさん。刑事畑三十二年。今回の事件は簡単なほうです」

あの陰鬱な連中が全員立ち上がり、只倉に拍手を送った。

おおーっと上がる歓声は、何よりも心地よかった。

そして、事件解決の報を受けた翌日――つまり、今日。

「どうだね、関内くん？」

只倉は自宅の居間で、事件のファイルを開いている。卓の向こうにいるのは、日向を通じて呼びつけた関内炎月。只倉は彼に向かい、篠瀬での再調査とその結末を、鼻高々で語って聞かせた。

日向は炎月の横に正座し、只倉と炎月の顔を心配そうに見比べている。

「なるほど。かつて撮られたＤＶＤの音声を編集してつなぎ合わせたものだったと」

「そうだ。だから同じフレーズを繰り返していたんだよ。幽霊でも怪奇でもなんでもない」

炎月はちらりと只倉の顔を見る。

「怪異ではなかったのですか……」

その落胆した表情がいっそう、只倉を喜ばせた。ざまあ見ろ、怪談師め。

「まあまあそんな顔をするんじゃない。私がオカルトをぶっ潰すきっかけになったＤＶＤでも見たまえ」

「お父さん。もういいから」

止めようとする日向を振り切り、只倉はテレビの下のデッキにＤＶＤを差し込んだ。すぐさま、栗中泡夫の姿が映し出される。

〈人前に出るとしゃべれなくなるので、野上が撮ってくれています〉

三十秒足らずの映像。それを炎月は、じっと見ている。

「私が引っかかったのはこの『言っとって』というフレーズなんだ。合田という老人が……」

と、そのときだった。

「すみません」

炎月は右手を挙げた。その眼光が、鋭い。

「もう一度、今の映像を見せてもらっていいですか？」

「あ？」遮られたのは不愉快だが、この男なりに自分の活躍に興味を持っているのだろうと只倉は考え直し、リモコンを操作する。

栗中泡夫の短いメッセージがまた、流れ終わった。

「気づきませんでしたか？」

炎月は訊ねた。この俺の活躍にケチをつけるつもりか？……とも思ったが、何やら神妙だ。

「何だっていうんだ？」

「失礼」

炎月は食卓の上に置かれていたリモコンを取り、再生ボタンを押し、すぐにスロー再生になるよう操作した。しばらくして一時停止すると、テレビに近づき、

「これです」

画面の一部を指さした。

「あっ！」「えっ？」

只倉は日向と同時に声を上げた。栗中泡夫の背後にある窓。その右上の隅に——こちらを覗いている顔があるのだ。白髪で、皮膚は土気色。老婆に見えるが、目玉の部分に黒い穴があいている。

ぞぞっと背筋が寒くなり、視界が一瞬、青みがかったようになった。

「この映像が撮影されたのは、栗中武江さんが亡くなって間もなくのことですよね」

炎月の声は落ち着いている。

「古くから死者の魂は四十九日はこの世に留まっていると言います」

「嘘をつけ……」

「これは紛れもなく、心霊映像です。こんなにはっきり映っているのは珍しい」

ばばっ、と炎月はすばやい身のこなしで只倉の前に正座をし、両手を畳についた。

「お義父さん、どうかこの映像を、私にください！」

畳に額をこすりつけんばかりに頭を下げる。

「これをライブでかければ、お客さんは歓喜します。どうか！」

「やめろ……」

「どうか！」

「やめろと言っているんだ！」

「あらあら」早苗が入ってきた。運んできた大皿の上には、尾頭付きの立派な鯛のおつくりが載っている。

「炎月さんからいただいたのよ。お話は、これを食べながらでいいじゃないの」

只倉は首を振る。群馬の田舎まで足を運び、怪談話を、怪談話ではなくしてやったのに！　炎月はまだ、只倉の足元で「お願いします」と頭を下げ続けている。背中に垂れ下がった髪がわさっと盛り上がった。こんなに髪の長い男だったか？　という只倉の疑問を吹き飛ばすように、

「ネタがなくて困っているのです。お義父さん！」

炎月は叫んだ。

「お義父さんと呼ぶなぁーっ！」

警察庁呪われ係新任、只倉恵三の叫び声が、夜の闇に谺(こだま)した――。

第2話　猫に憑かれた女優

1

「昼飯を一緒に食いに行かないか」

只倉恵三が牛斧係長にそう誘われたのは、篠瀬集落の事件が解決した翌週の火曜日のことだった。係長はデスクで髑髏を一生懸命磨いている鴛海という男にも声をかけ、三人でエレベーターに乗った。

季節は夏真っ盛り。ビルを出ると日差しがまぶしい。ついて歩くこと十分、係長が入っていったのは薄汚れた雑居ビルの三階の小さなタイ料理屋だった。昼時だというのに、客は他に一組しかいない。

只倉は、エスニック料理には疎い。係長と同じグリーンカレーというメニューを注文すると、隣に座った鴛海もまた、同じものを頼んだ。

鶯海はデスクから持ってきた髑髏の置物を膝に置き、ハンドタオルできゅっきゅ、きゅっきゅと磨き続けている。痩せ形で、年齢は三十代半ばといったところだろう。両手の指は枯れ枝のように細い。

「実は、只倉さんに頼みたいことがあるんだ」

不意に牛斧係長は言うと、カバンに手を突っ込んだ。

取り出されたのは、くすんだ緑色の表紙のファイルだ。もう見慣れた、全国から集まる「第二種未解決事件」の資料ファイルである。タイトル欄には《名古屋市・劇団員転落死事件》とあった。

「もともとは黒氏君の担当で、先方にアポを取ってある。しかし知っての通り、彼は急遽、徳島のほうに行かなければならなくなった」

黒氏は、第二種未解決事件整理係の同僚である三十歳くらいの男だ。黒いシャツにぼろぼろのジーンズという恰好で、髪もだらりと伸ばしている。頬はこけて目の下に隈がある見た目は、他の面々同様陰気だが、不可思議な現象をすべて「偶然っすよ」「迷信っすよ」と笑い飛ばすほどの明朗さを持ち合わせている。元白バイ警官という経歴から、交通系の案件はすべて彼に任されており、明日からも徳島随一の心霊スポット・具足塚トンネルで起きたひき逃げ事件の調査に赴くのだそうだ。

「それでこの、名古屋の転落死のほうを只倉さんにお願いしたいんだ」

「まあ、いいですが」

「鶯海君も一緒に連れていってくれ」

「はい？」

只倉が訊き返したそのとき――、

「グリーンカレー、三人マエデス」

やけに声の高いタイ人店員が、カレーを運んできた。

「おっ、相変わらず出てくるのが早いねえ」

牛斧係長は嬉しそうにスプーンをとる。

「係長、なぜ鶯海も一緒に？」

「彼はうちの部署に来てからまだ一度も思わしい結果を出していないんだよ」

係長は緑色のカレーに浸した米飯を口に運ぶ。鶯海はスプーンを置いてうつむき、無言のまま、また髑髏を磨きはじめる。

只倉が今の職場に配属されてからというもの、この男が仕事らしい仕事をしているのを見ていない。たまにファイルをめくったり、書類に印をつけたりしているが、大半の時間をこの気味の悪い髑髏を磨くことに使っている。

「上層部のほうにそれが知られてしまって、ちょっとした問題になっているんだ。だから、現場の経験の豊富な只倉さんについてもらって、仕事のやりかたを学んでほしいと思ってね」

言いながら係長は、猛烈な勢いでカレーを口に放り込んでいく。すでに半分以上のライスがなくなっていた。

「まあ鴛海君はプライベートでもいろいろあって、ここらでビシッと好成績を上げてもらわなきゃならんのだよ。ねえ」

鴛海は上目づかいで係長を見ると、小さくため息をついた。

「プライベートって何です？」

「まあそれは、鴛海君の口から聞くといい。さてと、うまかった」

係長はもう食べ終わっていた。紙ナプキンで口元を拭き、さっさと立ち上がる。

「これから上と会議があるんで失礼するよ。払っとくから、ゆっくりしていきなさい」

只倉が声をかける間もなく、係長は支払いを済ませて出ていった。

鴛海は少しも体勢を変えず、まだ髑髏を磨いている。

グリーンカレーはくせのある香辛料を多量に使った味で、まったく口に合わなかったが係長が支払ってくれたことだし、食わなければ腹が減る。我慢して三口ほど食べたところで、胃がぐると鳴った。体が受け付けないのかもしれない。スプーンを置いて鴛海に声をかけた。

「食べたらどうだ？」

「はい……」

髑髏を膝の上に置いたまま、鴛海はスプーンを取った。

「今の部署にやってくる前は、どこにいたんだ？」

まずは相手のことを知ろうと只倉は訊ねる。

「は、原宿署の、生活安全課です。主に外国人関係を」

「外国人関係とは？」

「原宿界隈には、外国人の経営する洋服店とかバーが多いんです。僕は主に、ぼったくりバーを摘発するチームに所属していました。……うまいですね、これ」

鶯海のほうはグリーンカレーを気に入ったようだった。只倉はそれには応えず、

「その髑髏は何なんだ？」

一番気になっていたことを訊ねた。

「は、はい。二年前にぼったくりバーを摘発したとき、身長二メートルもあるナイジェリア人店員と取っ組み合いになりまして、はずみで突き飛ばしてしまったんです。男は頭にけがを負い、駆け寄った僕の目を憎らしげに見つめて、もごもごと何か唱えました。それを聞いた途端、カウンターの向こうにいた背の低い黒人の女が、壊れたピアノみたいに叫んだんです」

その女が放り投げてきたのがこの髑髏だ、と鶯海は言った。

「彼女は片言の日本語で言いました。あの男は、あなたに呪いをかけた。この髑髏を大事に磨かなければ、あなたは消えてなくなってしまう――」

「くだらん、呪いなどあるものか」

只倉は吐き捨て、スープの中の野菜を口に運ぶ。

「その翌日から、僕はまったく食欲がなくなり、物を食べる気力がなくなり、二週間で十三キロ痩せました」

まさか……という言葉を只倉は飲み込んだ。二メートルのナイジェリア人と取っ組み合いを演

じられるほど、目の前の鴛海は体格がよくない。かつてはがっちりしていたが、みるみる痩せて今のようになってしまったというのだろう。

「それからも体重は減少する一方で、医者にも原因不明と言われました。三十キロ減ってしまったところで、藁にもすがる思いで髑髏を磨きはじめました。すると驚いたことに、食欲が復活したのです。体重減少が止まったことには心底ほっとしました。そしてそんなある日、退勤して家に向かう途中で、あの女に再会しました」

「あの女？」

「ぼったくりバーで僕に髑髏を放り投げてきた女です。驚く僕の顔を見て、『やっと私のいうことをきいたわね』と彼女は笑いました。『彼は磨き続けていれば、呪いを減退するだけでなく、願いをかなえてくれる』――彼というのはこの髑髏のことでしょう」

「くだらん……」

「暗闇で血を与えなさい。そうすれば、あなたの寿命十年と引き換えに、彼は願いをかなえてくれる」

黒人の女に言われた言葉を繰り返す鴛海の目は、なぜからんらんと輝いていた。背筋がぞっとしそうになる自分が、只倉は許せなかった。

「いい加減にしてくれ！　全部まやかしだ。体重が減ったのだって、病気か何かの理由があったんだろう？」

「さっきも言ったように、医者は原因不明だと……」

「もういい。それより、係長が言っていたプライベートの件というのは何だ？」

無理やり話題を変えた。すると鴛海はスプーンを置き、またしょげ返った。

「……僕、今度、結婚するんです」

その言葉に、自分の娘の顔が浮かんだ。次いで浮かびそうになる和服姿の男の顔を振り払い、「よかったじゃないか」と祝いの言葉をかける。

「なぜそんなに落ち込むんだ」

「相手の女性のお父様は、警視庁のエリートなんです。僕が今の部署であまり仕事をしていないことは筒抜けです。お前のような人間に娘をやれるかと、すごい剣幕だそうで」

どこかで聞いたような話だ。

「牛斧係長もまた、僕のことを気にしてくださっていたようです。しかしどうも、髑髏を磨く強迫観念にとらわれて身が入らないんです。お願いです只倉さん。名古屋の事件、僕も連れていってください。ここで成果を上げれば、自分を変えられる気がするんです」

「そうは言ってもな……」

正直なところを言うと、只倉は今日の午後にも、別の案件の再調査に乗り出す申請を係長に提出するつもりだった。先週からざっと四十冊ほどのファイルに目を通したが、比較的現実的な解釈ができそうなものがいくつか見つかっていたのだった。

「そっ、そんなことを言わず、お願いします」

ひ弱そうな鴛海の頭頂部を眺めながら、只倉はグリーンカレーを口に運ぶ。やっぱり自分には合わない味だと思った。

2

その日の夕方、只倉は門前仲町（もんぜんなかちょう）の居酒屋《よいどれ狸（だぬき）》のテーブルについていた。タイ料理屋から職場に戻る途中、娘の日向（ひなた）から「たまには父子で飲みに行きたい」とスマホにメッセージが入ったのだ。新しい部署は定時で終わりだとぼやいていたのを耳ざとく聞いていたのだろう。

学生時代は真面目でずっと成績優秀だった日向。そんな娘から飲みに誘われる日が来るとは思っていなかった。感慨と喜びと照れくささのないまぜになった気持ちを抱え、只倉は《酔いどれ狸》の暖簾（のれん）をくぐったのだ。

大衆的な店だった。すぐ隣のテーブルでは前歯の抜けた坊主頭の男が、赤い帽子の老人とともに昨今のプロ野球事情について論じ合っている。そのほかのテーブルもおおむね、似たような雰囲気で、二十五歳の会社勤めの女性など一人もいない。

父親に合わせてくれたのだろう。娘のいじらしさを感じつつ時計に目をやる。約束の時間まではまだ二十分もあった。

先に注文したビールと枝豆がやってきたとき、腹がぐるるとなった。

まずい、と思った。

午後の仕事の最中、胃腸が何度も鳴っていた。原因はわかっている。慣れないグリーンカレーだった。エスニックな香辛料が苦手なことを忘れていたわけではないが、せっかく誘ってくれた係長の好意を無駄にすべきではないと全部平らげた。それがいけなかったのだ。なんとか仕事に集中しているうちにおさまったが、今になってまたぶり返してきた。この店の冷房が利きすぎているのかもしれない。

泡が消えるのは惜しいが、ビールは控えておこう。気を紛らわせていればなんとかなる。

只倉はファイルを取り出し、表紙を開いた。

――『名古屋市・劇団員転落死事件』。

事件が発覚したのは、昨年の十月十二日、二十三時五十分。

愛知県名古屋市天白区浅田町にある十階建ての雑居ビル《白河コーリンビル》のそばで、女性の死体が付近の住民によって発見された。女性は織本佳奈美、十九歳。ビルの六階に事務所を持つ劇団《魚鱗風月》の劇団員である。《魚鱗風月》の主宰者は演出家の織本正吉。佳奈美は正吉の娘だが、研究生として劇団に所属しており、事件当夜は同じく天白区内にある劇場での公演にエキストラで出演していた。しかし、二十一時三十分の公演終了後から姿が消え、バッグが控室として使用されていた劇場の大部屋に残されていた。

死亡推定時刻は発見時より一時間ほど前。当日は大雨で現場周辺に人通りはなく、発見が遅れたのだった。

死因は転落死。屋上から飛び降りたにしては損傷が少なく、司法解剖の結果、ビルの五階〜七階の高さから落ちたものと目された。事件当夜、エントランスのドアに施錠はされていなかったが、一階から七階までのテナントはすべて無人であった。六階の《魚鱗風月》事務所の扉も閉まっていたが、鍵は一階の集合ポストの中にあり、その事実を知っている者なら誰でも開けられる状態にあった。また、大雨であるにもかかわらず、《魚鱗風月》事務所の窓は全開になっていた。

以上の状況から、当初は佳奈美が自ら事務所に入って飛び降りたものと思われたが、その線は薄いことがすぐに明らかになる。

というのも、次回公演に使う書き割り（背景を書いたパネル）と大道具が二日前に届いたばかりであり、事務所内の窓に通じるスペースにひしめき合っていたのだ。もし窓に近づこうとすればその大道具と書き割りの一部を廊下に出さねばならないが、そんなことをした形跡はなかった。

ではどうして窓は開いていたのか？　佳奈美はどうやって転落したのか？

不可解な状況に答えを与えたのは、佳奈美が死の直前にとっていた奇行だった。

織本家は名古屋市郊外の長久手市内にあるが、住み込みの家政婦、大関小梅（五十二歳）によれば、佳奈美はもともとは肉が好きだったものの、九月の末あたりから食事には青魚を出してほしいとしきりに頼むようになっていたらしい。その他、家の床下に潜り込んだり、庭の松の木に上ったり、「まるで猫にとり憑かれているようだった」と大関は証言した。

実は織本佳奈美の亡くなった祖母、西条良子は主にホラー映画に出演し「化け猫女優」と呼ばれるほどの怪演で名高い女優だった。良子さんの魂が乗り移ったのでは——とも大関は言った。

さらに、事件の三日後、《白河コーリンビル》のカビで黒ずんだ外壁を調べていた刑事が、六階の窓付近に異常を発見した。カビの中に、ぼんやりと白く、ネズミのような形が浮かび上がっていたのである。ビルの関係者の誰もが「気づかなかった」と証言したが、普段見上げるような壁ではないので、不自然ではない。

以上の事実から、地元警察が導き出した結論はこうだった。

猫に憑かれた佳奈美は、公演終了後、劇場を抜け出し、《白河コーリンビル》まで行った。六階の外壁にネズミの形を発見し、それを捕まえようと雨どいをよじ上ったが、いざ六階についてネズミを獲れないことに気づく。とりあえず事務所の中に入ろうと窓を開けたところで足を滑らせ、落下して死亡した。本件は一旦、事故死とする。だが、猫憑きという不可解な事象が関わるため、第二種未解決事件として報告する次第である——

「むちゃくちゃだ……」

只倉は独り言を言う。

「何が猫憑きだ。ネズミを捕まえるために雨どいを登り、窓を開けたうえで転落？　そんな危険で整合性のない行動を人間がとるものか」

「お父さん？」

日向の声がした。ファイルを閉じ、顔を上げる。

「おお、ひな……」

日向の後ろにいた者の顔を見て、思わずあっと言いそうになった。ウェーブのかかった不健康そうな黒髪、紺色の着物。——関内炎月（せきうちえんげつ）。目下のところ、日向と交際しているという男だ。むろん、只倉は認めていない。

「どうも、お義父さん」

「お義父さんと呼ぶなっ！」

思わず立ち上がると、ぎゅるるるるる——間に合わなそうなほどの焦燥感が下腹部を襲った。

「ちょっと待ってろ！」

只倉はトイレに駆け込む。内なるタイカレーと格闘しながら、炎月への忌々しさを滾らせた。

日向が交際を認めてほしいと連れてきたその男は、「怪談師」なのだった。幽霊、妖怪、怪奇現象といった気味の悪い話を方々から集め、人前でそれを話して報酬をもらうという、なんともいかがわしい生業である。職業と呼べるのかすら怪しいが、「確定申告書類の職業欄にも『怪談師』と書きます」と炎月は言っており、その真面目くさった顔がまた、神経を逆なでするのだった。

いったい日向がどうしてあんな男に惹かれたのか……嘆いたってしょうがない。おそらくまた、交際を認めてほしいと訴えるつもりで只倉を呼びつけたのだろう。今日こそはガツンと言い渡し、交際をあきらめさせなければ。

勢いよく水を流し、手を洗ってペーパータオルで拭くと、只倉はトイレを出た。

背筋を伸ばし、テーブルに戻る。日向と炎月は並んで腰かけ、何かぼそぼそと相談しているようだった。

「おい、戻ったぞ」

「ああ、お帰りなさ……」

「お義父さん、これはまた、とんでもなく素晴らしいお話ですねぇ」

日向を遮り、炎月は感嘆する口調だった。その手にファイルがあるのを見て、只倉は怒りを覚えた。

「お前、また勝手に！」

ファイルを取り返そうと身をかがめる只倉の眼前に、すっ、とろうそくが差し出された。

かちり、と音が鳴ると同時に、そのろうそくに火が灯る。……いや、炎月の持っているのはろうそくに似せて作られたペンライトだった。ぼんやりとしたオレンジ色の光が、居酒屋の照明の下でも怪しく揺れ、炎月の顔をおどろおどろしく彩る。

「人が動物にとり憑かれるという話は、古来たくさんあります」

「狐に憑かれた、狸に憑かれたなどという話が代表例でしょうが、猫に憑かれたというケースもままあるものです。江戸時代に書かれた『安政雑記』という書物にこんな話が紹介されています」

*

嘉永年間、江戸は牛込横寺町のとある長屋に、まつという少女が住んでいました。まつは他の子よりも知的発達が遅く、両親はかねてより気をもんでいましたが、そのうち、さらに大きな心配事が持ち上がってきました。まつの奇行です。

まつはネズミを見ると、垣根に上ったり床下に潜ったりと、異様なまでに追いかけ回すのです。手でネズミを捕らえ、内臓ごともぐもぐと食べてしまいます。それどころか、長屋で捨てられた生ごみを漁り、鰯の頭などを見つけてはうまそうに食らいつきます。それでいて犬にはめっぽう弱く、犬のそばに連れて来られるとわんわんと泣き出す始末。まつは長屋ではいつしか、「猫小僧」と呼ばれるようになり、気味悪がられるようになりました。

心を痛めた両親は、音羽にあった尼僧のもとにまつを預けました。頭を丸め、尼僧に仏の道を説いてもらい、修行を重ねたまつでしたが、やはり悪癖は収まりません。ある日、打ち捨てられた魚のはらわたを食べ、尼僧にあるまじき行為と激怒され、両親のもとにつきかえされてしまいました。

両親は再びこの猫のような奇行を演じる娘と過ごすようになりましたが、意外にもまつは近所からは歓迎されたのです。というのも、まつはネズミを捕るのが得意なのです。両親はまつにネズミを捕るのをやめてほしがっていますが、近所の人たちは両親に内緒でまつにお駄賃を握らせ、ネズミを捕ってくれるように頼むのでした。

近所の子どもたちには蔑まれ、石を投げられるなどいじめに遭ったようですが、垣根や塀に素早く上られると、どんないじめっ子も手が出せず唸ってしまった――ということです。

＊

「記録されたのは嘉永三年となっており、『きっと深い因縁で猫の性を受けてしまったのだろうと、近所の人々は噂している』と現在進行形で書かれています。その後この少女がどうなってしまったのか、今となっては誰も知る者はおりません」

ふっ、と炎を吹き消すしぐさをしながら炎月は、ろうそくライトのスイッチを切る。

いつの間にかプロ野球談議の老人たちもこちらを向き、炎月の話に聞き入っていた。話の内容はさておき、たしかにこの男の話し方には、人を惹き込む力がある。

「さて――」炎月は、只倉の手の中のファイルを指さした。「その事件はまさに、現代によみがえった、猫小僧の話です」

炎月はテーブルにばっと両手をつき、丁寧に頭を下げた。

「お義父さん、どうかそのお話を、私にください！」

「お、お前……」

「動物の出てくる話は人気があるのです。特に猫憑きは現在では珍しいのです。どうか！」

只倉の中に再び、怒りが込み上げてくる。

「先日の、心霊映像についてはご許可を頂けなかったのであきらめます。ですがせめてその、極めて魅力的な猫憑きの怪談だけは……」

「怪談なものかっ！」

どん、とテーブルを叩く。ビールジョッキの中からしずくが飛び散った。

「刑事生活三十二年をなめるなと言ったろ！　こんな話、俺が、怪談じゃなくしてやる！」

ぐるる、とまた腹が鳴った。

3

　翌日、午前十一時。只倉は名古屋駅にいた。ただし今回は、一人ではない。

「な、な、名古屋なんて初めて来ました」

　鴛海は猫背のまま、行きかう人々から身を隠すようにおどおどしている。五十キロもないと思われるほど痩せた体。腰には髑髏を入れるための大きめのウエストポーチを装着している。

「もうちょっとシャキッと歩けないのか」

「む、無理ですよ。僕、出不精ですから」

　よどんだ目を伏せて、彼はかすれそうな声で言った。

　私鉄を使い、事件現場の《白河コーリンビル》まで行くと、ファイルに記載された織本佳奈美の落下地点に立った。ビルの入り口から見て右の路地に入った、隣のビルとの幅二メートルほどの空間だ。向こうの道に通り抜けもできるし、隣のビルの壁に自動販売機も置かれているので、人目につかない場所ではない。しかし、深夜と言ってもいい時間帯と大雨という状況を考えれば、死後一時間ばかり放置されていたこともうなずける。

　織本佳奈美が倒れていた場所に立ち、カビで黒ずんだ外壁を見上げる。十階まで、規則正しく同じ大きさの窓が設置されている。

　雨どいはその窓のすぐ近くに伸びていた。

「ここを上ったというのか？」

雨どいとビルをつなぐ金具に足をかけていけば、不可能なことはないだろう。実際、あと十五歳若ければ、只倉自身が上っていったかもしれない。だが、体力の衰えは認めなければならない。最近、腹が出てきたのもまた、否めない事実だ。

只倉は背後を振り返った。鴛海は自動販売機を物珍しそうに眺めていた。

「おい、何をやっているんだ？」

「は、はい。なんか変なコーラがあるんです。名古屋限定でしょうか」

「遊びに来てるんじゃないんだぞ。鴛海、体重は何キロだ？」

「四十七、八キロかと」

ファイルに記載されていた織本佳奈美の体重は四十六キロとあった。

「ちょうどいい。お前、雨どいを上っていけるか？」

「は、はいい？」鴛海はトンボのように目をぐるぐるとさせた。「ぼ、僕は猫にとり憑かれてはいませんが」

とんでもなくとぼけた返答だ。

「何も六階まで行けといっているわけじゃない。雨どいの強度を試すだけだ。三階くらいまで上ってみろ」

「し、しかし僕にはこれが」

きゅっきゅ、きゅっきゅと、髑髏を磨く手並みが早くなる。只倉は「よこせ」と、髑髏とハンドタオルを奪い取った。

「俺が磨いておいてやるから行ってこい」

「は、はあ。では行ってきます」

鴛海は両手で雨どいをつかみ、金具に足を載せる。そして、軽い身のこなしでアスファルトを蹴った。意外にも、ひょいひょいと、まるで忍者のようにあっというまに三階まで上っていく。

「なんだ。けっこうやるじゃないか。……どうだ？　金具は外れそうか？」

「いや、丈夫なもんです」

返答しながら鴛海はさらに上を目指す。只倉は焦った。

「それ以上は危険だ。下りてこい」

「ちゃんと六階まで行けるかどうかチェックするに越したことはないです。ネズミの形も確認したいですし」

「それはそうだが……」

いつのまにか、自信のなさそうな態度はどこかへ行ってしまっていた。

「あのー」

振り向くと、路地の入り口に男性が一人立っていた。年齢は四十代の半ばといったところだろうか。こざっぱりしたピンクのシャツにスラックス。髪は七三に分けている。黒いドローンを抱えている。

「ひょっとして警察の方ですか？」

「ええ。只倉といいます。上っているのは、部下の鴛海です」

警察手帳を見せる。

「失礼ですが、あなたは？」

「畑中勇也。佳奈美の叔父です。そうか、今日でしたか。佳奈美の事件の再調査ということでしたね。……まあ、私は劇団に直接関わりがあるわけではないですが」

「今日はどうしてこちらに？」

「これを持ってきたんです」

手に持った小型ドローンを見せてくる。

「私の趣味なんですが、兄が今度の舞台で使いたいというので、アドバイスを。今使っているものをスタッフがうまく扱えないと言うので、より扱いやすい最新モデルを持ってきてあげたんですよ」

そもそも《魚鱗風月》は、一九七〇年代に演出家の滝口仙介という男を中心に旗揚げされた劇団である。滝口はその際、知り合いの実業家に出資を無心したが、これに応じたのが繊維業で財を成していた織本儀一という男だった。織本は「化け猫女優」とあだ名された女優、西条良子を妻に持ち、舞台芸術には理解があったのだ。

儀一と良子のあいだには、正吉と勇也という二人の息子が生まれた。正吉は両親の影響を受けて舞台に興味を持ち、大学在学中から滝口に弟子入りして演出を勉強、滝口の引退後は劇団の経営を引き継いだ。次男の勇也は舞台にはまったく興味がなく、名古屋市内に本拠地を持つ醸造会社《ハタナカ醸造》に就職。社長令嬢と恋仲になり、婿養子になる形で結婚した。

とはいっても、勇也と織本家の関係が断たれたわけではない。むしろ、滝口が病死して正吉が劇団を引き継いだあとは、勇也は兄の演劇活動を経済的に支援するようになった——とファイルには書かれていた。

「あなたの会社は劇団のスポンサーだそうですね。羽振りがいいのですか」

「ええ。去年から続く手巻き寿司ブームのおかげで、酢が飛ぶように売れていましてね。その事業に私も関わっていますから、役員報酬が跳ね上がっています」

手巻き寿司が本当にブームなのか知らなかったが、只倉はただ、「うらやましいですな」と答えた。

「只倉さーん！」

頭上で鴬海が叫ぶ。雨どいにしがみついたまま、こちらに向けて手を振っている。

「ありました、うっすらネズミみたいなのの跡が残ってまーす！」

「よく怖くないもんですね」

畑中は鴬海を見上げて呆(あき)れている。

「彼も猫にとり憑かれているんですか？」

冗談めかした口調ではなかった。只倉はそれには答えず、

「今から事務所に？」

と彼に訊ねる。

「ええ」

「ご一緒してもよろしいですか?」

「どうぞ」

鴛海をそのままにしておいて、エントランスへ向かう。事務所の鍵が入れてあるという集合ポストは古めかしく、エレベーターホールは蛍光灯が明滅している陰気な空間だった。下りてくるエレベーターのモーター音を聞きながら、只倉は畑中に訊ねた。

「生前、佳奈美さんとはよく話しましたか?」

「そりゃもう、生まれた時から知っていますから」畑中はどことなく哀し気に答えた。「まあ、中学・高校の難しい時期は疎遠になりましたがね、劇団の研究生になってからはしばしばうちに挨拶にも来たものです。スポンサーだから無下(むげ)にするなと、父親に言われたのでしょうね」

苦笑する畑中。

「亡くなる少し前から様子がおかしかったようですが」

「猫にとり憑かれていましたよ」

はっきりした口調で、畑中は答える。この男もまた信じているのか、とうんざりした。

「妙なことを言うと思っているでしょう? 天白署の刑事も初めは、そんな顔をしたものです。でも、あの佳奈美の振る舞いを見たら誰もが猫にとり憑かれたと思いますよ」

魚を食い散らかす、床下に潜る、松の木に上る……ファイルに書かれていた奇行の数々を、畑中は口にしたあとで、

「私の母……、佳奈美にとっては祖母の良子が、『化け猫女優』と呼ばれていたことはご存じでしょう？」

「ええ」

「彼女が主演した怪奇映画が何本かあるんですが、そのうちの一本、『金鯱化猫騒動記』は撮影中に不幸が相次いでお蔵入りになったんです。その映画のフィルムが、うちの実家にあるんですよ。私も兄貴も観ると祟られると親父に言われて育ってきましたから、物置から出すこともなかったんですが、佳奈美はそれを引っ張り出して観たらしいんです」

ファイルに記載されていない情報だった。

「劇団員として悩んでいたから、女優として大成した祖母の演技を参考にしたかったのか……動機はわかりませんがね、あのフィルムを観て以来、おかしくなったのは間違いないでしょう。祖母が乗り移ったんだとかなんとか、家政婦の小梅さんは言っていましたっけ」

ようやくエレベーターの扉が開いた。二人で乗り込み、畑中が「6」のボタンを押す。

「事件のあった夜、どちらにいましたか？」

上昇するエレベーターの中で、只倉は訊いた。畑中はちらりと只倉の顔を見たが、

「劇団の公演を観にいっていました。たしか『強情なり服部半蔵』だったかな」

「当日は大雨だったそうですが」

「ええ。妻には別の日にしたらと言われましたがね、スケジュールに空きがなかったもので。その日だって芝居が跳ねたあと、会社に戻って仕事をしたくらいです」

「おひとりで？」

「はい、こう見えても経営戦略を担当していまして、当時は手巻き寿司ブームが始まったばかりで忙しかったのです。……去年も警察にはそう言ったと思いますが」

「すみません、見落としていたようです」

ファイルにも記載されていたが、只倉はわざと訊ねたのだった。同じ事を何度も訊ね、証言に齟齬を探すのは、刑事の常套手段である。

六階についた。エレベーターの扉が開いた瞬間、

「きゃああ！」「うぉぉぉ！」

女性と男性の叫び声が聞こえた。すぐ目の前の『劇団・魚鱗風月事務所』と書かれたドアの向こうからだった。只倉はすぐさまドアを開いて飛び込んだ。

デスクと金属製の棚がひしめき合う狭い部屋だ。壁際には衣装やパネルや、その他何が入っているのかもわからない衣装ケースや段ボールが積まれている。開いた窓の外を見て、メガネの女性が固まったまま青ざめ、その足元に、だらりと髪を伸ばした革ジャン姿の若者が尻もちをついていた。

「あー、すみません。僕、警察の者なんですよ」

窓の外からは、鴛海のとぼけた声。只倉はメガネの女性に警察手帳を見せた。

「お騒がせしたようで申しわけありません。警察庁から来た、只倉と言います。彼は部下の鴛海です」

「け、警察……？」

「佳奈美の一件の再調査だ」

後から入ってきた畑中が、二人に事情説明をした。

「あっ、そういえば今日でしたね」

メガネの女性が言うと、革ジャン男が慌てた様子で立ち上がり、

「俺は久保(くぼ)って言います、劇団員です」

なぜかにやけながら頭を下げた。

「織本さんは本当に残念でしたよね。俺は今日はこのギターを取りに来ただけですから、これで退散します」

「久保君、あなたは佳奈美さんのことについては話すことがあるでしょう？」

メガネの女性が咎(とが)めるが、

「何もないでーす。事件当夜、行きつけのバーでずっとギターを弾いていたのは、警察も確認しているはずです。それではこれでサヨウナラ」

おどけたように敬礼をすると、彼はギターを肩にかけ、さっさと去っていった。

「刑事さん。あの人追いかけなくていいんですか？」

「何か彼を追いかけたほうがいい理由が？」

すると彼女は「知らないんですか？」と眉をひそめた。

「佳奈美さんの元カレですよ。といっても、熱を上げていたのは佳奈美さんのほうで、久保君の

ほうは何人かいる遊び相手の一人、くらいの認識だったみたいですけど」

資料にはそんなことは書いていなかった。もとより事故死の線で調べていた地元の警察は、織本佳奈美の人間関係についてはあまり調べなかったのかもしれない。

「彼がどこに行ったかはわかりますか？」

「まあ、大須のライブハウスか、劇団員の誰かの家か、さもなくばお気に入りの味噌カツ屋か。見当はつきますからリストアップしましょうか？」

「一応、お願いしましょう。ところであなたは？」

「あれ、私、自己紹介はまだしていませんでしたっけ」

彼女は照れ笑いをし、清田明子と自己紹介した。

「劇団の経理と雑務をしています」

何でも聞いてくれとばかりに、胸に手を当てる。只倉がさっそく訊こうとしたそのとき、

「只倉さん、ここですよ、ここ」

窓の外で、ひらひらと手が動く。只倉は窓に近づき、顔を出して右を向いた。雨どいにしがみついた鷲海が、「ここ、ここ、ネズミ」と、壁の一部を指さしている。黒ずんだカビの一部がぼんやりと白くなっているのがわかったが、角度が悪いので、どんな形になっているのかいまいちわからなかった。

「スマホで画像を撮っておいてくれ」

「わっかりましたー」

ずいぶん快活な返事だった。

「鴛海、性格が変わってないか？」

「高いところ、昔から好きなんですよね。なんだか爽快なことを叫びたくなります」

顔色もよくなっていた。

「ところで只倉さん、髑髏のほうはちゃんと磨いてくれていますか？　こまめにお願いします」

「ああ、わかったわかった」

カバンの中に手を突っ込み、髑髏を適当に拭きながら、質問を再開しようと清田のほうに顔を向ける。彼女は畑中と話をしていた。その様子に、只倉はおや、と思った。劇団の経理とスポンサーにしては、どうも距離が近い。

清田が只倉の視線に気づいたようだった。それとなく畑中から離れていくが、わざとよそよそしく振舞っているのは明らかだった。この二人はできている。長年の刑事のカンが告げた。気づかないふりをして只倉は訊ねる。

「亡くなった織本佳奈美さんとは親しかったのですか」

「親しいというほどではなかったです。事務と劇団員は通常そんなに交流はありません」

「佳奈美さんは普段、この事務所には来なかったんですか」

「道具類を運ぶのを手伝ったりしたときなどは出入りしていましたが、団員は基本的に稽古場のほうに用事がありますから、よく、という感じではないですね」

「死の直前から佳奈美さんの様子がおかしかったことはご存じですね？」

「猫に憑かれていたという話ですよね。私は直接、そういう彼女に会ってはいませんが、座長が頭を抱えて嘆いていたのを見ました。何と声をかけていいかわかりませんでした」

清田は悲しそうに顔を曇らせる。畑中が口をはさんだ。

「そのときの佳奈美の猫っぷりは、小梅さんのほうが詳しい。長久手の家に行って訊いてみたらどうなんです？」

「ええ。あとで伺う予定ですが……清田さんはどう思いますか？　なぜ佳奈美さんは普段用事のないこのビルに、事件当夜やってきたんでしょう？」

「わかりません」

「佳奈美さんが雨どいを伝って六階まで上り、落ちたということについては？」

「不可解ですけど、状況からそうとしか思えません。雨どいを上るのも、実現可能なようですし」

と、窓のほうに視線をやる清田。振り返ると、鴛海がサッシに手をかけて室内に入ろうとしていたが、

「いっせーの、せっ！　わっ！」

足を踏み外し、かろうじて両手だけで窓枠にしがみついている状態になった。

「鴛海、お前！」

「大丈夫ですって、よっ！」

足を再びサッシにかけ、ひょいと部屋の中に入ってくる。

「只倉さん、髑髏、磨いてないじゃないですか」

咎めるような口調に只倉は呆れ、カバンの中の髑髏を彼に返す。何事かと顔をしかめている清田に「お騒がせして失礼」と謝り、聴取を再開した。

「佳奈美さんが遺体で発見されたときにこの窓は開いていたということですが、内側からは開けられなかったんですね？」

「そうです。ここには書き割りと大道具が隙間なく並べられていました。動かされた形跡はありませんでした」

「ということは、窓は外から開けられたということになる」

「はい。……佳奈美さんが開けたのに間違いないかと」

清田は小さな声でそう言った。

4

現場の雑居ビルから十数分歩くと、《テアトロポアソン》は見えてきた。入り口を入り、黒いTシャツ姿のスタッフが慌ただしく行きかうロビーを抜けていく。劇場内に稽古場もあるのか、発声練習らしき声がどこかから聞こえてくる。

客席は三百ほどだろうか。舞台上にはやはりTシャツ姿の男性がいて、大きく手を振るようなしぐさをしている。客席後方のブースから放たれる照明の光が、それを捉えている。

「もう少し上手側だ、上手側！」

客席のちょうど中央あたりで、ジャケット姿の小柄な男性が声を張り上げていた。

「織本正吉さんでしょうか」

近づいて話しかけると、彼は振り返った。紫色のシャツに紺のジャケット、いかめしい顔が蟹を思わせた。

「そうだが……あっ、警察か。そういえば、今日来ると連絡があったな」

「ええ。警察庁第二種未解決事件整理係の只倉と鴛海です」

「娘の一件は未解決なのか？」

「不可解な点があるので再調査しております。お時間を取らせては申し訳ないので、簡潔に。佳奈美さんの生前の奇行についてはどうお考えですか？」

「猫に憑かれていたというやつか？」ふん、と正吉は鼻を鳴らす。「母の映画を観てからおかしくなったらしいと弟から聞いたな。『金鯱化猫騒動記』か……まあ、いろいろあったらしいからな」

「佳奈美さんとは、普段はあまりお話をされていなかったのですか？」

「おい、そのドラム缶はもっと奥だ！」

正吉は舞台に向かって叫ぶ。ドラム缶を運んでいたスタッフが、びくりとし、舞台奥へ移動していく。

「もう少し……そう、そこだ。そこにバミリを貼れ。……失礼、佳奈美の件だったな。あいつが高校生になったころから、あまり会話はなくなった。早くして妻を亡くしたが、仕事柄家をあけることが多かった私は子育てなどほとんど小梅さんにまかせっきりだ。すっかり私のことを嫌っているかと思っていたが、高校を卒業したら私に内緒で劇団のオーディションを受け、研究生になった。それについて反対はないが、娘だからひいきをしているんじゃないかと思われたら問題だ」

ごほん、と正吉は空咳（からぜき）をした。

「同じ家には住んでいたが、劇団のことに親子関係を持ち込んではいかん。むしろ他人行儀になったというべきだろう。佳奈美が死ぬ少し前からこの劇場で公演があって、連日関係者との食事が続いていた。だから娘の猫憑きの振る舞いについては、見ていないんだ。佳奈美と近しい人、特に小梅さんに話を聞いたらいいだろう」

「そういうことでしたか」

とそのとき、ぶうん、と巨大な蜂の羽音のようなものが聞こえた。

「――わっ！」

鷲海が頭に手をやりながら身をかがめる。すぐ上を何か黒いものがかすめていった。舞台に向かって飛んでいくその影は、ドローンだった。

「す、すみません」

客席後方から謝る声がする。コントローラーを携えた男がぺこぺこ頭を下げている。

「気をつけろ！　観客に当たったらどうするんだ！」

「す、すみません、大丈夫ですか？」

「ええ、あの、あの、大丈夫です」

ペコペコ頭を下げる鴛海。すっかり猫背の気弱な青年に戻っている。この気性の荒そうな演出家の前では磨く気になれないのか、髑髏はウエストポーチの中にしまったままだった。

「今のドローンは、舞台でお使いに？」

「ああ」正吉は自慢げな笑みを浮かべる。「空襲のシーンがあってな、爆撃機に見立てて客席の上を飛ばすんだ。十機は使いたいが、スタッフがあの腕ではもう少し減らさねばならんかもしれんな」

「そういえばさっき、事務所にドローンをお持ちになる弟さんにお会いしましたが」

「そうそう、あいつの協力を仰いでいるんだ。昔からラジコンいじりが趣味でね。当時は馬鹿にしていたものだが、どんな趣味でも役に立つときがあるものだ」

正吉は口角を上げる。冗談めかした笑顔までいかつい。

「あいつは今や、劇団に欠かせない協力者だ。技術面でも、経済面でも」

「手巻き寿司ブームで羽振りがいいと言っていましたね」

「それもあるが、浴槽洗浄剤でも功績があるらしいぞ」

「浴槽洗浄剤？」

「酢には殺菌作用や防カビ効果があって、それを応用して黒ずみを取る洗浄剤を開発したとか。聞いてないのか。あんなに自慢していたのに」

「へぇー」鴛海が唸った。「いろいろ手広くやってるんですねえ、そりゃ儲かるなあ」

しきりに感心しているが、只倉は別のことを考えていた。

「セリ、動きまーす!」

舞台のほうから大声が響く。舞台上にいたスタッフたちが左右に分かれると、数秒してから舞台の中心に変化が現れた。大きな長方形に切り取られた床が沈んでいくのである。

「わ、わ、あれは何ですか?」

大げさに驚く鴛海に、「セリだよ」と正吉は説明した。

「舞台の下は大きな空間になっていて、エレベーターのように床が沈むんだ」

「な、なぜ?」

「鴛海、お前は舞台を見たことがないのか?」

只倉は口をはさんだ。

「役者が下から登場する演出などに使うんだ」

「それもあるが、大道具の搬入のほうが主要な役目だ」

「見てもいいですか?」

なじみのない舞台空間に鴛海は興奮しているようだった。正吉の返事も待たず、舞台へと駆け出す。ウエストポーチが弾むように揺れた。只倉は追い、正吉もついてくる。

「わぁ、これ、どこまで降りていくんですか?」

鴛海はセリを覗き込んでいた。もう十メートルは沈んだのだろうか。まだまだ下がるようだ。

「気を付けてくださいよ。一番深くて十七メートル下がります。今、そこからセットを引き上げるんです」

「十七メートル！　すごいですねえ、飛び込みたいくらいだ」

「冗談でもそんなことを言わないように。ほら、そんなに近づかないで！」

四つん這いになり、セリのぎりぎりまで近づいてふちに手を添えてはしゃいでいる。高所恐怖症は聞いたことがあるが、この男は高所愛好症のようだ。注意されても聞く耳をもたない。

高所……？

只倉は、頭上に目をやる。縦横に鉄骨が張り巡らされ、照明器具が無数にぶら下がっている。その照明器具の森の向こうを歩き回っている人影が見えた。

「織本さん、あの人は何をしているんですか？」

「ん？　あれは照明係だ。サスと言うんだが、ぶら下がっているあの照明の位置や色を変える。それがあの男の役目だ」

「あそこに上ってやるんですね？」

「キャットウォークと言って、幅五十センチほどの狭い足場だが……あんた、どうして舞台のことばかり訊く？　佳奈美の一件を捜査しているんだろう？　佳奈美は研究生で、まだこの舞台に立てるほどの役者じゃなかったんだ」

「セリを動かせるのは誰です？」

只倉は質問を重ねた。頭の中で、ばらばらになった糸がつながっていく感じがした。

「大道具と舞台監督だけ……と言いたいところだが、あそこのスイッチのそばに操作方法の書かれたマニュアルがぶら下がっている。……なあ、本当にどうして舞台のことばかりを訊く？」

答えず、正吉の示した下手側の舞台袖へ向かう。コンクリートむき出しの壁に緑色の鉄の箱が取り付けられていて、大柄な男性スタッフがレバーに手をかけていた。箱の下に、ラミネート加工された操作マニュアルがぶら下がっている。手に取って目を通す。電源を入れ、安全装置を外すボタンを押し、レバーを下げる。子どもでもできるほど簡単な操作だ。

「なあ、もうそろそろいいか？　見てのとおり、私たちは暇ではないんだ」

「公演がある日、劇場の戸締りをするのは誰ですか？」

「人の話を聞かない男だな。劇場の担当者だ。ロビーの扉を内側から施錠し、裏の従業員用の扉から帰る」

「なるほど。……失礼しました。織本さん、たしかお宅は長久手市でしたね？」

「そうだが？」

「今からうかがってもよろしいですか？　お忙しいでしょうからご同行は結構です」

「構わん。留守は小梅さんに預けている。警察が行くことは伝えてあるが、今一度連絡を入れておこう」

「助かります。おい鴛海、行くぞ！」

まだセリを覗き込んでいる鴛海を促し、舞台を降りる。客席の間を歩き始めたところで、ふと足を止めた。……そうだ。これも訊いておいたほうがいい。

「織本さん」

くるりと振り返って声をかけると、正吉は迷惑そうに顔を歪めていた。

「劇団員の久保さんのことですが」

「ああ、久保がどうした？」

「佳奈美さんとお付き合いしていたことはご存じでしたか？」

瞬間、舞台上に殺気のようなものが立ち込めた。セリの周囲で自分の仕事に集中していたスタッフたちが一斉にこちらを見たのだ。この男、突然現れてなんてことを言うのだ——スタッフ一同、そんな表情を只倉に向けていた。

そして正吉はというと、まるで寝起きのようにぽかんとした表情だった。

「久保が、佳奈美と……？」

「許さん！　あんな男、まだ役者として稼ぎがない！」

その顔はみるみる赤くなっていく。そして、
火山の噴火のように怒鳴り散らす。

「稼ぎがなければ！　そうでない男に、娘はやらん！」

「落ち着いてください！　佳奈美さんはもういないんです」

スタッフが三人がかりで、興奮する正吉を取り押さえる。

「父親って、どうも娘の結婚相手に厳しいですね」

ため息をつく鴛海に、只倉は当たり前だと言ってやりたかった。

5

織本家は名古屋市郊外の長久手市にあった。劇場からは車で四十分ほどかかる。周囲に田畑の広がる地に広大な敷地を誇る、平屋だが立派な瓦屋根の屋敷で、庭の木なども美しく整えられていた。高さ二メートルほどの垣根を挟んで隣には同じような建築様式の、少し小ぶりの屋敷がある。

「お待ちしておりました」

二人を出迎えたのは、額にしわの寄った、小柄な中年女性だった。織本家の住み込み家政婦、大関小梅。事件が起きた時点で二十三年勤めているとファイルには書かれていた。つまり、佳奈美が生まれる前からこの家にいることになる。

「屋敷内は好きに調べていいと旦那様が」

「ええ。その前に少し、大関さんにお話を聞きたいのです」

「私にですか。しかし佳奈美お嬢様のことは、事件のあったときにもうほとんどしゃべりましたがねえ」

「亡くなる少し前から、佳奈美さんはおかしな行動をとるようになったそうですが」

小梅は悲しみと恐れが入り混じったような表情になった。

「ええ、お嬢様は猫に憑かれたんですよ。子どものころからもう、魚なんて大嫌いで少しだって口にしたことがなかったんです。舞台関係の方からお寿司をいただいたときだって、箸をつけようともしないんです。それが、亡くなる二週間ほど前、突然、『今日の夕飯はお刺身が食べたい』なんて言い出して」

不可解そうに小梅は首を振った。

「本当に食べるのかしらと思いながらもお刺身を出したところ、お嬢様はものすごい勢いでがっついたのです。普段は静かにお食事をされるのですが、それはもう人が変わったように。ええ、まるで猫のようでした……そうそう、以前は熱いご飯でなければ嫌だとおっしゃっていたのに、必ず冷や飯を用意するようにとおっしゃって」

「ね、猫舌ってことですか」

鴛海が訊くと、小梅は確信をもった様子でうなずいた。

「そうだと思います。実際のところは、猫にとり憑かれたというより、良子様の気持ちが乗り移ったといったほうがいいかもしれません。お嬢様が亡くなったあと、フィルムを保管してある部屋を掃除していたら、良子様の映画のフィルムが勝手に出されていた形跡が見つかったのです」

「それは佳奈美さん以外でも出せたのでしょう？」

只倉は訊ねる。

「ええ、このお屋敷に出入りしている人なら誰でも。しかし、お嬢様が引っ張り出して観たのにちがいありません。そうでなければ、あんなふうに変わってしまわれる理由がありません。良子様は本当に、すごい『化け猫女優』でしたから」

くだらん。猫に憑かれたなんていうことも、化け猫女優の祖母の気持ちが乗り移ったなんていうことも、ありえない。心中で否定しつつ只倉は、質問を重ねる。

「失礼ですが、独身でいらっしゃいますか？」

「私ですか？　もう四半世紀も前、一度は結婚したのですが、夫の気性が荒く、すぐに離縁しました。その後、このお屋敷で住み込みで働かせていただくことになりました」

やはり。だからわからなかったのだろう。佳奈美には別の事情があった。この推理が正しければ、確たる証拠が残っているはずだが……。

　事件当夜、佳奈美のバッグは劇場に残されたままだった。ということはあれはすでに持ち去られてしまっているだろう。健康保険証は、本人が死んだときに返却されているはずだが、一応訊いてみよう。

「佳奈美さんの健康保険証の控えなど、ありませんでしょうか？」

「健康保険証の控え……ああ、お嬢様は本物を持ち歩いて落とすのが嫌だと、常にコピーを持ち歩いていました」

　幸運だった。

「まだあると思いますが、お待ちいただいてもよろしいですか」

「待っているあいだ、ちょっと床下を見せていただきます。佳奈美さんが潜っていたあたりはどこでしょうか」

「濡れ縁の下です。穴はまだ残されているのでわかると思います」

「そうですか。ちなみに、佳奈美さんが床下に潜ったのは、死の直前が初めてですか？」

「ええと……子どものころは同級生と遊んで入ったことがあると思いますが、もう十九歳でしたからね。理由なく床下に潜るなど……やはり、猫に憑かれてネズミでも探していたのだとしか思えません」

青ざめ、小梅は家の中に入っていった。庭に回る途中で、鴛海が不安そうに訊いてくる。

「只倉さん、ど、どういうことなんです？　なな、なぜ、佳奈美の健康保険証なんか」

「いいか鴛海。成人女性が食の好みが変わったという事実を聞いたら、まず疑わなければならない可能性がある。それは――」

告げると、鴛海は飛び上がらんばかりに驚いた。

「まさか！」

「調べればわかることだ。さて、今度は別の奇行の謎を解き明かすぞ。床下に潜れるか？」

「ぼ、僕がですか？」

しゃがみこんで縁の下を覗いた。

「最近腹回りがだぶついてな、こんな狭い隙間には入れそうにない」

リュックサックの中からろうそくのペンライトを取り出した。昨日、門前仲町の居酒屋で炎月から「お守りにどうぞ」と押し付けられたものだった。

「見ていろ怪談師め。お前のペンライトで猫憑きなんかではないことを証明してやる。ほら鴛海、灯り（あか）はこれだ。何かめぼしいものが見つかったら報告するんだ」

「はあ……わかりました」

鴛海はペンライトをつけて穴の中に潜っていく。只倉はその不気味な灯りが暗闇の中を進んでいくのを眺めていた。

「只倉さん、真っ暗です。特に何もありませんね。ただ、土にくぼみがあって……あ、いたっ！」

「どうした？」

「何か尖(とが)ったもので腕が傷つきました。……なんだこれ、欠けた茶碗みたいです」

「大丈夫か？」

「大丈夫ですが、ウエストポーチから髑髏が転げ落ちてしまったんです。ああ、これはまずい、汚れてしまった」

「髑髏なんて放っておけ。本当に何もないのか？」

「ないですよ。ああ、どうしよう……ん？　何か歌声が聞こえます」

「歌声？」

「ああ、あの家政婦の声です。これは、浪曲かな？」

只倉は玄関へ走り、靴を脱いで上がった。たしかに家のどこかから浪曲が聞こえる。歌声を頼りに廊下を歩いていくと、半開きになったドアの向こうで、小梅が和箪笥(わだんす)を開けて中を探っていた。

「大関さん」

「ひゃっ！」

小梅は飛び上がった。

「……ああ、びっくりした。お嬢様の部屋はもう何もなくって、こちらで探していたところです」

顔を真っ赤にしながら、彼女は引き出しをばんばんと叩く。

「この部屋は？」

三畳の和室だった。和簞笥が二つの他には、古い書籍が並ぶ本棚や木箱、古いタイプライターや自転車などがある。

「もともとは私のような使用人の寝泊まりする部屋だったようですが、前の旦那様が亡くなってからは物置として使っています。それから、正吉様が秘密の話をするときなどは、客間ではなくここを使うことも」

「秘密の話……たとえば？」

「最近は特に。ただ、一年ほど前は勇也様とよくお話をされていました」

あの、七三分けの慇懃無礼（いんぎんぶれい）な男の顔が頭に浮かんだ。

「兄弟間の話かな？」

「さあ。そう思います。勇也様は隣に別宅をお持ちなので、よくこの屋敷までいらっしゃってお話しするのです」

「別宅というのは、この家のすぐ隣の？」

「さようでございます。もともとはこのお屋敷の離れだったのですが、私がこのお屋敷にお世話になる少し前に旦那様のお父様と女優のお母さまが相次いで亡くなり、屋敷も兄弟で分割すべきだと勇也様が主張されたそうです。その当時は旦那様と勇也様は仲が悪く、怒った旦那様は間に垣根を作り、離れを別宅として勇也様に与えたのだとか」

「その後、勇也さんは婿養子に入ったのでしたね？」

「ええ、養子に入った先が本宅でしょうが、別宅も手放されていないのです。しばらく来ないこともありましたが、ここ数年は足しげくやってきています。旦那様も深く詮索はされません」

ははあ……と、只倉には畑中勇也が別宅を何に使っているのかがわかった気がした。清田明子の顔がちらつく。

再び庭に戻り、縁側の下を覗いた。

「おい鶯海、もういいぞ」

出てきた鶯海は、髪の毛にクモの巣や土がついてしまっていた。

「中で話していた俺の声が聞こえたか？」

「ええ、ばっちり」

「織本佳奈美がこの床下に潜ったのは、父と叔父の話を聞くためだったんだ」

「正吉と勇也の話って何ですか？」

「金の話だろう。正吉は劇団の資金繰りに困り、勇也を呼びつけ、無心をした。劇団の財政状況をなんとなく知っていた佳奈美は、そうなのではないかと勘繰り、盗み聞きしようと、床下に潜り込んだ。そして、やはり勇也の金回りがいいことを知り、彼から金を融通してもらおうと考えたんだ」

「こんなに大きい家で、経済的に何不自由なく暮らしているであろう佳奈美が、なぜ金など欲しがるんです？」

それには答えず、只倉は庭にひょろりと立っている松の木を指さした。高さは、三階建ての建物ほどある。

「鴛海、次はあれに上れ。織本佳奈美が何を見ていたのかが見えるはずだ」

そう言った瞬間、鴛海の目が輝いた。

「はい！」

「お前、本当に高いところが好きなんだな」

松の木に飛びつく鴛海の右手にハンカチが巻かれているのに、只倉は気づいた。血がにじみ出ている。

「鴛海、その傷、どうしたんだ？」

「さっき言った割れた茶碗の破片でやってしまいました。大した事ないですよ、ひゃっひゃっ。こりゃ、雨どいよりずっと上りやすいや！」

猿のように、ひょいひょいと松の木を上っていく。腰にぶら下がっているのは、ウエストポーチ……と思いきや、やけにしぼんでいる気がした。チャックが開いている。

「あいつ、髑髏をどうしたんだ？」

振り返ってしゃがむ。床下への穴の入り口から数十センチメートルのところに、髑髏が転がっていた。

……しょうがない。

只倉は身をかがめ、手を伸ばす。どくろの鼻の穴に人差し指が引っかかる。ぐいと引き寄せ、髑髏を手に取ったところで——髑髏の目が赤く光った。

「えっ？」

瞬きをすると、そんな光はなかった。

「馬鹿馬鹿しい。そんなこと、あるわけないだろう」

「只倉さん！」

鴛海はすでに松の木を十五メートルほど上り詰めていた。

「隣の家が見えます！」

「家の中は？」

「ええ。窓からしっかり中が見えます！」

期待どおりの答えに満足しつつ、只倉は髑髏に着いた土の汚れを手で払った。血も付いているが、これは鴛海自身に拭かせればいい。

「鴛海、降りてこい、解決だ」

「はい？」

「織本佳奈美は猫にとり憑かれてなんかいない。奇妙な行動にはすべて、理由があったんだ」

6

只倉と鶯海は《白河コーリンビル》六階の劇団事務所にて、二人の人物と向かい合っている。

「もう四時を過ぎたぞ、私は仕事があるんだ」

「私も、五時までに劇場に行かなければならないんです」

畑中勇也と清田明子はそろって文句を言った。

「もう少し待ってもらえますかね」

只倉は有無を言わさぬ口調で言った。たしかに遅い。もっとも、電話で話したときから非協力的な態度ではあったが――そう思っていると、廊下のほうでどたどたと大きな足音が響き、ドアが開いた。入って来たのは赤ら顔の大柄な男。グレーの背広には皺がより、ワイシャツのボタンは一つ外れている。

「ほれ、入れ」

ぐいっと腕をとられて入ってきたのは、劇団員の久保だった。

「久保君、どうして？」

清田が訊ねる。

「わかりませんよ。スタジオで練習してたら、いきなりこの赤鬼みたいな刑事さんについてこいって言われて」

「俺もわからんのだわ。あんたらか、警察庁呪われ係は？」

呪われ係？　――畑中と清田はそろって眉根を寄せる。

「愛知県警の尾高警部だな。我々、警察庁第二種未解決事件整理係は、織本佳奈美さんの転落死事故について、捜査の差し戻しを宣言する」

へっ、と尾高警部は笑った。

「あれは事故死だわ。上があんたらにおくらんならん言ったんだわ。手続きしたら、まさか本当に再調査に来るなんて、どえりゃあ暇なんだわ」

「織本佳奈美さんは事故死ではない。殺害されたんだ」

「ちゃんと資料読んだか？　事件当夜、こん部屋は大道具や書き割りが足の踏み場もねえくれぇあったんだがね。ということは、誰かが外から開けたとしか考えられん。猫に憑かれとった織本佳奈美が、壁のネズミの形を取ろうと雨どいをよじ上り、中に入ろうと窓を開けたところで、足を滑らせて落ちたんだわ」

「ありえん！」

只倉の怒号に、尾高はびくりとする。只倉は落ち着いた声で告げた。

「そもそも佳奈美さんは、このビルから落ちたのではない。別の場所で突き落とされ、発見された場所に運ばれたんだ」

尾高警部は眉を顰める。

「別の場所とは？」

「劇場だ」

「劇場？　《テアトルポアソン》？　あそこは三階建てだわ」

「ステージの下、奈落と呼ばれる地下空間が四階分ある。さらに舞台上、二階の高さには、照明を直すキャットウォークと呼ばれる細い足場がある」

「なるほど！」叫んだのは清田だった。「キャットウォークは舞台から見て二階分くらいの高さはあります。セリをめいっぱい下げた状態でキャットウォークから落ちたら、六階分落ちたのと一緒です」

そういうことだと言うように、只倉はうなずいた。

「あの夜、芝居が終わった後、犯人は佳奈美さんに劇場に残るように告げた。大雨が降っていたため、誰もが早く劇場を去りたがっていた。戸締り係の見回りもおろそかになったのだろう。二人きりになったあと、佳奈美さんはキャットウォークの上に呼び出され、突き落とされたんだ。佳奈美さんが落ちるであろう位置にはあらかじめビニールでも敷いておけば血は残らない。さらに、遺体を運んだ先の屋外では、大雨のせいで血は流されてしまったと判断されるだろう。大部屋にバッグが残されていたのは、佳奈美さんが忘れて帰ったからではない。彼女が劇場を出ていなかったからだ」

「でも」尾高警部はまだ薄笑いを浮かべている。「いったい犯人はなぜ佳奈美を殺さなならんかったんか？」

「それを説明するにはまず、佳奈美さんの奇行の意味を明らかにしなければならない。死ぬ半月ほど前から、なぜ嫌いだった魚をむさぼるように食べるようになったのか。成人女性が突然食の好みや食べる量まで変化するとなったら、まず疑うべきなのは、妊娠だ」

「妊娠？」

「無性にすっぱいものが食べたくなるなどというのはよく聞く話だが、好みの変化は人それぞれ。佳奈美さんの場合は魚が食べたくなる体質だったんだ。また、炊き立ての飯の匂いを受け付けなくなるというのもよくある変化。佳奈美は魚を食べるようになってから、冷や飯ばかりを欲しがるようになった。鴛海」

「はい」

鴛海はポケットから書類を取り出した。

「健康保険証の使用履歴から、佳奈美さんが市内の産婦人科に通っていたことがわかりました。佳奈美さんは確実に、妊娠していたようです」

手渡された書類に尾高警部は納得せざるを得ないようだった。

「母子手帳がないのが気にかかるが、妊娠を知られてはまずい人間、つまり子どもの父親が佳奈美さんのバッグの中から持ち去ったのだろう。さて、その父親が誰かという話になるが――」

只倉が言うまでもなく、一同の視線はある人物に注がれる。

「……え、ええと」

目を白黒させる久保。その態度だけで、彼が佳奈美を妊娠させた張本人であることは明らかだった。

「佳奈美さんは君と結婚したいと言った。君はあいまいな態度をとったが、心中では結婚するつもりはなかったんだろう」

「酷い！」清田が叫んだ。「だから佳奈美さんを殺したのね？　あの日、あなたも出演していたものね！」

「ち、違う……俺は」

「落ち着くんだ」只倉は言った。「彼にはアリバイがある。行きつけのバーでギターを演奏していたというのは本当らしい。セリを上下させたり、佳奈美さんを運んだりする時間はなかった」

「そう。そうだよ」

「母子手帳を持ち去ったのは認めるか？」

「え、ええと……、たしかに、佳奈美のバッグから母子手帳を持ち去った。そして、佳奈美が死んだあと、捨てた」

久保は正直に話した。清田が嫌悪感を示すが、只倉は気にせず続ける。

「話を佳奈美さんに戻そう。彼女は久保と結婚するつもりだったが、それを父親の正吉が認めてくれるとは思えなかった。自分で家族を養うだけの稼ぎがなければ娘を嫁にやらないというのが、彼の考え方だ。考えた挙句、佳奈美さんはどこかから大金をせしめ、久保に与えることを考えた。俳優としてはまだ稼げなくても相応の貯金さえあれば結婚を認めてもらえると思ったのだろう」

浅はかだが、十九歳ならそういう考えに至ってもおかしくはない。

「大金をせしめるって、どこから？」

「それのヒントになるのが、彼女が床下で聞いた、兄弟の会話だ」

「床下？」

畑中勇也が眉を顰める。

「かつて使用人部屋として使われていた三畳の部屋。あそこで正吉とあなたが話していたとき、彼女は床下にいたんだ。劇団の資金繰りに悩んでいた正吉さんはあなたに相談し、手巻き寿司ブームで業績があがって羽振りがいいことをあなたは話した。床下でそれを盗み聞きした佳奈美さんはあなたのところへいき、事情を話して大金を融通してくれと頼んだ」

「まさか」

畑中は言うが、只倉は話をつづけた。

「だがあなたは断った。すると佳奈美さんはあなたを強請ろうと弱みを探すようになったんだ。織本家の庭の松の木。あそこに上ると隣の離れの窓が覗けるんだよ。佳奈美さんはあなたが足しげく離れを使っているのを不審に思い、よじ上り、とんでもない光景を見た」

「あっ！」

思わずといったように叫んだのは、清田明子だった。

「そう」只倉は微笑む。「あなたとの不倫の現場だ」

反駁をはさむ機会を失ったように清田は、んぐ、と声にならない声をあげた。

「畑中さんは婿養子だ。不倫などしたと知られたら家を追い出されるどころか会社も解雇されるかもしれない。強請られた畑中さんの中に殺意が芽生えたことは想像に難くない」

ぶるぶると震えはじめる清田。畑中はその横で首を振る。

「馬鹿馬鹿しい」

「あの夜、『大雨だから止めたら?』という奥さんの制止を振り切って、あなたは公演を観に行った。遺体の血が流されたのだと警察に思わせられる大雨こそがあなたにとってチャンスだったからだ」

「わざわざキャットウォークやセリを使うなんて面倒くさいこと……」

「犯人はもともと佳奈美さんが雨どいを上って転落したように見せかけるつもりはなかった。六階の事務所の窓から落ちたように見せかけるつもりだった。そのためにドローンを使って窓を開けたのは誤算だったな」

「ドローンだぁ?」

尾高警部が目を見張る。

「そうだ。佳奈美さんの遺体を下に置いた後、鉤爪のようなものを取り付けたドローンを飛ばし、枠にひっかけて窓を開けた。あの窓のクレセント錠が壊れていたことは前もって知っていたからな」

「ば、馬鹿な! そんなことのためにドローンを」

「あなたしかいないんだよ、畑中さん」

うろたえる畑中に、只倉は人差し指を突き付ける。

「劇場関係者ならあの日、ここに書き割りが大量に置かれていて窓が内側からは開けられないことは知っていた。佳奈美さんがここから転落したように見せかけようなんていう考えは、それを知らない部外者のものだ。劇場のセリを殺人に使う発想を持ちながら、この窓が使えないことを知らなかった人物などあんたしかいない」

反論の言葉を探している畑中に、只倉は追い打ちをかけた。

「佳奈美さんの遺体が発見された後で窓が使えなかったことを知ったあなたは焦った。苦悶したあげく、佳奈美さんの猫憑きの噂を利用することにしたんだ。織本家に忍び込んで映画フィルムを引き出したのも、ビルの外壁にネズミの形を浮かび上がらせたのも、すべて事後だ」

「ネズミの形を人為的に浮かび上がらせただって？　そんなことあらすか！」

尾高が語気を強める。

「鴛海」

只倉が合図を出すと、鴛海は紙袋の中から、Ａ３サイズの厚紙を取り出した。ネズミの形が切り抜かれて穴になっている。

「これと、カビを殺す洗浄剤を入れた霧吹きをドローンに取り付けたんだ」

「ま、またドローン？」

「夜中にビルのそばへやってきて雨どいの近くの黒カビのついた位置までドローンを飛ばし、霧吹きを作動させた。酢の力で菌やカビを殺す強力な浴槽洗浄剤だ。見事にネズミの形の部分だけカビが落ちたというわけだ」

畑中以外はみな、あんぐりと口を開けている。

「佳奈美さんの遺体が発見されてから三日後に初めて報告されたネズミの形について『今まで気づかなかった』と誰もが証言したのは当たり前だ。佳奈美さんが死んだときにはまだなかったのだからな」

只倉は畑中を睨みつける。

「酢の殺菌作用を応用した浴槽洗浄剤の事業に携わっていることを、あなたは私たちには言わなかった。言えば、私たちがトリックに気づく可能性があると思ったからだろう」

「証拠はあるのか……」

かすれた声で、畑中は言った。

「たしかに俺は洗浄剤の事業にも関わっている。だが、私が何の仕事をしているかなど、いちいち警察に告げる必要があるか？　洗浄剤を開発していただけで犯人にされてはたまらない。証拠を見せろ。私が佳奈美を殺したのだという、確固たる証拠を！」

「証拠は、私たちが探す必要はない」

「なんだと？」

「私たちはこの事件をこの刑事に差し戻すだけの理由を探せばいいんだ」

そして只倉は、畑中勇也ではなく、尾高警部に向き直る。

「嫌いだった魚を食べたこと、床下に潜ったこと、松の木に上ったこと、壁のネズミ……すべてには理由があった可能性がある。このまま猫憑きのせいにすることはできない。本案件は、愛知県警に差し戻す。必ず真相を見つけ直すんだ。いいな？」

尾高は何か言いたそうに口元を歪めていたが、無言で敬礼を返した。

7

門前仲町の居酒屋《よいどれ狸》にて、只倉は炎月と差し向かいで座っている。日向は仕事のために遅れるとのことだった。

「どうだっ？」

炎月は愛知県警からの報告書を眺め、苦虫をかみつぶしたような顔をしている。

「なるほど……」

尾高警部の再捜査により、劇場の奈落から佳奈美の血痕が発見された。殺害場所が特定されたことにより遺体が移動された事実が発覚、やがて畑中の車から佳奈美の毛髪が見つかり、畑中はついに観念したとのことだった。

「人間が猫にとり憑かれることなどありえん」

満足だった。ビールが美味（うま）かった。この怪談師が愛してやまない怪異とやらを、すべてねじ伏せてやったのだ。

「佳奈美さんは……」

勝ち誇る只倉に向かい、低い声で炎月は言った。

「せっかく子どもを授かったというのに、残念でしたね」

「う……むむ。まあ、そうだな」

怪談師などという非常識な仕事をしながら、たまに極めて常識的なことを言うのだ。年がら年中死体を相手にしている刑事のほうがよっぽど非常識だと言われているような気すらしてくる。

「いずれにせよ」只倉は気を取り直しながらビールジョッキの把手をつかむ。「この世に怪異など存在せんのだ。認めろ」

「怪談師ですのでそれはできかねます」

そう言いながら彼は椅子に置いた風呂敷包みをほどき、ぼろぼろのノートを一冊取り出した。ぱらぱらとめくられるページにはびっしりと文字が書き込まれ、新聞や書籍のコピーが貼られている。

「なんだそれは」

「私の取材ノートです。聞いたお話の裏付けをするため、各地の図書館や資料館に通っています」

「各地だと？」

「ええ。地方紙の記事もネットでだいぶ手に入りやすくなりましたが、やはり現地でなければ手に入らない古文書などもあります。地方に行けば珍しいお話にも出会えますしね。明日も朝から金沢に行ってきます」

怪談など好事家（こうずか）の趣味だと思っていたが、意外と大変なのだな……とわきあがってくる感心を、ビールを飲んで吹き払う。こっちだって名古屋まで行って事件を差し戻してきたばかりだ。

「同僚の鵞海さんの件なのですが、髑髏を磨いているとおっしゃいましたね」

只倉の気持ちなどどこ吹く風、炎月は落ち着き払っている。開かれているノートのページには、髑髏の絵が描かれた書物のコピーが貼りつけられていた。

「ここにナイジェリアのとある儀式の記述があります。『呪術師が祈りを施した髑髏の口に、暗闇で血液を与えると、願いを聞き届けてくれる』とあります」

只倉の頭の中で、髑髏の目が赤く光った。同時に、ずん、と視界が青みがかった気がした。炎月のペースになる予感がして、背筋が寒くなる。

「鴛海さん、床下で手に怪我をされたのでしたね？」

「ああ……欠けた茶碗で傷がついたんだ」

「そのときに流れた血の雫が、髑髏に落ちたのではないでしょうか」

たしかに、土を払ったとき、鴛海の血が髑髏に付いていた……。

「自分を磨き続けた持ち主の血を含んだ髑髏は、その願いを聞き届けたのでは？」

青い視界の中、炎月のウェーブのかかった髪がぐわりと持ち上がったように見えた。

「馬鹿な。あいつが髑髏に何の願いを……」

スマートフォンが鳴った。通話をタップする。嫌な予感がする。

〈もしもし？　只倉さんですか？〉

鴛海の弾んだ声が聞こえた。

〈聞いてください。彼女のお父さんが、結婚を認めてくれました。何があったのかわかりませんが、名古屋の事件の再調査がうまくいったという情報がきっと届いたのだと思います〉

めでたい報告だというのに、背中は寒くなる一方だ。暗闇。血。願い……鴛海の……願い。

〈只倉さんのおかげですよ。やっと、願いがかないました〉

「……やめろ」

〈はい？〉

「髑髏が願いなどかなえてくれるものか。オカルトはもううんざりだ。鴛海、お前、その結婚を今すぐとりやめろ！」

〈た、只倉さん？〉

「落ち着いてください」

炎月が手を伸ばしてスマートフォンを取ろうとする。只倉は立ち上がってそれを避けた。

「認めないぞ。名古屋まで行って一つ怪談を潰してやったのに。ナイジェリアの髑髏が願いをかなえただと？　そんな気味の悪い話があってたまるか」

「とにかくお座りください、お義父さん」

「お義父さんって、呼ぶなあっ！」

炎月との関係はまだ続く。叫びながら、そんな嫌な予感がしてしょうがなかった。

〈只倉さん？　僕たちの仲人、やってもらえませんか、只倉さん？〉

スマートフォンの向こうからはまだ、鴛海の声が聞こえていた。

第3話　トンネルとマヨイガ

1

鬼深湖は、神奈川県の奥地の山林に囲まれた湖である。八月の後半、緑豊かな湖畔と言えば行楽にぴったりのシチュエーションのはずが、どこか空気が澱んでいて、人の姿など見えない。蟬の声がただただ、響いているだけだ。

只倉恵三は、見ているだけで気分が滅入りそうになる濃緑色の水の上を、神奈川県警のエンジン付きゴムボートでゆっくりと進んでいる。操舵しているのは、地元警察・伊勢原北署の長峰という男。まだ三十歳くらいだろう。

桟橋から五十メートルほど進んだ位置に、ボートが逆さまになって浮いていた。人を乗せなくなってもう何年も経ったものなのだろうということは明らかだった。

「遺体が見つかったのは、このあたりですよ」

長峰は、エンジンを止めて言った。背が低く、目の焦点がどことなく定まらない男だ。

「このボートに寄り添うように、古いボートが一艘浮かんでいて、そこに彼は仰向けになっていたんです。目をかっと見開いて」

ファイルに添えられていた遺体の写真を、只倉恵三は思い出していた。Tシャツにジーンズという何の変哲もない身なりだったが、何かに驚いたように目を見張り、胸のあたりに合わさっている両手の、すべての指を鉤状に曲げていた。まるで胸か喉でもかきむしったかのような状態だが、胸にも喉にも傷はなく、死因は心不全と判断された。財布も何も持っておらず、身元は不明。年齢は三十代~四十代とファイルには書かれていた。

「やはり、見たんでしょうか。この湖には〝どろ坊〟と呼ばれる妖怪の伝説が……」

「やめろ。俺の前でそれ以上、オカルトめいた話をするな」

幽霊、妖怪、怪奇現象……その手の話が只倉は嫌いだ。怖いから苦手というのではない。非科学的で現実的でないものを信じる人間たちそのものが嫌いなのだ。

「男が乗っていたボートというのは、あの貸しボート屋のものだな？」

只倉は、つい数分前ゴムボートに乗った桟橋を振り返る。さびれた建物があり、古びたボートが五艘、揺れている。もともとは釣りスポットでもあった湖だが、数年前からすっかり客足は途絶え、昨年、身元不明の死体が発見された事件をきっかけにボート屋は廃業したということだった。地元の暴走族の仕業か、ガラスは割れ、外壁にはスプレーの落書きが書き散らされていた。

「そうです。夜中に忍び込んで勝手に漕ぎ出したのでしょう」

「遺体発見時、オールがなかったそうだが」

「はい。そもそも夜間は、オールは建物内にしまっておかれていたそうです」

「オールがなくてどうやってここまで出てくるんだ？　手で漕いだとでもいうのか？」

「こんな湖ですから、手を入れたのだったら少なからず爪のあいだに藻が残されているはずです。遺体の爪はきれいなものでした」

　長峰は首をかしげるようなしぐさを見せる。

「たぶん自分で用意したオールを使ってここまで漕ぎ出したんです。そして、何か恐ろしいものを見て、亡くなった。その拍子に、オールを湖に落としてしまった」

　只倉はうんざりした。ファイルに書いてあった報告をそのまま読んだかのような説明だ。ボートのオールというものは普通、水に落としても回収しやすいように浮く素材で作られている。それが見つからないということは沈む素材でできていたことになるが、ダイバーによる捜索などは行われていない。もっとも、水はこの濁りようだし、水深もこのあたりは二十メートルほどあるという。ダイバーを使ったところでそれらしきものが見つからないかもしれない。

　——わあああっ！

　そのとき、どこかから激しい水音とともに男の叫ぶ声が聞こえた。

　慌ててあたりを見回すものの、人影はない。そもそも、昨年の事件以来、この湖は立ち入り禁止になっているはずだ。

　——た、た、助けて！

――おい、大丈夫か？

「なんだ、あの声は？」

「とどろ坊かもしれません」

長峰の背中をばしりと叩く。

「しっかりしろ。向こうのほうだろう」

資料によれば、この湖はひしゃげた三日月のような形をしているはずだ。半島のように突き出た部分をぐるりと北側に回った向こうにもう一つ小さな桟橋があるが、うっそうと木が生い茂り、只倉たちのいる場所からは死角になっている。

「釣りは禁止になっているんだったな。はやく行け！」

「はい！」

長峰はエンジンをかけ、ボートを進めていく。半島をぐるりと回ると、声の主の姿が見えてきた。只倉たちが乗っているのと同じくらいの大きさのゴムボートが浮かび、そのすぐ近くに落水した男がばしゃばしゃともがいている。ボートには男性が二人、乗っており、そのうち、柄シャツを着たメガネの男が、落ちた男を救おうとオールを伸ばしている。もう一人はなぜか和服姿で、荷物が落ちないように抱えている。

「おい、お前たち、この湖は立ち入り禁止だ」

近づいていきながら、只倉は声をかけた。

「あっ、すみません」

和服の男が顔を上げる。

「ん？　お前は！」

只倉は思わず、声をあげた。

ウェーブのかかったもっさりした髪、小さな目が二つ。彼も只倉のことを認識した様子だった。

「お義父(とう)さん……」

2

ほんの少し前まで只倉恵三は、警視庁・深川(ふかがわ)署の刑事課に勤める刑事だった。そのまま所轄の刑事として、警察組織に身を捧(ささ)げるはずだった。ところがこの夏、彼に転属命令が下った。

新しく配属されたのは、「第二種未解決事件整理係」という、警察庁に属する部署である。

この部署に全国から集まってくるのは、怪奇現象の絡んだ未解決不審死事件――そのほとんどが事故死、自然死として一応は処理されている。只倉たちはその事件ファイルを読み、事件性が感じられた場合は現地に出向いて調査をし、場合によっては再捜査をするよう地元警察に差し戻す。一度処理された事件を再捜査させるのには煩雑な手続きや、捜査本部の再招集が必要な場合もあるため、怪奇性を取っ払った事件性が明らかにならなければ不可能だが、只倉は転属になってからわずか一週間で、二件の事件の怪奇性を払拭し、真相と犯人を明らかにしたのだった。そして八月も後半を迎えた今日、この鬼深湖で起きた不審死事件の調査にやってきたのだ。

本来ならば新たな部署で、長年の刑事生活で培った推理力を発揮できていることを喜ぶべきだろう。だが只倉は面白くなかった。

それはすべて、今目の前で、落水したジャージ姿の友人の髪を拭いている和服姿の男のせいだった。

「いやあ、まさかこんなところでお義父さんに会えるとは思っていませんでした」

その男――関内炎月（せきうちえんげつ）は、朗らかに笑った。只倉と長峰は、ジャージ男を引き上げたあとで、三人についてくるように命じ、つぶれたボート屋の桟橋まで戻ってきていた。バスタオルは、ここまで乗ってきた警察車両のトランクに積んであったものである。

「お義父さんと呼ぶんじゃない」

苦虫をかみつぶすような気持ちで、只倉はたしなめた。ジャージ男が、はーくしょん！　と大きなくしゃみをする横で、

「『おとうさん』って、まさか親子ですか？」

柄シャツの男が、只倉と炎月の顔を見比べて訊（たず）ねる。よく見れば、右手に携えたスマホで、撮影をしているようだった。

「親子ではない！」

「日向（ひなた）さんのお父さまなんです」

炎月はその忌々しい事情を、柄シャツ男に説明した。日向は今年二十五歳になる只倉の娘である。この炎月という男は、日向と交際中の恋人なのだ。それだけでも腹立たしいのに、この男の

もある。

職業が只倉をさらに刺激する。怪談師。方々から心霊や怪奇現象の話を集めては人前で語るというなんともいかがわしい仕事だ。オカルト嫌いの只倉にとってはこのうえなく遠ざけたい相手でもある。

「なんや。それやったらゆくゆくは『おとうさん』になるやないですか」

柄シャツ男が、スマホのカメラをぶしつけに向けてくる。

「一つ、コメントをどうぞ、おとうさん」

「うるさい！　なんなんだ、お前たちは？」

怒りで頭が沸騰しそうになりながら訊ねると、

「それは」

と、バスタオルを頭にかけたまま、びしょぬれジャージ男が只倉を見上げた。

「職務質問ですか？」

「なんだと？　……まあ、職務質問と捉えてもらってもいい」

「よっしゃ、記録更新やっ！」

ジャージ男はガッツポーズをした。なぜ喜ぶ？　と疑問を抱くと、横で柄シャツ男が笑った。

「この人、よう職務質問を受けるんですわ。去年は十五回受けました。ところが今年はまだ夏やというのに、これで十六回目です。どんどん記録更新してるわ」

「芸田(げいた)さん、ちゃんと今の映像、押さえた？」

「押さえましたとも。記録更新のコメントをどうぞ、高菜(たかな)さん」

わあわあと盛り上がる二人の横で、炎月が静かに告げた。

「彼らは、高菜トシユキさんと芸田ナナヲさんです。私と同じく怪談師であり、『突撃！　不可思議委員会』というチャンネルを運営するユーチューバーでもあるんです」

ユーチューバーー！　また只倉にとって解せない生業のやつらが出てきた。

「今回、イベントの告知を兼ねて出演させていただくことになったのですが、どうせなら心霊スポットで怪談を一席、ということになり、やってきた次第なのです」

「この湖は立ち入り禁止になっているはずだぞ。かくなる上は、署まで同行してもらい……」

調書を取らせてもらう、という言葉を吐く前に、ばらばらと頭上から水滴が降ってきた。あたりの木々がコーラスのように音を立てる。空はいつの間にか一面どす黒い雲に覆われていた。

「とりあえず、ボート小屋に！」

小屋に向かうが、ドアには鍵がかかっていた。わずかな時間のあいだに雨は土砂降りと言っていいほどの状態になっていて、背中はびしょびしょだ。遠雷の音がした。

「只倉さん、車に戻ったほうがよろしいかと」

「そうだな」

「あのー、僕らの乗ってきた車は向こうなんですが」

芸田がスマホを雨から守るように身をかがめて言う。北の桟橋の近くにも駐車場があるのだった。

「あとで取りに来させてやるから、お前たちも来い！」

三人を連れて警察車両まで戻り、後部座席に押し込んで自分は助手席に乗った。

長峰はすぐにエンジンをかけ、車を出した。山林の中のぐねぐねした道。フロントガラスを叩きつける雨は、ワイパーでもぬぐい切れないほどだ。

「これは、逮捕ですか?」

後部座席から、高菜が震える声で質問した。ルームミラーで確認すると、バスタオルにくるまっているが、いよいよ寒そうだ。

「高菜さん、前科つくんちゃいます?」

「職務質問十六回に、前科一犯。ずいぶんハクがつくなぁ……あっ、あそこ寄りましょうよ」

前方右に、突然開けた場所が見えた。五台ぶんの駐車スペースと、古びた二階建ての店舗。消えかかった文字で《ドライブインおにぶか》と書かれた看板が見えた。

もちろん只倉には、このユーチューバーの言うことを聞くつもりはなかった。すぐにでも伊勢原北署に連れていき、お灸をすえなければならない。

「長峰、進め」

「はい」

「あああぁ……」という高菜の残念そうな声が、只倉には爽快だった。

すぐに、二股の道が見えてきたが、右の細い道は鎖がかけられて封じられている。左の道を進むとまた二股の道が見えてきた。右の道へ進み、大きく右カーブを曲がると、トンネルが見えてきた。来たときにも通った、《鬼深第一トンネル》である。車一台ぶんの幅しかないので交互通行用の信号機がとりつけられているが、幸いなことに青であった。

三十秒もしないうちにトンネルを抜け、下り道に入る。下の県道までは二キロメートルほどだろうか——と、大きなカーブを曲がったその瞬間、恐竜の咆哮（ほうこう）のような音が轟（とどろ）いた。

うおおと叫びながら長峰は急ブレーキをかけた。前方左上の山肌から、茶色い塊がなだれ落ちてきた。フロントガラスの向こうに、木々と泥が一体となったものが生き物のようにうねっていき、道は絶たれた。

「うぉぉ、ニュース映像やん！」

後部座席で芸田が興奮している。長峰はすぐにギアをバックに入れ、車は後退する。十メートルほど後ろの右脇に、少し開けたところがあり、長峰は切り返すべく、前から車を入れた。とたんに、がくんと右斜め前に車が傾いた。

「な、なんだ？」

「何かにハマりました。ああ、井戸の跡か何かがあったみたいです」

「抜けられるか？」

再びバックギアに入れる長峰。アクセルを踏む音とともに、車は無事バックした。すぐに道に戻り、トンネルの方へ戻っていく。

まったく、さんざんだ……。

3

囲炉裏(いろり)の中でぱちぱちと、薪が燃えている。只倉は湯飲みの中の白い液体を一口、含んだ。気を付けなければ火傷してしまいそうな熱さのなかに、やさしい甘みがある。

「まさか、夏場に甘酒がいただけるとは思いませんでした」

只倉のすぐ右に座っている炎月がほっとしたように言う。

「このあたりは夏でも気温が急に下がることがありますからねえ。一年中ご用意しているんです。どうぞゆっくり、乾かしていってください」

柔和な顔をほころばせるのは、この《ドライブインおにぶか》の女店主である。六十代に差し掛かったところだろうか、ベージュの半そでに、古びたエプロンをつけ、まがった腰をときおり億劫(おっくう)そうにさすっている。

すんでのところで土砂崩れに巻き込まれるのを回避した只倉たち五人は、安全そうなこの《ドライブインおにぶか》の駐車場まで戻った。すると、建物の中から彼女が出てきて手招きしたのだった。

店内は外から見た印象より広く、小さな土産物売りのスペースの他、六つのテーブル席と、囲炉裏のある小上がりがあった。只倉たちの他に、客はいない。

「はい、はい……そういうことで、よろしくお願いします」

こちらに背を向け、スマートフォンで署と連絡を取っていた長峰が、通話を切って振り返った。

「土砂崩れが酷くなる恐れがあり、今のところ出動は見合わせているそうです。雨がやみ次第、救助を出すということでした」

「あのトンネルを抜ける以外に、県道へ降りるルートはないのか？　そういえば、鎖で封じられていた道があったが」

一つ目の二股の右の道のことだった。長峰は困惑した表情を浮かべた。

「あの先には《鬼深第二トンネル》へ続く道がありまして、以前は第一トンネルの道が上り専用、あっちの道が下り専用だったのです。林道との二股のところには《鬼深第一トンネル》の道には入れないように『進入禁止』の標識もありました」

長峰より先に、女店主が答えた。

「それがどうして今は、《第一トンネル》のほうの道しかないんだ？」

「十七年前に不幸があって以来、嫌なウワサが立ち、さらにそれから二年後にもう一つ変な事件が起こったので、《第二トンネル》への道は廃道になってしまったんです」

女店主は目を伏せた。

「不幸って何ですの？」「嫌なウワサ、大好物やねん」

ユーチューバーコンビが身を乗り出す。長峰は右手で眉毛のあたりを掻きながら、困ったように説明した。

「私が警察官になるずっと前のことで詳しくは知りませんが、とある日の深夜二時すぎ、女子高生が一人、トンネルのちょうど真ん中あたりで、ガソリンを頭からかぶって焼身自殺をしたんだそうです」

「いかついなあ」

高菜はそう言いながら顔がニヤけている。その横で芸田は長峰にスマートフォンのカメラを向けた。

「そら、後始末が大変やったでしょうね。ガソリンの場合は、焼かれた肉がそこらにこびりついてまうでしょうから」

「やけに詳しいじゃないか」只倉は芸田を睨みつけた。「まさか、自分で焼いたことがあるんじゃないだろうな?」

「もちろん、ありますよ」

「何っ?」

軽口のつもりが、この柄シャツ男の猟奇犯罪を明らかにしてしまった——逮捕しなければと甘酒を置いたところで、

「芸田さんは、前職が火葬場職員なんです」

炎月が落ち着き払った口調で告げた。「そうなんです」と芸田はにっこり笑った。

「毎日毎日、ご遺体をお送りしていました。火葬場職員いうのは、何日かに一回、火葬炉の掃除をするんです。人間のご遺体は焼かれている間に体液や肉体が吹き飛ぶもんで、それが固まって内壁にこびりついてるのんを、ヘラでこそぎ取るんです。ガスで焼いた遺体ですら掃除するのは

一苦労。ガソリンで焼かれたものを後片付けする警察の方の苦労を思うと、泣けてきますわ」

「そうなんです」

ぽつりとつぶやいたのは、いつのまにか囲炉裏の傍に腰をおろしていた女店主である。

「アスファルトには自殺の跡が残ってしまったんです」

前傾姿勢で腰をさすり、ぱちぱちと燃える炎を見つめながら、彼女は話を続ける。

「いつしか、その自殺跡の上に車を止め、クラクションを三回鳴らすと、フロントガラスに女がへばりつくという噂が立ってしまいました」

「いかついなあ」

再び、高菜がニヤけた。

「くだらん。そんなのはただのオカルト好きどもの妄言だ」

只倉は斬って捨てる。女店主はええ、とうなずいたあとで急に顔を引き締めた。

「私もそう思います。しかし、自殺から二年後、興味本位でやってきた若者グループの中から、行方不明者が出てしまったのでございます」

「『鬼深第二トンネル女子大生失踪事件』ですね、先輩からちらっとうかがったことがあります」

と長峰。只倉の知らない事件だ。

「私は当時からここで店をやっていまして、失踪する直前の女子大生に会っているんです」

「なんと」

炎月が声をあげた。

「当時のこと、覚えてらっしゃいますか？」

「ええ。警察に何度も事情聴取をされたので。本当に不可解な事件でございました」

「よければその話、聞かせてもらえませんか」

こうしてまた、この男のペースに飲まれていく。

4

あれは十五年前の春、三月のことでございました。

私はいつものように朝の九時に出勤してこのお店を開きました。二十年前に主人が亡くなってからというもの、一人でやっています。当時はまだ上の湖のボート小屋が開いておりましたから、平日でもお客さんがぽつぽつやってきていました。

それでもその日は、枝を切る作業員の方が午前中と夕方にやってきたくらいでした。その枝打ち作業員の方が二度目にやってきて、湖とは逆のほうへお帰りになったあと、五時より少し前に、白いセダンがやってきたのです。

店内に入ってきたのは、男性二人、女性二人の若い人たちでした。運転手らしい男性に向かってもう一人の男性が「親父さんにカーナビをつけてもらえよ」などと話しているのを聞いて、大学生なのかなと思いました。四人はちょうどここへ上がり、みなさんのように囲炉裏を囲みました。

注文を受けた軽食を出しながら、四人の話をそれとなく聞いていると、例のトンネルへ行って肝試しをする様子でした。そういうのは本来、もっと遅い時間にするものでしょうけど、怖いから夕方にしたのかもしれません。

五時半ごろに彼らを見送り、片付けがすべて終わったのは六時を少しすぎたあたりだったでございましょうか。外に出て、戸締りをしていると、さっきのセダン車がすごい勢いで駐車場に入ってきたのです。ところが、車から降りてきたのは三人だけでした。運転手の男性が、私に向かって訊ねました。

「俺たちと一緒にいた女の子、来てないですか」

と。

「来ていませんよ」

私はもちろんそう答えました。すると彼らは泣きそうな顔で、ここに警察を呼びたいというのです。

五時半ごろにこの店を出た彼らは、一つ目の二股を右に入り、《鬼深第二トンネル》に向かったそうです。トンネルの中に入ると速度を落とし、焼身自殺の跡を探していきましたが、それらしき跡の見当をつけられないうちに出口から出てしまいました。

あれ、おかしいなと車を進めていくと、道のわきに木でできた小屋が見えたとのこと。あっちの道は細くて下り専用ですから本当はしてはいけないのですが、ここでUターンをしてもう一度トンネルに入ろうと、小屋に近づいたそのとき、

「止めて！」

と、後部座席に座っていた女の子が言ったそうです。運転席の彼が慌ててブレーキを踏むと、彼女はものすごく虚ろな声で、

「私、いかなきゃいけないいから……」

そう言い残してドアを開け、外へ飛び出していくと、小屋のドアを押し開けて中へ入っていきました。男性二人は呆然としていましたが、

「先輩、何やってるんですか！」

と、もう一人の女の子が我に返ってあとを追い、小屋に入っていきました。すぐに彼女は出てきて、車で待っている男性二人に「先輩がいない」と言ったのです。男性二人も慌てて小屋の中に入りましたが、中は家具一つなくがらんとして、先に入った女性の姿はありませんでした。そんなはずはないと彼らは周囲を探しましたが、夕闇の山中のことです。怖くなった三人はとりあえず人のいるところまで戻ろうと車に乗り、一方通行を逆走し、このお店まで戻ってきたのでした。

私はすぐに一一〇番通報をしました。警察が来たのは二十分ほどあとでしたでしょうか。すぐに捜索が始まったのですが、ここでまた不思議なことが判明したのです。

彼らが通った《鬼深第二トンネル》を抜けたあとは、二キロも走れば県道へ出るのですが、その二キロの道のりの両脇はうっそうと木の生い茂る山林で、小屋はもちろん、そんなものが建てられるスペースすらなかったのです。

女の子もそのまま行方不明になってしまい、もともとよからぬ噂が立っていたこともあって、道は封鎖されてしまったのです。

＊

「なんじゃ、その話……」

芸田が戦慄していた。その横で「いかつ、いかつ」と高菜は笑っている。

「自殺した女の霊が出るトンネルの話かと思いきや、そのトンネルが異世界につながっていたかのような話。聞く者を翻弄する見事な構成です。すばらしい」

炎月は落ち着き払った様子で言うと、甘酒の入った湯飲みを置き、ばっ、と囲炉裏の縁に両手をついた。そして、女店主に向かって深々と頭を下げる。

「ご主人、このお話を、私に下さい」

只倉の中に言い知れぬ嫌悪感が湧き上がってくる。

四六時中怪異を求め、怪談にできそうなエピソードが目の前に現れると見境なく「私に下さい」と頭を下げる。こんな男が自分の娘の恋人だと思うと、はらわたが煮えくり返りそうになるのだ。

「あーっ、ずるいわ炎月さん！」

芸田が立ち上がった。

「今日は僕らの撮影ロケでっせ」

「ここはお譲りくださいい芸田さん。今度のイベントで話すネタがなくて困っているのです」

「万年ネタ切れはうちらも一緒や」と高菜。

「こうなったら撮ったるわ。奥さん、もう一度今の話を」とスマートフォンを女主人に向ける芸田。

「それはフェアではない、芸田さん」「なんでですの。この話はもともとこの奥さんのものや」

「それを私がお預かりして、イベントでお話ししようというのです」「YouTube のほうが視聴者が多いで、絶対こっちのほうが得や」「実際にあった事件をもとにしているので、YouTube ではいろいろと問題が生じるかも……」

「うるさーいっ！」

只倉は囲炉裏の縁を叩いた。芸田と炎月がそろって目を丸くする。

「怪談を取り合うな、気持ちの悪い」

「お義父さん、巡り合えた話を怪談として昇華させるのはわれわれにとってライフワークなのです」

「お義父さんと呼ぶなと言っているだろ！　だいたい怪異などというものは、この世に存在しないのだ。俺が証明してやる」

そして只倉は、一人取り残されている長峰の顔を睨みつけた。

「今の事件、当然、伊勢原北署が担当したのだろう？」

「ええ。しかし何度も言うように、十五年前、私はまだ警察官ではありませんでした。このあたりは地元ではなく事件のことは何も……」

「だったら今すぐ署に電話して、覚えている刑事を探し出せ。詳しく話を聞いて思考に思考を重ねれば、きっと真実が見えてくるはずだ」

再び、炎月と芸田のほうを振り返る。

「見てろ！　こんな怪談、俺が怪談じゃなくしてやる」

しばしの沈黙。外の雨音が一層激しくなった気がした。

「いかつ」

高菜がニヤけた。

5

女主人によって、大皿が二枚運ばれてきた。三角形の竹の皮の包みが湯気を立てている。

「こんなものしかなくて申しわけありませんねぇ」

「なんです？」

高菜が訊ねる。

「ちまきです」

「わあ、ありがたいですぅ」

さっそく一つ取り上げ、あち、あち、とちまきの皮をむき始める高菜。芸田と炎月がそれに続き、うまいうまいと言い出す。長峰は、只倉に気を使ってなのか、土産物スペースに降りて電話をしている。

「そちらの方も、どうぞ」

女店主はにこやかに、只倉を見た。

「なにやら、大変なことになってきてしまったようですからねえ。おなかがすかないようにねえ」

「せっかくだが、今はけっこう」

只倉は断り、スマートフォンに目を落とす。映し出されているのは、《ドライブインおにぶか》近辺の航空写真だった。（図1）

地図画面では点線でしか明示されていなかった廃道が、航空写真だとはっきりわかった。たしかに今いるドライブインから東に数百メートル行ったところにかつては二股があり、右に曲がるとぐるーりと迂回して、只倉と長峰がやってきた方面とは反対側に伸びているようだった。

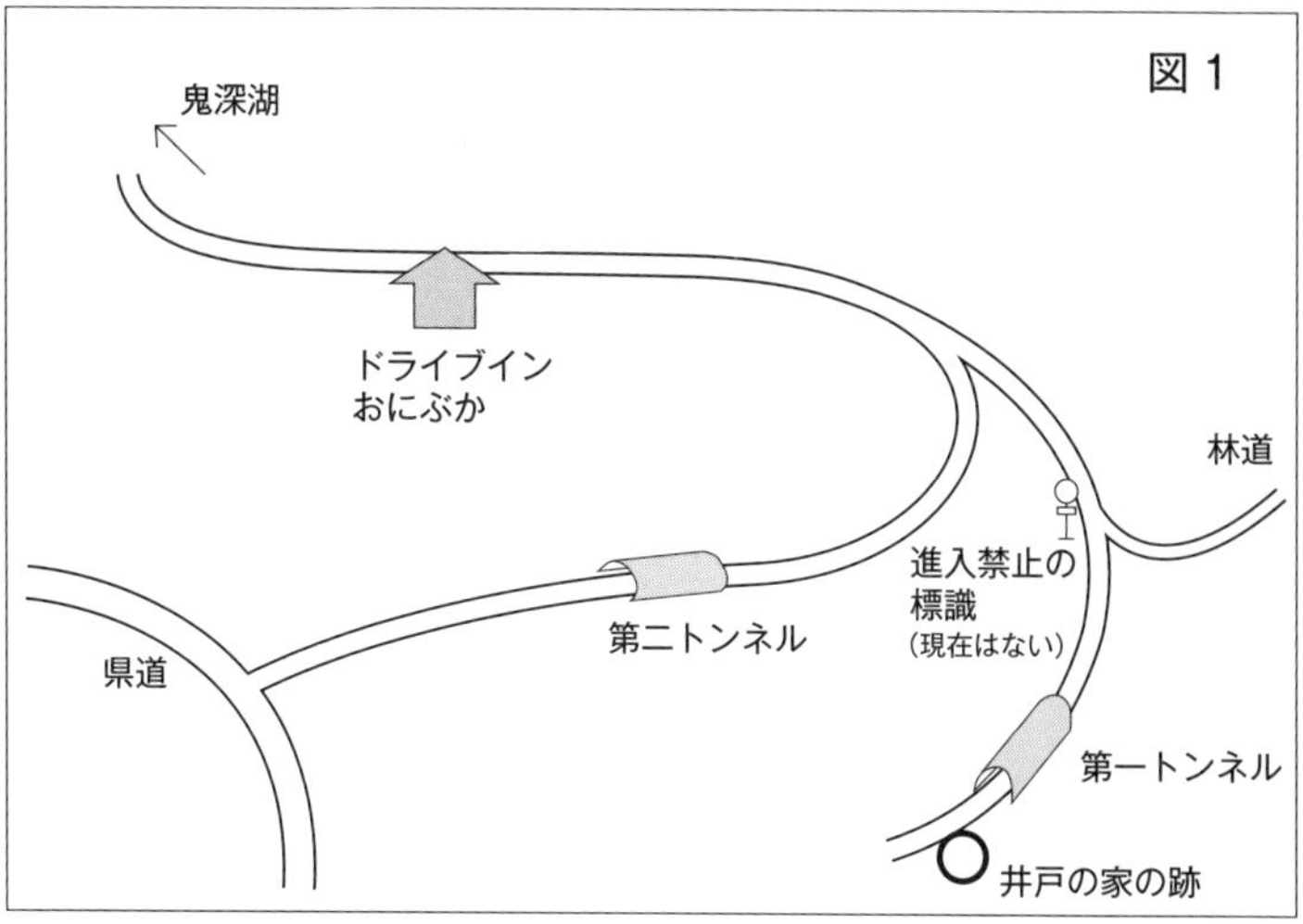

図1

鬼深湖
ドライブイン
おにぶか
林道
進入禁止の
標識
（現在はない）
第二トンネル
県道
第一トンネル
井戸の家の跡

途中にトンネルがあり、それを抜けると広い県道につながっている。二股からトンネルまでは一キロメートル、トンネルから県道までも一キロメートルといったところだろうか。

「女が消えた小屋があったというのはトンネルから県道までのあいだだな」

画面を拡大し、該当する道沿いをくまなく見ていくが、建物はおろか、そんなものが建てられるようなスペースすら見当たらない。かつての舗装路さえも半分以上草木に覆われている。それにしても、小屋が一つまるまる消えるなどということがあるだろうか。

「さっきの話なんやけどな」

ぽつりと、高菜がつぶやいた。

「ひょっとしたら、その、彼女が失踪を遂げた小屋」

只倉はスマートフォンから顔をあげる。このジャージ男が、何か仮説を口にしようとしているらしいことを悟った。

「マヨイガちゃうかな」

「なるほど。ありえんことやないなあ」「興味深いですね」

芸田と炎月がそろって同意する。マヨイガ？　なんだそれは——という疑問が顔に出てしまったようだった。炎月がさっ、と袖からろうそく型ライトを取り出し、かちりとスイッチを入れた。顎の下から、炎月の顔が不気味に照らされる。

「マヨイガというのは、山奥に現れる不思議な家屋のことです。『迷う』に『家』と書いて『迷い家』なのですが、民俗学ではカタカナで表記されることが多いです。柳田國男（やなぎたくにお）の『遠野（とおの）物語』

に、こんな話があります」

　頼みもしないのに滔々と怪談を語りはじめるのはこの男のいつもの癖だった。その口調は質の悪いことに耳ざわりがよく、いつの間にか彼を毛嫌いしている只倉ですら、聞き入ってしまうのだった。

「遠野の中の小国という集落の三浦という家の妻が、蕗を採るために小川沿いの道を歩いていました。だがなかなか食べ応えのある蕗が見当たらない。山のほうへ行ってみようと考え、ついつい山の奥へと入ってしまいました。するとほどなくして、一軒の古びた家がありました。戸を開けて中を覗くととても温かく、いい匂いがします。こういった囲炉裏があり――」

　と、炎月はろうそくライトを持っていないほうの手で囲炉裏の縁を撫でまわす。

「そこに家族全員分と思しき食事が用意してありました。このように湯気が立っていて、とても美味しそうです」

　ちまきを指さす炎月。ずん、と視界が青くなったように只倉は感じた。ろうそくライトの明かりの向こう、炎月の背後の影がやけに大きく見える。

「しかし、そこには誰の姿もない。『誰かいませんか』と声をかけながら家の中を歩いてみてもしーんとしている。食器や調度品、衣服など、生活感で溢れているのに、人の気配はまったくないのです。彼女は急に怖くなり、その家を飛び出して一目散に山を下り、自分の家に帰りました。数日後、彼女が川で洗濯をしていますと、川上からお椀が一つ、流れてきました。彼女はそれを拾い上げ、もったいないので持ち帰り、米櫃からお米をすくう道具として使うことにしました。

不思議なことにそれ以来、米櫃からお米が減ることが一切なくなり、この三浦家は繁栄し、金持ちになったということです。なお、この話を聞いた他の家の者が、彼女が入ったという家を探して山の中を歩き回ったが、ついにその家は見つからなかった——という話も伝わっているそうです」

ふっ、とろうそくを消すしぐさをしてライトをオフにする炎月。背後の影もまた見えなくなる。

背筋が寒くなっているのを振り払うように、只倉は言った。

「支離滅裂じゃないか。家の話がいつのまにかお椀の話になって、また家の話に戻っている。家と、流れてきたお椀と、何の関係があるっていうんだ？」

「『マヨイガからは何か持って帰るとええ』ゆうのが昔からの言い伝えなんですわ」

芸田が口をはさむ。

「食器でも鍋でも、マヨイガに迷い込んだら何かを持って帰ると幸せになれる——廃病院からカルテ持ち帰ったら霊にこらしめられるっちゅう現代怪談とは真逆ですわな」

意味のわからないことを言ってひひ、と一瞬笑ったあとで、すぐにまた芸田は表情を引き締めた。

「今の『遠野物語』の奥さんは、無欲やったから何にも持ち帰らんかった。せやからマヨイガのほうから、『これどうぞ』ゆうてお椀を川に流してくれたっちゅうことやないですか？」

「そういう解釈がしっくりきますね」

炎月が同意すると、

「D子さんも、そやったんやないかな」

口元に米粒をつけた高菜が言った。彼の前にはすでに三つも、ほどかれた竹皮が並んでいる。

「まあ、D子さんの場合は無欲というより無知やったいうか……一回目に迷い込んだときは『なんか持って帰るとええ』ゆうことを知らんかってん。ほんで、あとで知ったときに来たけど見つからんくて、四人で行ったときにまた見つかったから、『止めて！』言うたんちゃうか」

「待て待て」

只倉は高菜の暴走を止めた。

「話がわからん。まずその『D子さん』というのは誰だ？」

「行方不明になった彼女ですわ。あれ、男二人がA君、B君、女二人がC子さん、D子さん。そう言わはりませんでしたっけ？　俺の中で勝手にそうなってたんか」

「怪談師の宿痾ですね」

微笑む炎月を見て、只倉は深く追及するのをあきらめた。まともに相手にするだけこちらが馬鹿を見る連中なのだ。

勝手にD子と名付けられた彼女は、以前にもここへ来たことがあり、その小屋に入ったことがある。そのときは何もなかったが、あとであれが『マヨイガ』だったのではないかと思い当たり、その後も何度も行こうとしたが見つからなかった。それが、十五年前のあの日、四人で行ったときに不意に目の前に現れたので慌てて止めてもらい、迷わずに中に入っていった。――これが高菜の構築した「推理」だった。

「それでどうしてD子さん、行方不明になりますの？」

「そりゃ、マヨイガやからよ、芸田さん」

「高菜さん、話聞いてはりました？　マヨイガは別に、入ったら帰ってこれなくなる家ちゃいますで」

「D子さんが欲をかいたからや。一度チャンスを逃したら終わりやのに、何度も何度もトライするから、マヨイガ側から鬱陶(うっとう)しがられてん。ほいで、罰がくだされたんや」

「マヨイガ側てなんですの」

「マヨイガ側はマヨイガ側や」

うるさくなってきたので怒鳴りつけてやろうかと思ったそのとき、その二人組が「えっ？」と同時に壁のほうを振り向いた。

「今、この剝製、動かへんかった？」

「俺らのほうを見ていたような……」

ほほ、と女主人が笑った。

「その山鳥の剝製、目のガラス玉が特殊で、こちらがちょっと動くと、目が動いたように見えるんです」

「なんや、気のせいか」

「あ」

女主人は天井を見上げた。

「今のでひとつ、四人について思い出したことがあります。トンネルに行く前にここで休憩していたとき、後に失踪してしまうほうの女性が、お二人みたいに山鳥が動いた気がしたようで、『気のせいか』って言ったんです。するともう一人の女性のほうが『先輩、それ、やめてもらっていいですか』って」

「どういうことでしょう？」

炎月がちまきを一つ取りながら訊ねる。

「昔、それでだいぶからかわれた、というようなことを言っていました」

「からかわれた……怖がりで、『気のせいか』って言うたびにからかわれたという意味でしょうか」

「さあ。ただ私、なんだかすごく気になって、印象に残ってるんです」

たしかに腑に落ちない話だが、事件には関係ないように只倉には思えた。それより、これをきっかけに、女主人から情報が引き出せるかもしれない。

「四人の様子で、他に気になることはありませんでしたか？」

「他に、ねえ……ああ、四人だったからカップル二組なのかと思いましたが、どうやらカップルは一組だけで、その、消えた女性と、白いシャツの男性の組み合わせだったようです。これはあとで警察の方から聞いたのですが、この二人、どうも関係が悪くなっていて、男性のほうがひどく疑われたようです」

それなら警察の資料のほうに詳しく書いてあるだろう。

「あとこれは、関係のないことかもしれませんけど、あの日、ここでもう一つ不思議なことがあったんです」

芸田、高菜、炎月の三人が、ちまきを食べる手を止めた。「不思議」という言葉に反応する習性があるようだ。

「四人より前に来た枝打ち作業員の方、ここに折り畳みの携帯電話を忘れていったんですよ。私、あとで取りに来るだろうと思って、当時からそこにあった山鳥の剝製の足元に置いたんです」

芸田のすぐ後ろに置いてある鳥の剝製を指さした。

「ところがその後、いつのまにかその携帯が見当たらなくなってしまったんですね。警察の方がやってきてあれこれしているうちに消えてしまったのか……、結局その作業員の方が携帯を取りに来ることはなかったので、曖昧になってしまいましたが」

怪談師三人衆はすでにちまきに目を落としている。ただの忘れ物の話には興味がないとでも言うように。だが只倉は妙に気になったことが一つ、あった。

「奥さん、先ほどからその男を『枝打ち作業員』と呼んでいるが、本人がそう名乗ったのですか？」

「いいえ。でも、その日の午前中にいらしたときに大きな枝がトラックに積んであったんです。植木をそのまま引っこ抜いてきたような枝が山盛りでしたから、朝から一仕事されてきたのだろうと。……あれ、でも今思い出しましたけどあの枝、夕方にいらしたときには荷台にはありませんでした。一度、町に降りて処理場に持っていったのでしょうね」

「その男は、一人で？」

「はい。五十代くらいでしたね。帽子を深くかぶっていて、顔はあまり覚えていません」

なるほど……。只倉の脳内で、情報が処理されていく。真実がぼんやりと形になっていく。

――だが、根拠がない。それに、小屋が消えた謎は……。

ふと思い立ち、スマートフォンを操作する。

「只倉さん」

土産物スペースから長峰が戻ってきた。

「当時のことを覚えている刑事が今、外出していて、あと三十分くらいしたら署に戻ってくるとのことです。私の上司に資料を集めてもらっています。署としても、大変不可解でもやもやした事件らしく、『第二種未解決事件整理係』が調べてくれるのなら大歓迎だということでした」

それなら話が早い。ガラス戸の向こうでぴかりと、稲妻が光った。ふと、鬼深湖の身元不明遺体の一件が気になった。本来の目的とは外れた事件を調べ直す流れになってしまったが……まあ、こういうこともあるだろう。

只倉の手の中のスマートフォンには、大手ホームセンターのオンラインショッピングサイトが開かれていた。

6

「俺はやっぱり、マヨイガいうより、トンネル怪談ちゃうかなと思いますけどね」

二分ほどの沈黙のあと、しゃべりだしたのは芸田だった。

「フロントガラスに焼身自殺を遂げた女子高生がへばりつくというあれですか」

長峰が眉をひそめた。警察官のくせに、オカルト好きに流されてどうする。

「そもそもその怪談は噂ですやろ？　本当はもっとオーソドックスな、トンネル怪談の元祖的な怪奇現象が起きたんやないかと推測します」

「元祖的な怪奇現象」

繰り返すように長峰が言うと、炎月がしゃべりだした。

「福岡の旧犬鳴(いぬなき)トンネル、京都の清滝(きよたき)トンネル、愛知の旧伊勢神(いせがみ)トンネル……恐ろしい怪談が噂されるトンネルは日本各地にありますが、トンネル怪談の元祖といえば、ここ神奈川県の、小坪(こつぼ)トンネルです。それを初めて文章にしたのが誰かというのも明確にわかっています」

炎月は再びろうそくライトをかちりと点灯させ、顎の下にあてる。背後にまた、大きな影が出る。

「川端康成(かわばたやすなり)です」

「馬鹿な！」

あまりに有名な作家の名が出てきたので、只倉は笑い飛ばした。だが炎月だけでなく、高菜と芸田も真面目くさった顔でうなずいている。

「一九五三年に雑誌『中央公論』に掲載された『無言』という小説がそれです。主人公はとある作家で、病気で体の自由がきかなくなった老作家のもとへタクシーで向かうのです」

また怪談が始まってしまった。無視してホームセンターのサイトに集中しようとするが、耳は炎月の声に惹かれている。彼の背後の大きな影も気になって仕方がない。

「そのタクシーの運転手が主人公に、トンネルで幽霊に出会った同僚の話をします。仕事が終わって空車の状態でトンネルを通ると、何だか妙な気がする。振り返ると女が一人乗っているが、バックミラーを見ても映っていない。怖いので夢中でスピードを上げてトンネルを抜け、町へ入ると、女はいなくなっている。……体験者は一人や二人ではない、と」

「そのトンネルが、小坪トンネルなんですか？」

声を震わせながら、長峰が訊ねた。

「作中にトンネルの名前が書いてあるわけではないのですが、鎌倉と逗子のあいだという所在地や『火葬場の下を通る』という記述から、小坪トンネルと考えて間違いないでしょう」

「へえ」

「話の詳細や文学的な鑑賞は省略しますが、逗子で老作家に会ったあと、主人公は再びタクシーを呼んで東京に戻ります。この車内で、起きるんです、怪奇現象が」

「そ、それはどういう……乗ってくるんですか、女が」

身を乗り出す長峰に、ろうそくライトで照らした自分の顔をぐっと近づけ、たっぷり間を取ったあとで、炎月は言った。

「……ご自分でお読みください」

「えっ」

「二〇一八年に環太平洋連携協定が発効し、著作権保護期間が著者の死後五十年から死後七十年になりました。川端康成の没年は一九七二年ですから、本来なら二〇二二年に切れるはずだった著作権が二〇四二年まで延長され、ネタバレは法に抵触する恐れがあって御法度です。ましてや警察の方の前ではね」

「怪談界にもどえらい影響やで、TPP」

高菜がつぶやいた。

「まあ、俺が話したってもええけどな。しょっぴかれたらまたハクがつくしな。でも残念なことに、俺、その小説を読んだことないねん」

「だったら口を挟むな！」

只倉は高菜を黙らせ、

「お前も余計なことをべらべらしゃべるな」

炎月のほうを見ずに叱責した。こいつの顔など見たくもない。

「小説というのは所詮、作り話なんだ」

「しかし、実際の話をもとに組み立てられた小説も数多くあります。小坪トンネルが火葬場の下を通っているのは事実ですから、現地にはもともとそういう話があり、川端康成がそれを聞き知って『無言』を書いたということは十分考えられます。いずれにせよ、この小説によって、小坪トンネルに幽霊が出るという噂が広まったのは事実。トンネル怪談の元祖は、『知らないうちに車に女の幽霊が乗り込んでくる』という内容だ、ということです」

ふっ、とろうそくランプに息を吹きかける炎月。

「そうそう、俺が言いたいのはそこですねん」

と、芸田が手をひらひらさせる。

「この話も、そもそも女の幽霊が若者たちの車に乗り込んだのが元凶やと思いません？」

「どういう意味やねん？　誰の幽霊が乗り込んだんや」

訊ねる高菜に向かい、芸田は人差し指を突き付けた。

「もちろん、ガソリンかぶって死んだ女子高生の幽霊ですわ」

「奥さんの話のどこにその幽霊が出てきてん？」

「まだわからんか高菜さん。D子がその幽霊や」

「ひえ」

高菜は肩をびくりと震わせた。芸田は続ける。

「心霊スポットに行こう、言い出した若者は本当は、A君、B君、C子さんの三人やってん。その三人があまりに楽しそうやったから、この世を楽しめなかったD子の霊は、車がトンネルの中を通り抜けるとき、こっそり後部座席に乗り込んだんや。川端さんのタクシーの話みたいにな」

「いかつ！」

「ということは、私もまた、霊を見ていたということですか」

腰をさすりながら目を見張る女主人の問いに、芸田は「そうです」と真面目くさってうなずいた。

「しかし、あの四人はもとからの友だちのようにお話していましたよ。失踪した彼女と、白いシャツの男性は恋人だったような会話もあって」

「その時点で三人はとり憑かれていたんやろなあ、D子に。知らん女の子なのに、すっかり友だちと信じ込まされててん。ひょっとしたら白い服の……こっちをA君としましょか。A君に一目ぼれして、恋人ということにしたんかもなあ」

幽霊とは何でもありなのか……白ける只倉などどこ吹く風、「たしかに」と炎月は同意する。

「一緒に仲よく遊んでいた人なのに、別れたあとで『あいつ誰だっけ？』と首をかしげてしまう、その場にいた誰もがその人のことを知らない——という怪談はよくありますね」

「それの発展形や。三人と友だちごっこを楽しんだD子は、心霊スポットのトンネルを抜けたところで帰ることにした。で、車を止めてもらって、小屋に入っていった。もともと幽霊なんやから、消えても何にもおかしいことあらへん」

「いやいや、せやからな」と高菜が口を曲げる。「その小屋はなんやねんて。なんでその後、警察の捜索で見つからへんかったんや」

「小屋もまた、D子が三人に見せた幻覚やったんちゃうかな。それか、小屋ごと幽霊だったたか」

何でもありの様相がひどくなってきた。「あの」と長峰が手をあげた。

「このドライブインにやってきたときにはすでにD子さんはいたわけです。ということは、D子さんの霊が乗り込んだのは、街から上ってくるあいだということになりますね」

「そやね」

「しかし、心霊スポットの《鬼深第二トンネル》は、上から下への一方通行です。D子が亡くなった女子高生なら、上ってくるあいだの《鬼深第一トンネル》で乗り込んでくるのは変ではないですか？」

「幽霊は空間を歪める、いいましてな。ここら一帯、もうD子のテリトリーですねん」

「いい加減にしろ」

只倉はついに割り込んだ。

「D子が自殺した女子高生の霊だと？　ありえん。身分までしっかり警察署に記録されているはずだ。署から資料の情報が入ればすべて明らかになる」

「どうでしょうね」

炎月が言った。

「あったはずの人間の記録が、確認すると忽然と消えている——これもまた、よく聞く怪談のパターンです。警察署に残されている事件資料からD子の情報が消えていたら、どうします？」

じとーっとした目つきで只倉を見つめてくる炎月。この野郎、と怒鳴りつけたくなる気持ちまで損なわせるような、底なし沼のような不気味さが漂っている。背筋がぞわぞわと寒くなっていく。

ぶるると何かが震える音に、只倉は我に返った。

「只倉さん、署からです」

長峰が、囲炉裏の縁に載せていたスマートフォンを拾い上げていた。

7

伊勢原北署の当時の担当刑事は現在交通課に所属しており、管轄内の国道でマンホールから水が溢れ出し、その対応で手が離せないという。突然の豪雨に影響を受けているのは、ここだけではないようだった。

資料だけはきちんと用意させていただきましたと、長峰の上司はメールで大量の事件資料ファイルを送り付けてきた。それは十五年前の「鬼深第二トンネル女子大生失踪事件」だけではなく、それより二年前に起きた「鬼深第二トンネル焼身自殺事件」のものも含まれていた。

焼身自殺のほうのいきさつは以下の通りである。

十七年前の十一月四日未明、神奈川県立中柱（なかばしら）高校に通う三年生、木野（きの）ゆうな（十七歳）が、《鬼深第二トンネル》内にてガソリンをかぶって焼身自殺を遂げた。

彼女は同日午前零時過ぎに自宅近くから県道までタクシーに乗ったことが確認されており、トンネルまで徒歩で上って自殺したものと思われる。自宅のベッドの上に遺書らしきものがあるのを妹が発見し、警察に提出したが、内容は妹にあてた謝罪が羅列されていただけで、自殺の理由を明らかにするものではなかった。ゆうなの両親はかねてから別居しており、家庭不和が原因とも考えられたが、その後、学校への聞き取り調査で、ゆうながいじめを受けていたらしいことを何人かの生徒から聞き出すことができた。しかし、いじめの主体となる生徒ははっきりせず、この一件は未解決となっている。なお、ゆうなの自殺から二か月後、両親は正式に離婚している。

　続いて、女子大生失踪事件。

　事件が起きたのは十五年前の三月十八日。横浜善楠大学の学生、相沢哲郎（二十一）、尾藤雅也（二十一）、千代田聖佳（十八）、大根鞠穂（十九）の四人が、尾藤の所持する車にてドライブに出かけた。一行の目的地は《鬼深第二トンネル》。いわゆる肝試しが目的だったが、深夜に行くのは怖いと千代田が言ったため、夕方になった。

　一行は県道より鬼深湖へ向かう登り道を通って《鬼深第一トンネル》を抜け、十七時前に《ドライブインおにぶか》に到着。そこで三十分ほど休憩した後、県道へ降りる細い道のほうを進み、《鬼深第二トンネル》へ向かった。

　――このあと、大根鞠穂が失踪したいきさつはほぼ、女店主が話したとおりだった。

《ドライブインおにぶか》より警察に通報があったのは十八時三分。警察が到着し捜査を開始したのが十八時十七分。そこから二日の間、《鬼深第二トンネル》から県道に至る約二キロメートルの道周辺を捜索したものの、大根鞠穂の姿はおろか、一行が見たという小屋も見つからなかった。なお、大根は相沢と一年にわたる交際をしていたが、事件のひと月ほど前から関係が悪くなっていたとの情報があった。自分は気持ちが冷めていたという相沢自身の証言もあり、取り調べは厳しく行われたが、彼が大根を故意に失踪させるのは状況的に不可能と考えられる。

「ほーら見てみい！　俺の言うたとおりや！」

背後で大声がしたので、只倉は飛び上がりそうになる。無精ひげの生えた高菜の、興奮した顔がそこにあった。彼はいつのまにか只倉のスマートフォンを覗き込んでいたのだった。

「何が言ったとおりなんだ。マヨイガの『マ』の字もないし、失踪した女子大生も幽霊ではない」

「そうやなくて、大学生たちの名前です。あいざわ、びとう、ちよだ、だいこん。A君、B君、C子さん、D子さんやないですか」

たしかに……と言いかけて、只倉は頭を振る。

「これは『だいこん』じゃなくて『おおね』だろう」

「えー、そうですか？『だいこん』ゆう名字ないですかね。ワンチャン、『大根(デカね)』の可能性も」

「ないない。座れ。だいたい名前なんて……」

と再び資料に目を落とし、只倉は何かが引っかかった。

名前……もし仮説が正しいなら……と、しばらく考えていて山鳥の剝製と目が合った。気味の悪いガラス玉の眼球。角度によってギョロリと動く気がするというが——その瞬間、

「あっ！」

思わず叫んでしまった。

「奥さん！」

只倉は沈黙して囲炉裏のそばに座っている女主人のほうを見た。

「大学生四人なのですが、十五年前、誰がどこに座ったか、覚えていますか？」

「ええと……ちょっと待ってくださいい」

女主人はよっこらせと立ち上がるとあごに手を当て、囲炉裏全体を見回した。

「たしか、男性二人が、そちらに」

只倉と炎月の席を指し、次にユーチューバー二人組が座っているほうを見る。

「そして、女性二人がそちらです。失踪した方が、ジャージの方のいらっしゃるほうに」

「ということは、千代田聖佳……もう一人の女性が、柄シャツ男の位置――山鳥の剝製の前に座ったのですね」

「ええ」

やっぱりだ。

「どうしたんですか、只倉さん。何かわかったのですか」

「何かだと？　何もかもだ」

自信満々に言うと、只倉はショッピングサイトの開かれたスマートフォンを見せた。「こどもログハウス」という商品が映し出されている。

「庭に子ども部屋として設置できる小屋だ。似たような商品はざっと調べただけでかなりある」

「まさか只倉さん、『マヨイガ』はこれだったというのですか？」

「組み立て所要時間は一時間三十分とある。ということは解体は一時間くらいで済むだろう」

「事件発生から一時間以内に、警察は捜索を開始しています。姿が見られる危険があります。解体したとしてもどうやって運ぶんですか。それに、小屋を建てられるほどのスペースがなかったことにも説明が……」

「つくんだ、すべてに説明が」

只倉は言い放ち、炎月のほうを見た。

「見ていろ炎月。お前ら怪談師の前で、怪談を潰してやる」

炎月の表情に、陰りが訪れる。ガラス戸の向こうの雨脚は、いっこうに弱まる気配を見せない。

8

「まず、初めに考えなければならないのは、枝打ち作業員の落とした携帯電話の一件だ」

只倉は、腰をさする女店主に話しかける。

「奥さん、あなたは拾った携帯電話を山鳥の剝製の足元に置いておいた。それが、いつの間にかなくなってしまっていた。そして、作業員がそれを取りに訪れることはその後一切なかった」

「そうです」

「おかしいとは思わないか」只倉は一同を見回した。「携帯電話を落としたかもしれない場所に、どうして捜しに来なかった?」

「たしかに」

　芸田が言った。

「携帯落としたら仕事に支障を来しますわ。十五年前でもその事情は一緒やったでしょうね。でも、だったらどうして？」

「誰かが携帯電話を回収し、彼に渡したんだ」

「はぁ？」高菜が頓狂な声をあげた。「誰がそんなことしますねん？　その日はもう、四人の若者しかこの店に来ぅへんかったのですぜ」

「その四人のうちの一人だ。見覚えのある携帯を見て、作業員が落としたのを察し、とっさに近い位置に座り、他の三人や奥さんが気づかないうちに回収してバッグに入れた」

「なんでやねん。知り合いでもなしに」

「知り合いだったんだ」

　ぐっと黙る高菜に向かい只倉は、決定的な一言を吐いた。

「お前たちが『マヨイガ』と呼ぶ小屋を建てて消したのは枝打ち作業員を装っていた男。その小屋に大根鞠穂を誘導した千代田聖佳は、彼の共犯者だったんだ」

　シーンとする一同。無理もないだろう。

「お義父さん」口を開いたのは、炎月だった。「たくさん伺いたいことはございますが、まず一つ。お義父さんの推理では、大根鞠穂さんはすでにこの世にないのでしょうか？」

「ああ。あの日、枝打ちの男と千代田聖佳に殺された。遺体は……おそらくこの山から遠く離れた場所に隠されたのだろう。そこがどこだか見当はまったくつかん」

「二人には大根鞠穂さんを殺害する動機があったと？」

「そうだ。その動機を知るためには、この二人の関係を明らかにする必要がある」

只倉は、腰をさすりながら目をぱちぱちさせている女店主のほうを向いた。

「奥さん、たびたび確認して申し訳ないが、千代田聖佳は『気のせいか』という言葉に敏感だった、そうですね？」

「はい。子どものころ、からかわれていたと」

「気にならないか。どうして『気のせいか』という言葉でからかわれるのか」

只倉の問いに、炎月は答えた。

「子どものころ怖がりで、すぐに『気のせいか』と言うのでからかわれたのでは？」

「その説に私はひっかかりを感じていた。事件資料で関係者の名前が明らかになった瞬間、疑問が氷解した。彼女はかつて、『千代田』とは違う名字だったんだ」

「違う名字？」

「木野だ。木野聖佳という名前だった。周囲の誰かが『気のせいか』などともらしたとき、『それ、こいつの名前だろ』といったようにからかわれていたのだろう」

「わかるわぁ」

ぱちんと手を打ったのは高菜だった。

「小学校の同級生に栃尾康太(とちおこうた)っておってな、『土地を買(こ)うた』んやったら金持ちやろ、俺にも金よこせて、ヤンキーの先輩によう絡まれとった。子どもはそういう名前イジり、ようすんねん」

きゃははと笑い出す高菜だが、他の面々は蒼白（そうはく）の表情だった。

「お義父さん。かつての名字が木野ということはつまり……」

炎月の言いたいことはわかっていた。只倉はうなずいた。

「千代田聖香は、木野ゆうなの妹だ。資料には妹の名前が書かれていないが、年齢はぴったり合う」

十七年前に焼身自殺を遂げた女子高生と、十五年前に失踪した大根の友人が姉妹だった——この事実の前に、誰もが衝撃を受けているのがわかった。只倉は続ける。

「木野ゆうなが自殺した後、もともと不仲だった両親は離婚。妹は母親に引き取られ、木野から母親の旧姓である千代田に名字が変わった」

「……待ってください」

炎月がつぶやく。

「ということは、さっきからお義父さんがしきりに気にしている枝打ち作業員というのは、まさか」

なかなか勘のいい男だ。

「木野ゆうなと千代田聖香の父親だろう」

どこかで雷が落ちる音がした。まだ雨は止まなそうである。

「木野ゆうなの自殺の原因はやはり、学校でのいじめにあった。父娘は離婚後も連絡を取り合い、ゆうなをいじめた同級生をつきとめた。それが、大根鞠穂だ。聖香は父親とともに大根鞠穂への復讐の計画を立て、その第一段階として大根の通う大学に進学し、後輩として彼女に近づいた。おりしも大根は恋人の相沢との関係に悩んでおり、『彼の気持ちを確かめる作戦がある』と、千代田聖香は大根に持ち掛けた。すなわち、心霊スポットの近くにある小屋に、まるでとり憑かれたような演技をして入っていくという作戦だ」

もし相沢が大根にまだ気持ちがあるのだとすれば、恐怖心をものともせずに追ってくるに違いない。

「ややこしいので『枝打ち作業員』という呼び名を継続するが、彼はその日を見計らい、事前に小屋を作っておいた。トラックの枝の下に隠せば、運ぶのはわけないだろう」

「しかし、只倉さん」長峰が口をはさむ。「さっきも言いましたが、大根鞠穂が失踪した後、一時間もせずに警察が捜索を開始しています。暗い中での解体作業には光がいるでしょうから、あんな暗い山中では目立ちます。万が一片付けに手間取って、解体するところや運ぶところを見られたらどうするんです?」

「A君たちは、小屋は開けたところにあったと言うてたけど、《第二トンネル》から県道のあいだの道の脇にそんな場所はなかったんやろ?」と高菜も付け加えた。

「その二つの疑問を解消するカギもまた、トラックの荷台にある。午前中にこのドライブインの前を通りがかったときには、『植木をそのまま引っこ抜いてきたような枝が山盛り』だった。だが、夕方にやってきたときには荷台にはなかった。そうでしたね、奥さん?」

「はい」

「妙じゃないか。午前中に載せてあった枝をどこかに捨ててきたのはいいとして、その後作業をしたならやはり、その日に切った枝が載っていないと。……枝と思っていたのは実は枝ではなく、幹や根のある何本かの木だったのではないか」

「わかりませんねお義父さん、それが枝ではなく木だったとして、何だというのですか？」

「枝打ち作業員はその木を、さっき俺たちがUターンに利用した古井戸のある平地と道路のあいだに並べ、周囲の山林との区別をつかなくした。いわば目隠しをしておいてからそこに小屋を建てたんだ。おそらくは、長峰が運転を誤って落ちそうになった古井戸の真上にな」

「ちょ、ちょっと待ってください」

炎月は慌てていた。

「お義父さん、さっきのあそこは、《鬼深第二トンネル》ではなく、《鬼深第一トンネル》のほうの道です」

「そのとおり。そして、十五年前に四人の大学生が走ったのも、第二トンネルへの道に見せかけた第一トンネルへの道だったんだ」

「それはおかしい。このドライブインを出て初めの二股を右に進めば、第二トンネルへの道に入ります。いくら暗かったとはいえ、その二股を見逃すとは……」

「第二トンネル方面の道にもまた、木の目隠しが立てられたとしたらどうだ？」

すかさず地図アプリの映し出されたスマートフォンを、炎月に差し出す（図2）。

「ここに人為的に木が並べられ、道の入り口は隠されていたんだ。尾藤の車にはカーナビはついていなかったはずだな。初めて訪れた山中の暗い道、二股の道までの距離感など覚えていない。運転手の尾藤は一つめの二股を見逃し、二つめの二股、つまり、第一トンネルと林道の二股を目的の二股と勘違いした。進入禁止の標識もまた、同様に目隠しの木で隠されていたのだろう」

唖然(あぜん)としている炎月。只倉は整理すべく、話す速度を緩めた。

「あの日何があったか、初めから整理しよう。四人の大学生は四時半ごろに県道から第一トンネル側の道に入って登ってくる。このときすでに小屋は建てられているが、目隠しによって彼らは小屋に気づくこともない。おそらく目隠しの後ろにはトラックが止めてあり、枝打ち作業員もそこにいたのだろう。尾藤の運転する車は

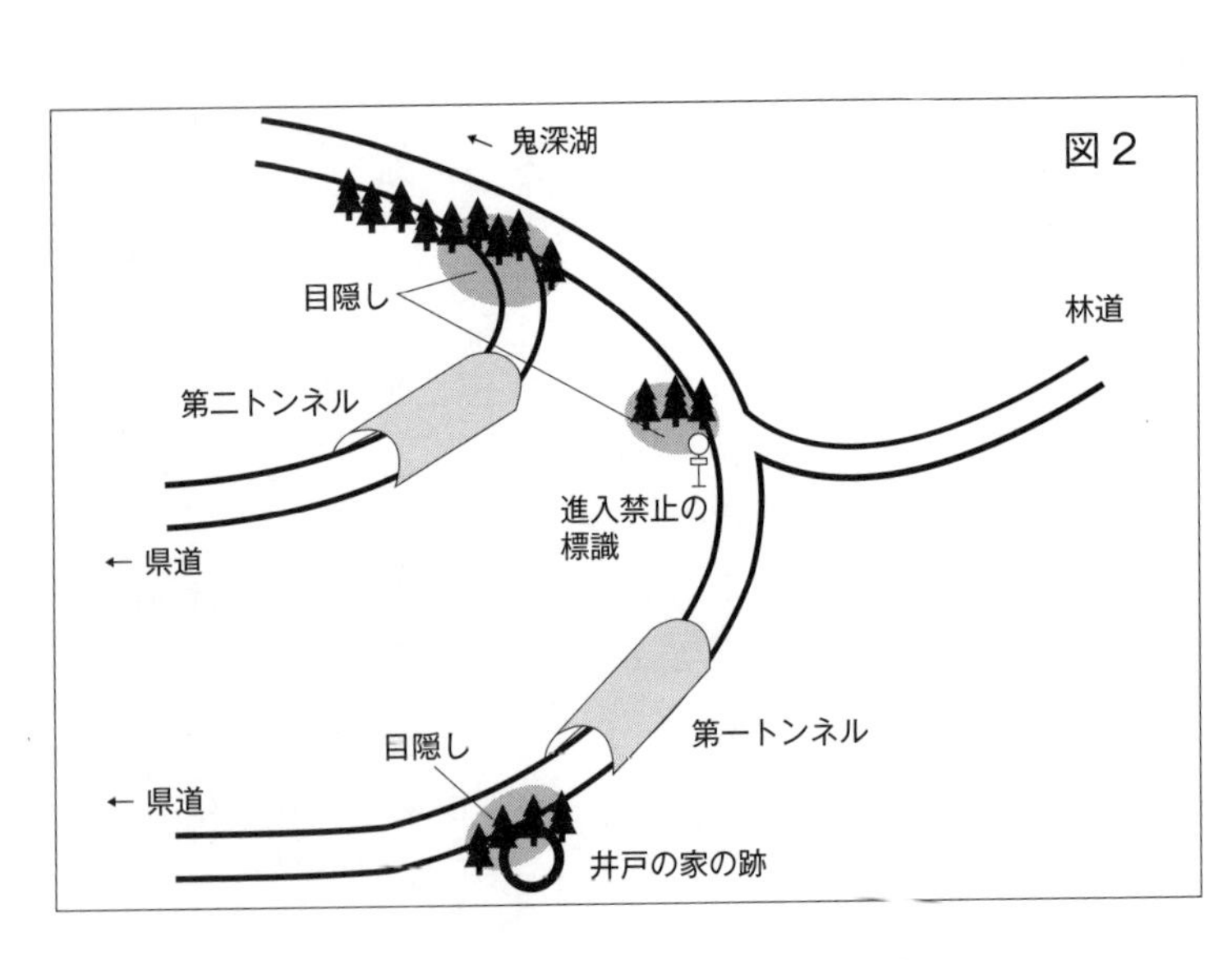

第一トンネルを通り抜け、林道との二股を通り、第二トンネルへ向かう道の入り口を確認しつつドライブインに向かった」

その後、枝打ち作業員は目隠しの木をトラックの荷台に積んで第一トンネルを通り抜け、標識の前と第二トンネルへの道の入り口に木を並べ、再び小屋のほうへ戻る。トラックはすぐ先の道のカーブの向こうにでも止めておけば見られることはない。

「その後、小屋へ戻った彼は古井戸に通じる床板のふたを開いたうえで、四人を待った。そのあいだ、ドライブインでは千代田聖香が、父親がうっかり落とした携帯電話を回収し、『そろそろ第二トンネルへ行きましょう』と三人を誘い出す。計画通り第一トンネルを抜け、小屋が見えたところで大根鞠穂に合図を出す。大根は車を止め、何かにとり憑かれたように小屋に入った」

もし男二人がすぐに大根を止めにかかるようなら、千代田聖香は体が痛くなったふりでもしてその二人の気を引いただろうが、その必要はなかったのだろう。

「大根鞠穂は小屋のドアを『押し開けて』入ったのだったな。ということは小屋の中には、ドアを開いているうちは死角になる部分があるはずだ。そこに潜んでいた枝打ち作業員は、大根がドアを閉めた瞬間に襲い掛かって彼女を古井戸に落とし、自らも飛び込んだ。次いで入ってきた千代田聖香が床板を戻す。おそらくその前に、聖香は携帯電話を古井戸に放り込んだ」

男子学生二人を連れてきて、小屋の中に誰もいないことを確認させると、千代田は尾藤を煽(あお)って再びドライブインに戻らせる。井戸の中で大根を殺害し、這(は)い出てきた枝打ち作業員は遺体をそのままに、カーブの向こうに止めてあったトラックに乗り、第二トンネルへの道の入り口へ。

木の目隠しを回収して小屋まで戻ってくると、再び目隠しの木を並べる。

「通報を受けた警察もまた、彼の並べた目隠しの前を通ってドライブインに直行した。木々の後ろで彼は、悠々と小屋を処理することができたんだ」

「なるほどなぁ」芸田が顎をさすりながらうなずいた。「男二人は、大根ちゃんが失踪したのが第二トンネルの向こうやと思うとるから、警察が捜索するのも専らそっちの道ゆうことや。少なくともその一晩くらいは第一トンネルのほうに捜査が及ぶことはない。小屋一つ壊して、ご遺体と目隠しの木と、全部持ち去るのにはじゅうぶんな時間があるわ」

そういうことだ、と言おうとして、芸田がスマートフォンのカメラをこちらに向けているのに気づいた。

「お前、撮っていたのか?」

「ずーっと撮ってまっせ。うちのチャンネルで流させてもらいますわ」

「何を!」

と立ち上がろうとして——、待てよ、と思い直す。

「炎月」

「はい?」

その男の顔は常に、陰気である。

「私の推理に、何かケチはあるか?」

「ケチだなんて。聡慧(そうけい)にして明快な推理だと感心しております。群馬の一件も、愛知の一件も、それはもう素晴らしいものでしたが、こうして謎の結び目を一つ一つ解いていくお姿を目の前で拝見できて、幸福の至りでございます」

いちいち言い方が鼻につく男だ。まあいい。

「だったらもし、千代田聖香並びにその父親の新たな重要証言が得られたのちは、『鬼深第二トンネル女子大生失踪事件』が、けっして怪談ではないことを認めるな？」

炎月は一瞬、唇をかみしめるような仕草をしたが、

「ええ、認めましょう」

とうなずいた。

「おいユーチューバー、この悔しそうな顔をきちんと撮っとけ。この表情も流すのを忘れるなよ」

「了解しました、お義父さん」「炎月さん、目線もうちょっと伏せたほうがええんちゃうか」

芸田と高菜はなぜか楽しそうだ。炎月と違い、怪談の真偽より動画の面白さのほうが重要だというのか。怪談師ユーチューバーというのはよくわからない連中だが、それならそれでいい。只倉は長峰のほうを向き、満を持して口を開いた。

「長峰。『鬼深第二トンネル女子大生失踪事件』を、伊勢原北署に差し戻す。今の私の推理をもとにもう一度、関係者に話を聞け」

「はっ」

長峰は敬礼をした。

9

「わっはっは、わっはっは」

自宅の居間にて、只倉は上機嫌で猪口(ちょこ)を傾けている。今日の晩酌は『勝駒(かちこま) 大吟醸』。富山の銘酒だ。刑事課にいたころは自宅でこんないい酒を飲むことなど考えなかったが、満足満点の事件解決のときには飲んでもいいだろうという気持ちが、ここのところ芽生えつつある。

満足満点の事件解決――すなわち、怪談を潰した事件解決だ。

三日前、雨がやんで土砂崩れが撤去され、《ドライブインおにぶか》から伊勢原北署に帰還できたのは夜の十時を過ぎたあとだった。そのときにはすでに、千代田聖香と木野ゆうなの姉妹関係、木野ゆうなと大根鞠穂が同じ高校のクラスメイトだったことが署員たちによって確認されていた。湖の死体の一件はまた落ち着いたらと言い残し、只倉は東京へ帰ってきた。

伊勢原北署の長峰から最終的な連絡が来たのは、今日の午後二時過ぎである。

千代田聖香のもとに出向いたのは、長峰自身だった。すでに三十四歳になっていた彼女は未婚で一人暮らしであり、十五年前の事件の事情聴取に素直に応じた。初めはただうつむいて長峰の話を聞いていたが、只倉が推理した内容を告げていくうちに、みるみる顔が青ざめていき、「ごめんなさい！」と、涙をこぼしたという。長峰は彼女を連れてすでに同居していない父のもとへ行った。木野初男(はつお)というその男――木野ゆうなの父親もまた、娘と共に罪を認めた。その日のうちに、木野初男立ち会いのもと、埼玉県は秩父の山中で大根鞠穂の骨が掘り出されたのである。

「いいか日向、この世に怪談などない。心霊スポットなどみな、まやかしだ」

座卓の向こうでうんざりしている娘に、只倉は言った。

「これを機に胡散臭い怪談師となど、別れなさい」

「嫌だ」

日向はぷいっと横を向く。いつからこんなわがままに……と言おうとしたところで、妻が大皿を運んできた。黒鯛の姿造りだった。折よく、近所の釣り好きの親父がおすそ分けしてきたものだった。

まあいい、と娘の顔を見て只倉は思う。今、炎月の顔を思い出せば、せっかくの『勝駒』がまずくなる。今日のところはあいつのことなど忘れて勝利の美酒に酔いしれよう。小皿に醤油を垂らしたそのとき――、インターホンが鳴った。

「おやまあ、上がってください」

玄関で妻が対応する声。ほどなくして居間に現れたのは、炎月だった。

「お前……」

「こんばんは。先日はお世話になりました」

にこやかに挨拶しながら、勝手に日向の隣に座る。苦々しく彼の顔を見つめる只倉の前に、一本の壺のようなものが置かれた。

「なんだ、これは」

「秋田県の平鹿郡に伝わる、呪いの猿酒です。平安時代に起きた後三年の役の折に作られたお酒で、見た者は死ぬという言い伝えがあるのです」

　と言いながら、炎月は封をあける。

「おいおい……」

「もちろんこれは本物ではなく、その伝承をもとにしたお土産品です。どうぞ」

　嫌いなやつだが、勧めてくる酒を断るわけにはいかない。只倉は猪口でそれを受け取り、口に運んだ。勝駒には及ばないが、まあ美味い酒だった。

「実はこちら、高菜さんと芸田さんから預かってまいりましたものです。お義父さんへの御礼の品だそうです」

「御礼だと？　何の御礼だ？」

　炎月はおや、という顔をした。

「先日の鬼深湖の動画がアップされたのです。ご覧になっていないのですか」

「おお、お前の吠え面が晒されている動画か。見てやろう」

　手際よく日向がノートパソコンを用意し、動画が再生される。ポップなオープニングアニメが流れた後で、白い壁の前のソファーに座る二人が現れた。

〈どうも、元火葬場職員、芸田ナナヲです〉

〈どうも、オカルト番長、高菜トシユキです〉

〈始まりました、『突撃！　不可思議委員会』。高菜さん、今回は何ですか〉

〈こないだなー、関内炎月さんもつれて三人で行ったやん、神奈川県の心スポ、鬼深湖〉

〈そうそう、行ったんですよ、みなさん。ところが、この人、湖に落ちてね〉

〈それはええねんけど、そのあと、警察の方に見つかって職質の年間記録、更新して……〉

と、ことのいきさつを軽妙に話していく二人。ところが、いざドライブインでの話になると、様子がおかしくなっていった。

〈……で、その警察の方の推理を撮影しててんけどな、芸田さん。どうなったんやった？〉

〈撮影がまったくされてなかってん〉

がっくりとうなだれる芸田。なんだ、撮影されていなかったのかと、只倉も軽く落胆した。

〈なんちゅうミスや。火葬場で『燃えてませんでした』ゆうたらエラいことやで〉

高菜がなじる。

〈ちゃうちゃう。絶対に撮影モードになってたんやけど、帰って編集しよ思て再生したら、ぷつぅ、って音がしてあと真っ黒。怪奇現象や〉

〈まあそういう言い訳があって、次の日もう一度行ってみよ言うことになったんやけど、これがまた……まあ、その動画あるんで、ご覧ください〉

画面は外の映像に切り替わった。芸田が撮影しているらしく、高菜だけが映っている。背景は《ドライブインおにぶか》の近くのようである。

〈おお、ここやここや……あれ〉

画面の中の高菜が立ち止まった。

〈ちょっと芸田さん、あれ、映して〉

カメラが映し出したのはまさしく《ドライブインおにぶか》だった。だが、建物が異様に古い。

撮影している芸田が走り寄っていくにつれ、建物は近づいてくる。

ガラス戸はベニヤ板で塞がれ、暴走族によるスプレー落書きがされている。《ドライブインおにぶか》とかろうじて読める看板は屋根から外れ、壁に立てかけられ、ツタが絡みついている。壁も窓も黒ずみ、相当の年月、放っておかれている廃墟(はいきょ)に違いなかった。

〈俺ら、確実に来たよな、ここ……〉

画面の中の二人同様、只倉は呆然としている。

画面は再び、室内の二人に切り替わった。

〈僕らこのあと、ちょっと町に降りて地元の人に、話聞いて回ったんですよ〉

芸田が語り始めた。

〈三年前にこのドライブインの女主人の方が、お店で急死したゆう情報がありまして〉

〈心臓発作や、ゆうてはったな。腰の悪い奥さんで……て〉

〈そうそう。昨日僕らが会った店主の人も、腰、さすってはりましたよね〉

「嘘(うそ)だろ……」

脳裏に腰をさする女店主の姿が浮かび上がる。

〈芸田さん、マヨイガに迷い込んだのは、俺らのほうやったんちゃうか〉

〈ああマヨイガですよね、ある意味〉

〈湯飲み茶わん、盗んだったらよかったわ！〉

二人はしばらく楽しそうに会話を続け、チャンネル登録よろしくお願いします、というメッセージとともに、動画は終わった。

「この動画、怪談業界でかなり話題になりまして」

炎月はいつのまにか、自分の猪口に只倉の『勝駒』を注いでいる。

「登録者数が十万人を突破したそうです。それで、お義父さんに御礼をと、預かってきたんです。かく言う私もあれ以来幸福続き。この三日で四件も、テレビ出演のオファーをいただきました」

と、猪口を呷る。そして、傍らに置いた風呂敷包みをほどき、何かを取り出した。

「持って帰ってきてしまったんですよ。これ」

彼がつまんで見せたのは、あの女主人がふるまったちまきの竹皮だった。

只倉の胸の中に、怒りの溶岩が込み上げてきた。溶岩はすぐに頭頂部に達し、爆発する。

「帰れっ！」

「どうしたんです、お義父さん！」

「うるさい。帰らないなら窃盗罪で逮捕だ」

「こ、こんなのただの竹の皮ですよ……」

「黙れ黙れ、帰れと言ってるんだ」

今日のところは帰ってと日向に言われ、炎月は慌てて立ち上がる。只倉は手近な位置にあった食卓塩の蓋を取り、炎月にぶちまける。

「お義父さん、清めの塩なら食卓塩ではなく、天日干しのお塩をお勧めします」

慌てながらも炎月は言った。

「海の成分が濃いほうが効果があると、先日、沖縄の怪談師が……」

「うるさいんだっ！」

玄関のほうへ逃げる炎月の背中に猪口を投げつけながら、山の中の建物には当分行くまいと、只倉は心に誓った。

第4話　物の怪の出る廃校

1

　小川沿いのくねくねした道を、只倉恵三の運転する警察車両が走っていく。数メートルおきに電柱が立っているが家屋はまばらで、そのほとんどに人が住んでいる様子はない。そうかと思うとたまに商店が現れ、店先で買い物をしている老婆などが目に付く。

「私が子どもの頃よりもだいぶ住んでいる人は少なくなりました」

　助手席に座っている柘榴井菜月が言った。痩せ形で髪が長い、二十八歳の女性だ。肩の露出した赤いサマーニットという服装に反してその顔は陰鬱で、膝の上にはわらでできた馬の人形を大事そうに抱えている。

「同級生とか、いないんすか」

　後部座席から、黒氏瞬がぬっと顔を出す。

「私、学校を休みがちで、親しい人いなかったから……」

柘榴井は顔をうつむかせたまま言い、わらの馬を目の前に掲げる。

「子どもの頃から、こういう物が周りに集まるんです」

「呪いのグッズっすか」

「祖母があちこちの骨董市で買ってくるんです。髪の伸びる人形、歯の生えたぬいぐるみ、血の跡のついた財布、焼け焦げた携帯電話……そのたびに私、体調を崩して、学校を休むんです」

「偶然っしょ、偶然」

黒氏は笑い飛ばす。だらしなく髪の毛を伸ばし、ボロボロのデニムに薄手のTシャツ。ひと昔前のロック歌手志望青年のような恰好だが、こうして怪奇現象を笑い飛ばすところは、只倉は嫌いではなかった。

「それだけじゃないんですよ。私、あるとき知人から呪いのビデオを見せられたんです。卒業式のあとにはしゃいでいる大学生たちを映したものなんですけど、一人の女性の肩に、ものすごい忌まわしい黒い顔があったんです」

「見間違えっすよ」

「ところが、その映像を見た日から、私、たまに人影を見るようになっちゃって。知り合いに聞いたら、映像越しにでも強い霊体を目撃してしまうと、霊を見る力が開眼してしまうことがあるんだそうで……」

只倉の脳裏に、篠瀬の事件の映像に現れた老婆の顔がちらついた。ずん、と視界が青くなる感覚。

「気のせいっすよ」

　黒氏が笑い飛ばす。そうだ、気のせいに違いない。

「あっ、そのポストのところを右です」

　突然柘榴井が言ったので、只倉は急ブレーキを踏んでしまった。柘榴井はつんのめり、わらの馬がフロントガラスにぶつかって只倉の膝の上に落ちた。

「きゃあああ！」絹を裂くような悲鳴を柘榴井は上げたかと思うと、すぐにわらの馬を拾い上げ、

「アカヒデさんごめんなさい、アカヒデさんごめんなさい……」

　馬の額を自らの額にあて、ひたすら何者かに謝り続ける。只倉が第二種未解決事件整理係に配属になる少し前に彼女が一生背負うことになった呪いの品だという。只倉はもとよりそんなものを信じてはいないが、こうして落とすたびに取り乱すので、周りも気を使うのだった。

「大丈夫っすよ、柘榴井さん。迷信っすから、全部」

　泣き叫ぶ柘榴井をこうやって黒氏がなだめるのも、もう見慣れた光景だった。

「ここを左だな？」

「は、はい……アカヒデさんごめんなさい」

　青々と稲の育つのどかな田んぼの風景になった。その向こうに、山林に囲まれた学校が見えてきた。建てられた当初は真っ白だったであろう壁は、灰色に見えた。

「あれだな？」

「そうです」柘榴井はうなずいた。「私が通っていた、花坪小学校です」

2

只倉さんお願いがあります、と柘榴井菜月に話しかけられたのは、つい昨日、九月八日のことである。

「私の母は今、千葉県の南のほうにある花坪町で一人暮らしをしているのですが、大家さんが行方不明になってしまったらしいんです。捜索を手伝ってください」

只倉のデスクのすぐ横で頭を下げた彼女に、第二種未解決事件整理係の他の面々も驚いたような目を向けている。

「私的なお願いなんて、へっへっ」

幕場清江が陰気に笑う。デスクに座り、一日中カッターナイフで木の板をとがらせている四十代半ばの女だ。いったい彼女が何の仕事をしているのか、転属して二か月になるというのに、只倉は知らない。

「なぜ俺に頼むんだ？」

幕場のことは放っておいて、柘榴井に訊ねた。

「怪奇現象が関わっているからです」

まったく理由になっていなかった。

「柘榴井くん、とにかく話してみなさい」

牛斧（うしおの）係長が声をかけた。柘榴井はぽつぽつと話しはじめた。

「私の両親が離婚したのは七年前になります。原因は父の浮気です。相手はよくわかっていないのですが、とにかく父はその女のもとで長く暮らすようになり、別れることになったのです。母は精神をむしばまれ、職場でも奇行が目立ち、離職せざるをえなくなりました」

いきなり気分の滅入（めい）るような情報だった。

「私はもうそのとき、東京に出て働いていました。母に仕送りをするようになりましたが、それでも家賃を払うのが精いっぱいという困窮ぶりでした。東京で一緒に住もうといったのですが、地元を離れたくないと泣き叫びます。そんな状況に手を差し伸べてくださったのが、母の中学時代の同級生である、樽沢巳之助（たるさわみのすけ）さんでした」

建設会社の社長として成功していた彼は、自宅の敷地内にある建物を改装して、格安で柘榴井の母親に貸すことにしたらしい。

「そんなに広い家に住んでいるのか、その社長は」

「はい。小学校です」

「小学校？」

「花坪小学校といって、実は私の母校でもあるのですが、生徒の減少を理由に十五年前に廃校になりました」

学校が一つ廃校になると、その校舎をどうするかというのが第一の問題になる。解体するにも費用がかかるが、放っておくと若者がいたずら目的で入り込んで怪我をしたり、家のない者が勝手に住み着いたりする。自治体はそれを防ぐため、文化施設にしたり民間企業に払い下げたりと様々な策を講じるが、花坪町は不動産会社に預け、建物ごと購入してくれる個人を探した。「学校が住まいになるなんて面白い」と名乗りを上げたのが、その樽沢巳之助という男だったということだ。

「なんてスケールの大きい話だ」

牛斧係長があんぐりと口を開けた。只倉を含むその場の誰もが呆れているが、柘榴井は顔色一つ変えず、先を続ける。

「そのグラウンドの隅に、体育倉庫が建てられているんですけど、そこを樽沢社長はリフォームし、水洗トイレや浴室までを設置し、母親に貸すことにしたんです」

「いやいや学校なんて教室がいっぱいあるっしょ」

黒氏が突っ込んだ。

「余ってる部屋を貸せばいいのに、わざわざ体育倉庫に生活設備を新たに設置するなんて。なんでそんな金かけるんすか？」

「一つ屋根の下に住まわせるのは失礼だと思ったんじゃないか？」

牛斧係長が言うと、柘榴井はうなずいた。

「そういうことだと思います。五年前にはもう死別されていましたが、樽沢社長にも奥さんがいらっしゃいましたので。それに、母も樽沢さんとは友人以上の関係になりたいとは思っていないみたいです。あくまで旧い友人で、大家と店子、という関係です」

「そういうもんすかねえ」

と黒氏は肩をすくめた。

「話を続けさせていただきます。同じ敷地内に住んでいますので、樽沢社長と母はほぼ毎日言葉を交わすのですが、先月の中頃から、樽沢社長が妙なことを言うようになったそうなんです」

「妙なこと？」

「はい。初めは八月の十五日のことでした。樽沢社長は二階の教室の一つを改装して寝室にしているのですが、夜中にふと目をさますと、教壇の上をぺたぺたと白い足だけが往復しているのが見えたというのです」

只倉は眉をひそめた。たしかにそれは怪奇現象だ。

「それだけではなく、放送室の機械の電源はとっくに切れているのにチャイムが鳴ったり、ベッドの枕もとの電気スタンドが勝手にぱちぱちと明滅したり、音楽室にいるはずのない女性の姿が見えたりと、とにかく変なことが立て続けに起きるというのです」

「もともとそういうのが起きる校舎だったのかねえ」

牛斧係長が疑問をはさむと、柘榴井は首を振った。

「私が卒業してからすぐに廃校になったのですが、在学中にはそういう怪談めいた話は一切聞きませんでした。樽沢社長も以前にはそんな経験を話したことはないと母は言います。そして九月五日のことです。決定的に不可解なことが起きてしまいました。樽沢社長自身の失踪です」

そういえばこれは行方不明事件の話だった、と只倉は思い出した。

「五日の午後一時すぎ、母が借りている家に樽沢社長の長男の戌一さんがやってきました。『今日の昼に親父と会うことになっているのだが、校舎のどこにもいない。あんた、知らないか？』。戌一さんは母にそう訊ねたそうです」

同じ敷地内に住んでいるからといって大家の樽沢の動向を逐一知っているわけではない。母親が知らないと答えると、戌一はあきらめて帰っていった。

「戌一さんは翌日になって捜索願を提出したらしく、警察が大勢やってきて大規模捜査が始まりました。しかし、樽沢社長は今日現在もまだ見つかっていないんです」

「怪奇現象を見るようになった後の失踪。たしかに変だねえ」

牛斧係長は腕を組んで背もたれにぎしっと身を預けた。

「しかしうちの部署は、地元の警察が不可解だと判断したあとで送られてきた案件にしか対応できないはず。今まさに捜査中の事件に首を突っ込むことはできないのでは？」

只倉の疑問に係長はいやいや、と首を振った。

「あまりにも不可解なときは、捜査中の事件でも関わることはできるんだが……今、これだけ事件が溜まっているとね。それに、捜査中の県警だか所轄だかがいい顔をしないだろう」

「それが、失踪事件を担当しているのが、母の親友なんです」

「なんだって？」

「津村響子さんといって、地元所轄の刑事さんなんです。亡くなったご両親が駄菓子屋を経営していて、私もよく、アイスを食べに行きました。駄菓子屋は今、店の設備をそのままに閉店してしまったようですが」

「ふうーん。まあ、それなら話が通せないこともないと思うが」

「樽沢社長にもしものことがあれば、あの校舎は息子さんのものになるか、人手に渡ってしまいます。今の格安の家賃はすべて樽沢社長の厚意によるものですから、家賃を高くされてしまうかもしれません。そうなると母はまた生活が苦しくなります」

お願いします、といつになく強い口調で柘榴井は頭を下げた。

「ここのところの只倉さんのご活躍、目覚ましいものがあります。只倉さんなら必ず、樽沢社長を発見できると思うんです」

困った。助けたいのはやまやまだが……と思っていたら、牛斧係長が助け舟を出してくれた。

「柘榴井さん、他の人と行ってきなさい。というのも、只倉さんは明日から一週間、夏休みなんだ」

「えっ、そうなんですか」

只倉は柘榴井のほうを向き、すまない、という表情を作った。なんとも当てが外れたような、どんよりした柘榴井の顔。

「俺が行くっすよ」

ぴょんと立ち上がったのは黒氏瞬だった。

「ちょうど十五日から、南房総市の呪いの釣り船の事件の再調査が控えてるんで、千葉に前のりっす」

「ああ、そう。そうしなさい」

　牛斧係長はいいやつがいたとでも言いたげに微笑む。恨めしそうに自分を見る柘榴井から、只倉は目をそらした。

　柘榴井の気持ちに応えたくないわけではない。だが、気が進まなかった。しばらくのあいだ、大嫌いなオカルトから離れて精神を休める必要があった。

　――ところが、わずか数時間後、只倉の気持ちは変わることになる。

「ただいま」

　と、玄関の引き戸を開き、すぐに目を細める。帰宅そうそう、胸糞の悪いものを見てしまった。土間に白い草履が並べて置いてある。こんなものを履いて只倉家にやってくる者など一人しかいない。

「炎月！」

　靴を脱ぎ捨て、どすどすと足音を立てて居間へ行くと、その男が振り返った。もっさりした髪に黒い和服。頰を緩ませ、

「お義父さん、お帰りなさいませ」

　愛想よく頭を下げた。関内炎月――目下、娘の日向と交際中の男である。真面目な会社員ならいざしらず、この男は「怪談師」なるいかがわしい仕事をしているのだった。方々から集めた怖い話、不可解な話、都市伝説などを人前で話して金を取る。この気味の悪さに、只倉は嫌悪感を

抱いている。

「お義父さんと呼ぶんじゃない。疲れて帰ってきて、お前の顔など見たくないんだ、帰れ」

「お父さん、そんな言い方ないでしょ」

そばに座っている日向がむくれた。台所に立っている妻も「そうよ」と只倉を責める。

「炎月さんがせっかく、お酒を持ってきてくれたのに」

と、妻が掲げた瓶を見て、うっ、と唸（うな）った。

『賀茂鶴（かもつる）』——しかも大吟醸ときている。まともに買ったら、一本一万円以上する高級品ではないか。

「昨日いただきました。お義父さんと飲もうと思ってお持ちしたのです」

巷（ちまた）で儲（もう）かっている社長の中には、怪談が好きで好きでたまらない者がけっこういるらしい。炎月はそういう輩（やから）からご祝儀代わりにもらう高級日本酒を、自分は酒の味がわからないからとこうして只倉に持ってくることがあるのだった。

「ま、ま、待ってろよ、こいつめ！」

只倉は一度、自分の部屋に引っ込むと部屋着に着替えて居間へ取って返した。食卓の上にはすでに、刺身と焼き鳥、空の猪口（ちょこ）が用意されている。

「どうぞおひとつ」

「ふん、一杯くらいなら付き合ってやる」

只倉の突き出した猪口に、炎月は『賀茂鶴　大吟醸』を注いだ。いい透明具合。香りを楽しみ、口に運ぼうとして、はたと手が止まった。炎月を見る。真っ赤な口を横に開き、にやりと笑っている！

「おい、お前」

「なんでしょう」

「何か裏があるな。俺に頼みか」

ぎくりという文字が炎月の顔に浮かんだ。只倉は酒を我慢し、猪口を置いた。

「刑事生活三十二年をなめるなと言ったろ。犯罪者の考えていることなどすぐわかる。俺が飲んだら有無を言わさず頼みを聞かせるつもりだったな？」

炎月のみならず、日向も妻も唖然（あぜん）とした表情で只倉を見ている。どうだ、見直したか。炎月はばっ、と手をついて平伏し、

「お……お見それしました。実はお義父さんにライブに出演していただきたいのです」

そう告げた。

「ライブだと？」

「はい。実はこの度、知り合いの怪談師たちとともに『迎えの夕べ　邪宴（じゃえん）』という怪談ライブを、渋谷の小劇場を借り切って行うことになりました。いつもなら我々の怪談話をお客さんが聞くだけの会なのですが、今回、ファンの方々から『怪談に否定的な人の意見を聞いてみたい』というご要望があったのです。私の頭にはすぐ、お義父さんの顔が浮かびました。我々が披露する怪談に、否定的なお立場からコメントをいただきたいのです」

場合によってはいつもどおり、隠された真実を暴いてしまってもいい――と、わけのわからないことを炎月は言い出した。

先日の、鬼深湖での出来事を思い出す。人智を越えた現象を、殺人犯どもの計画的な犯行だと見抜き、怪談師たちの鼻をあかす。たしかにあれは爽快な経験だった（むろん、そのあとの不可解な現象を除けばの話だが）。大勢の客の前で、怪談師の披露する怪談を「全然不思議なことではないのだ」と斬りまくるというのは面白いかもしれない。

だが直後、一瞬でもそんなことを考えた自分を、只倉は叱責したくなった。

「ライブなんかに出られるか。俺は現役の警察官だぞ」

「いいじゃない。ちょうど明日から休みでしょ」

日向がチラシをテーブルの上に置いた。それを見て只倉はゾッとした。『迎えの夕べ　邪宴』という忌まわしい書体のタイトルの下に、炎月を含む五人の男女の顔写真がレイアウトされている。日付は九月九日となっている。

「どうせ旅行に行くわけでもなし、家でゴロゴロしているなら、こういうところに行ってきたほうが、新しい部署の勉強にもなるんじゃないの？」

こんなに無遠慮に父親の仕事に口を出してくる娘ではなかったはずだ。怪談師のせいでずいぶん変わってしまったと逆恨みめいた気持ちが浮かび上がってくる。

「俺は明日、予定があるんだ！」

つい勢いで、言ってしまった。

「同僚の親御さんの大家が失踪した。その捜索の手助けをしてくる」

「そうでしたか……」

炎月は残念そうに目を伏せたが、すぐにまた只倉のほうを見る。

「ちなみに、どちらへ？」

「千葉県の花坪町だ」

「千葉県内なら、渋谷まで二、三時間もあれば来られます。開演は午後七時。零時までやっていますので少し遅れても構いません」

「行かん！　いかんいかんいかーん！」

只倉は『賀茂鶴』の瓶をつかみ、炎月に押し付けた。惜しいという気持ちが湧いてくる前にそうしてしまわなければならなかった。

「帰れっ！」

3

栢榴井菜月の母、珠緒（たまお）は、娘よりさらに細い体型だった。六十になるかならないかくらいの年齢で、髪の毛には白いものが混じっている。只倉たちを迎えるためか、薄化粧をして、青い石のあしらわれたイヤリングをしている。

「ようこそいらっしゃいました」

「あら菜月ちゃん、大きくなったわね」

その横にいる恰幅のいい女性が、津村刑事らしかった。赤ら顔と、幅の広い鼻がどことなく牛を思わせた。

「ご無沙汰しております。私も警察官になりました」

「聞いたわよ。うちの駄菓子屋でアイスを食べていたあの子がねえ」

「アイスのケースはまだあるんですか」

「あるけど、とんと使ってないわ」

いったい柘榴井は何を気にしているのかと思っていたら、

「それにしてもホント、体育倉庫そのまんまっすねえ」

横で黒氏が無遠慮にその建物を見上げた。校庭の隅という立地、簡素だが頑丈な造り。それはまさに黒氏のいうとおり、体育倉庫に他ならなかった。

只倉はふと背後を振り返る。さっき停めたばかりの車の向こうには、広い校庭が広がっている。かつては子どもたちが楽しく遊んだであろうジャングルジムやブランコ、シーソーといった遊具は錆びつき、夏草が伸び放題になっていた。校舎は、只倉たちが立っている位置から見て右手のほうだ。玄関として使っていた昇降口までは五、六十メートルあり、その正面に、シルバーの警察車両が一台、停車している。

「今日も捜索活動は行われているんだったな」

只倉は津村に訊ねた。

「ええ、そうですよ」

「それにしては警察車両が少ないようだが」

「校舎のほうはもう捜索を終えてしまって、昨日から裏山のほうに力を入れています」

校舎の裏にある小高い山を津村は指さした。目を凝らすと、たしかに木々が揺れていて人がいる気配がある。

「あの山に入り込んで身動きが取れなくなっているっていうことも……まあ、考えられなくもないので。私は今から、校舎のほうの捜索の片付けがあるので、珠緒への聞き込みが終わったらどうぞ、いらしてください」

校舎のほうへ行きかけ、そうそう、と津村は足を止め、どこからか黒い表紙の手帳を取り出した。

「これ、菜月ちゃんに渡しておくわね。私たちの捜索より、あなたたちに役立ちそうだから」

差し出してきた黒い表紙の手帳を、柘榴井は受け取る。それを合図にしたように、

「どうぞ」

珠緒が、間借りしている体育倉庫ふうの住居の引き戸を開いた。

玄関仕様の土間があり、フローリングの広い空間にテーブルと椅子のセット、奥には使い勝手のよさそうなキッチン台も見えた。外見とは対照的に体育倉庫の見る影もなく、かなり広いワンルームといった感じだ。

「早速なのですが、失踪した樽沢巳之助さんについて聞かせていただけますでしょうか」

勧められたテーブルに腰かけるなり、只倉は珠緒に質問をした。

「最後に樽沢さんと会ったのはいつのことでしたか？」

「失踪する前日、つまり、九月四日の夕方、六時ごろだったと思います。昇降口の脇の花壇は私が世話をしているんですが、そこで花に水をあげていましたら、校門から巳之助が車で帰ってきたんです」

樽沢社長はいつも通り車を昇降口のすぐ近くに止めたという。

「私が挨拶をすると、彼も力なく応じて、こう言ったんです。『自分で告白してほしいものだな』。意味がわからなかったので訊き返したら、『なんでもない』と言い残して、昇降口の鍵を開けて入ってしまいました」

扉は締め、施錠をするのも見たと珠緒は言った。それにしても、告白という言葉が気になる。樽沢はやはり柘榴井珠緒に思いを寄せていたのではないか。それとも逆か？

「失礼ですが、樽沢さんとは一緒に食事などなさらないのですか？　お互い一人暮らしということですが」

「しないです」軽く笑いながら珠緒は否定した。「私たちはあくまで旧い友人で、大家と店子の関係ですから」

嘘はなさそうに見える。

「もちろん、毎日顔を合わせますから、日ごろいちばん話している間柄でもあるのですが。八月半ばからはよく、あの気味の悪いことについて聞かされました」

「怪奇現象ですね。いったいどういうことが起きたと樽沢さんは話していたのですか？」
「詳しくは、巳之助の寝室から響子が見つけたというその手帳に、詳しく正確に書かれています」
わが娘の手の中にある手帳を、珠緒は指さす。柘榴井がテーブルの上に開いた手帳を、只倉は覗き込んだ。
《八月十五日　申一来て宿泊。夜中に破裂音で目が覚める。地震かと思って目を醒ますも揺れておらず、教壇の上を白い足だけがぺたぺたと動き回っているのを見る。夢かと思って目を見張るが、そのうち足はどんどん増えてきた。布団をかぶって寝る》
《八月十七日　戌一来て宿泊。午後七時ごろ食事中、突然校内放送用スピーカーからチャイム。二人で放送室へ出向くも、誰もおらず。機械に電源も入っておらず。深夜二時すぎ、電気スタンドがひとりでに明滅。壁掛け時計がひとりでに落ちる》
《八月二十二日　申一来て宿泊。夜中、申一がゆさぶって起こすので見れば、先日と同じ教壇の位置に、何百何千という虫たちが這いずり回っている。ぞっとしたが、叩き潰そうと思って出ていくと、その姿はない》

《八月二十九日　戌一来て宿泊。午後七時ごろ食事中、校内スピーカーからチャイム。子どもの声で『図書室』と聞こえる。二人で図書室へ行くと、本が棚よりひとりでに飛び出し、散乱。おののいて寝室へ逃げ帰る》

《八月三十日　申一来て宿泊。夜中、屋内で立て続けに破裂音。二人で三階へ行くと、音楽室から破裂音が聞こえる。覗けば、ピアノのそばに白い女が佇む》

《九月一日　戌一来て宿泊。午後七時ごろ、廊下で落下音。出てみれば、ブリキのバケツが大量に転がっている。台所の棚の横板がひとりでに外れ、食器が落ちる。食事をする気が失せ、寝る》

気分の悪い出来事ばかりだ。全部夢なのでは……と思ったが、目撃者は樽沢社長一人ではないことが多い。証人がいるといえばそうなのだろうが、どこか妙だ。――などと只倉はしばらく考え込んでいたが、

「ん？」

隣で黒氏が声を上げたことで我に返った。

「なんか、おかしな声、聞こえませんか？」

「おかしな声だと？」

只倉は耳をすますが何も聞こえない。柘榴井親子も顔を見合わせ、首をひねっている。

「やっぱり聞こえますよ。大人の男同士の喧嘩の声だ」

黒氏はがたんと椅子を倒すように立ち上がり、土間に置いた靴に足をすべりこませて外へ出ていった。只倉と柘榴井も慌てて後を追う。

昇降口の前には、車が二台増えていた。シルバーの高級車と、茶色いおんぼろのセダン車だ。その車の近くで、二人の男が言い争っている。一人は白いサマージャケットを羽織り、ひげをスタイリッシュに刈り込んだ芸術家風の男。もう一人はカーキ色のシャツと迷彩柄のチノパンに身を包んだ、無精ひげの冴えない男。二人とも三十代半ばといったところだろう。

「ちょっとちょっと、何を争っているんすか。やめてくださいよ」

割って入った黒氏を、二人は怪訝そうな顔で眺める。

「なんだお前?」

サマージャケットのほうが冷たい声で言った。黒氏は革ジャケットから警察手帳を出す。

「警察庁、第二種未解決事件整理係の黒氏っす。この二人は俺の同僚っつーか、上司っつーか。只倉さんと、柘榴井さん。樽沢巳之助さんの失踪事件の助っ人に来たっす」

どうして警察庁の人間が一介の地方の事件の捜査に——などという疑問を二人は口にしなかった。ぼろぼろのデニムに黒Tシャツという黒氏の違和感が、そういう細かいことを気にさせないのだろう。それならそれでいいと、只倉は聞き込みを黒氏に任せることにした。

「失礼ですが、お二人は?」

「俺は樽沢戊一、巳之助の息子だ」

サマージャケットが答える。

「というと、捜索願を出した人っすね。……ずいぶんオシャレなジャケット。わあ、しかもよく見たら細かい折り目で風通しがよさそう。この時期でも着られるっすね。どこで買ったんすか」

「表参道だ」

「クールだなあ。このネックレスもかっこいいすねえ」

「これは自分で作った」

「自分で作れるんすか、これを？」

「仕事柄、金属加工をすることもあって、プロの彫金師のところに通って技術を習得したんだ」

「まじすか。自分で工房とか持っていたりして」

「ふん、よくわかったな。工房というほどじゃないが、自宅の一部を作業場に改装した」

黒氏は関係のないところにずいぶん引っかかる。大丈夫だろうかこいつと只倉は次第に心配になっていく。

「自慢たらしい話はもうたくさんだ」

只倉が口をはさむ前に、カーキ色シャツが顎をぽりぽりと掻きながら言った。黒氏はすぐさまそっちに顔を向ける。

「そういうあなたは？」

「樽沢申一。こいつの弟だ。もっともこんな浮ついた男とは違って、大学で地質学を教えている」

「はぁー、教授っすか」

「何が教授だ」戌一が鼻で笑った。「論文も学会から無視され続けているくせに。遊園地のほうがずっと世の役に立っている」

戌一は《ナイジェル・アミューズメント》という遊園地を運営する会社に勤めていると自己紹介した。世界各地の遊園地を視察しているらしい。

「さすが、社長の息子さんともなると、立派な仕事に就くもんっすねぇ」

黒氏はため息をついてみせたあとで、二人の顔を見比べる。

「で、どうしてそんな二人が喧嘩してるんすか」

「こいつが親父を殺したに違いないからだ」

戌一が申一を指さした。

「こいつは親父と仲が悪かった。争っているのを何度見たことか」

「お前が言うな戌一！　中学のころ、親父とバットで殴りあいしていたじゃないか。お前が殺したんだ」

「何を、お前だろうが」

「ちょ、ちょっと落ち着いて」

取っ組み合いをはじめる兄弟の間に黒氏が入ろうとするが、巻き込まれてもみくちゃにされるだけだった。

「おいっ！」

只倉は一喝した。三人はぴたりと動きを止める。仲の悪い兄弟に向かい、只倉は訊ねた。

「お前たちはなぜ、父親が殺されたことを前提に話をしている？　彼は失踪しただけで、まだ捜索中だ。それとも、もう父親が死んでいることを知っているのか？」

二人は黙ったまま、お互いの襟首をつかんでいる手を離した。

「……これだけ見つからないんだ、もうあきらめるしかないだろう」

戌一はそうつぶやくが、只倉の中に芽生えた疑いは膨らむばかりだった。

「もし父親が死んだことが確定になった場合、このバカでかい建物は、お前たち二人が相続することになるはずだな。どうするつもりだ？」

「いるものか、こんな、化け物の出る校舎！」

先に叫んだのは戌一のほうだった。

「あれは先月のことだ……親父と飯を食っていたら突然チャイムが鳴りだしたんだ。親父は放送室の機械はとっくに使えなくなっているはずだと言いだすし、嘘だろうと」

目を剝き、その顔は青ざめていた。

「八月十七日のことですね」

戌一は只倉の背後に視線を移した。わらの馬を小脇に抱えた柘榴井が、樽沢社長の手帳を開いているのだった。

「この日、社長はたしかに戌一さんと、今おっしゃった怪奇現象にあったと記録されています。

ていますね」

戌一さんは他にも図書室で勝手に本が飛び出したり、台所の食器棚の横板が外れたりするのを見
「ああ、ああそうだ。こんな妙な建物、いるものか、いるものか……」

頭を抱えて大げさにも見えるように怖がる戌一。その視線がちらちらと申一のほうに向けられているのに只倉は気づいた。

「ところ樽沢社長は、申一さんと一緒に怪奇現象を見たことも記録しています」

栢榴井は手帳のページを繰る。

「八月十五日、申一さんがお泊まりに来られたとき、寝室として利用している教室の教壇の上を、白い足がぺたぺたと動き回るのを」

「ああ……たしかに見た」

学者だからか、戌一よりもだいぶ落ち着いた反応だ。

「何かの間違いだろうとは思ったが、次に来たときにも見た。あれはたしか……」

「八月二十二日です」すぐさま栢榴井が言う。「同じく教壇に何百何千という虫が這いずり回っているのをご覧になっています」

「そう。そうだ。だが親父が近づいていくとすぐに消えた。妙な幻……こんな校舎、誰が住みたいものか。もし相続しても手放すべきだ」

申一はそう言いながらちらりと戌一を見る。

「どうも解せないな」

只倉は言った。

「なぜ二人はしょっちゅう泊まりに来るんだ？」

「そ、そりゃ、親父が心配だからだ」申一が言った。「こんなところで独り暮らしなんて……」

「あんた方は怖くないのか？」戌一が声を張り上げた。「こんな化け物校舎をいつまでも捜索しても親父は見つからないだろう」

「それでも捜索は続けなければならないわ」

一同は校舎の中を見る。薄暗い廊下の中から、津村響子が出てきたのだった。

「お父様は絶対に見つけますからご心配なく。ところで今日はどういう御用で？」

「あ、ああ、親父が見つかったかどうか気になって」

「俺もだ」

「ご心配なく！」津村は二人を睨みつけた。「まだ警察が捜索中です。本日、この校舎にはこのお三方にお泊まりいただきますので、勝手に入らないように」

「しかし……」「ここは親父の家であって……」

「これだけ大きい建物なんだから、私たちがいいというまで入らないということで同意したはずです」

津村は目を吊り上げ、ポケットから青い石のついたキーホルダーを取り出した。車のキーがついている。

「それとも、重要参考人として署へお連れしようかしら？」

「わかった」「今日は退散するよ」

牛のような女刑事に、二人はそろって従うしかなかったようだった。

4

電気代の節約のためか、天井の蛍光灯はところどころ外され、長い廊下は薄暗かった。リノリウムの床にこつこつと響き渡る靴音が寂しい。

「さっきの兄弟二人の身辺については捜査したのか？」

先導していく津村に只倉は訊ねた。

「二人のうちのどちらかが、樽沢社長の失踪に関わっているんじゃないかってね」津村の口調から、いつしか敬語はとり払われている。「うちの部下が調べたけれど、九月四日の夜から五日にかけて、戌一は仕事で長崎のホテルにいた。多くの証人が見つかったわ。羽田に帰ってきたのは五日の午前中。それから車を飛ばしてここへやってきて、父親がいないことに気づいたそうよ」

「弟の申一のほうは？」

「四日から二泊三日で、新潟の大学のチームとの合同地質調査とかで、佐渡島に滞在しているわ。父親の失踪については、六日の夜になるまで知らなかった」

「二人ともしっかりしたアリバイがあるということですね」

眉をひそめながら、柘榴井が言った。

「二人のどちらかが失踪に関わっているという可能性はなさそうです」

「アリバイが鉄壁であればあるほど、怪しめ——俺が若いころ、先輩の刑事に教わった言葉だ。樽沢が自分からこの校舎を出て、長崎か佐渡島に出向き、殺された可能性もあるだろう」

「私たちもそれは考えた。でも、樽沢社長の寝室から、昇降口の鍵が見つかってるのよ。見つけたのは他でもないこの私」

人差し指で自分の鼻の頭を、津村は指した。

「昇降口の鍵は一つしかない。他の扉は全部内側から施錠されていたわ」

「巨大な密室から、失踪したということか？」

「そういうふうに見える……わね。ところが捜索初日に、とてもおかしな出入り口を見つけたのよ。そこに今、向かっているわ」

校舎一階の西の端、《給食室》と書かれた鉄扉の前についたのは、それから一分もしないうちだった。鉄扉を開けると、だだっ広い空間が広がっている。調理スペースには、お役御免となって久しい寸胴（ずんどう）鍋や釜が眠ったように放置されていた。

「このシャッターは食材やなんかを運ぶ搬入口でしょうけど、鍵はどこにあるのか、まったくわからないし、そもそもさび付いていて全然開かない」

津村は調理スペースの奥の窓に近づいていく。明かり取りか風通しのための窓が三つあり、その左端の窓の前で彼女は立ち止まった。

「ここよ」

「そこが開くのか？　内側からクレセント錠がかけられているようだが」

「どうぞ、開けてみて」

只倉はその窓に近づき、サッシに指を引っかけて力をこめた。カラカラと乾いた音を立てて、窓は難なく開いた。

「どうなってるんだ、錠はしっかり掛け金に架かっているというのに」

窓を開いたり閉じたりしているうちにそのからくりがわかった。掛け金のほうが本来ついているべきほうのサッシから切断され、クレセント錠に接着剤でくっつけられているのだ。

「これじゃあまったく錠の意味がないじゃないっすか」

黒氏が頓狂な声で驚いた。

「誰がこんなことをしたんすか？　まさか、この学校に勤めていた給食のおばさん？」

「いや、切断面が新しい。樽沢社長が買いとったあとに細工されたものだろう」

只倉は給食室の中を見回す。

「樽沢社長はこの部屋は使っていなかったのだろうな」

「そうね。二年二組の教室に、ＩＨ対応の立派なアイランドキッチンがあるわ。自炊するときはそっちでしていたのでしょう。そもそもこの給食室には現在、ガスは引かれていない」

「ということは、樽沢社長以外の人間が、家主の目を盗んで細工を施した可能性が強い。樽沢社長自身はここが開閉できることを知らなかった」

「でしょうね。鑑識が調べたけれど、このサッシからは誰の指紋も検出されていないわ。樽沢社長自身がここから外へ出たのだとすれば、指紋を消す意味がない」

「いったい、誰なんですか」

柘榴井がなんとも不安な顔で只倉の顔を見つめる。只倉の頭の中にはある人物の顔が浮かんでいたが、口に出すことなく、津村に訊ねた。

「この細工のことを、戌一、申一の兄弟には話したか？」

「ええ。しかし二人とも、まったく知らないと」

「ふん、まあそう言うだろうな」

只倉の頭の中に、ある仮説が浮かび上がる。しかしそれは、樽沢社長がどこにいるかという根本的な解決にはつながっていなかった。事件を解決に導くには――

「今夜、われわれがこの建物に泊まることは可能か？」

訊ねると、津村は「えっ？」と目を丸くした。

「それは大丈夫だけど、私たち花坪署の者は付き添いはしないわよ。今のところ、深夜は捜査はしないという方針なので」

「そのほうがいい。人数が多いと怪奇現象のほうが怖気(おじけ)づくかもしれないからな」

只倉は津村に向き直った。

「津村さん、一つ、頼みがある」

5

日のあるうちに只倉たちは三人で、かつて学校だったその建物内を捜索した。人が隠れられそうな場所は山ほどあった。各教室には収納があり、特別教室にはそれぞれ「準備室」なる小部屋がある。金属製のロッカーもそこかしこに残されているし、トイレの個室一つ一つを覗くのも一苦労だった。

最後に屋上をくまなく探したところで午後六時をすぎていた。日が沈んだばかりだ。

「やっぱり、いないっすねぇ」

黒氏がため息をつくように言った。若い彼もさすがに疲れたらしかった。

「花坪署の方々が、もう隅々まで探したとおっしゃっていました。いらっしゃらないのは当然です」

柘榴井が言う。小脇のわらの馬も朝見た時よりほつれているような気すらした。

「いいか二人とも、勝負はこれからだ」

只倉は柵に手をつき、校庭を見下ろす。戌一と申一が乗ってきた車、それに警察車両もすでにない。津村はあの後すぐに、校舎裏の山の捜索に加わるために去っていった。その捜査もそろそろ終わる時刻だろう。連絡がこないところを見ると、向こうでも樽沢は見つかっていないらしい。

「只倉さん、今夜、怪奇現象が起こるって言いましたね？　いったい何の根拠があってそんなことを言うんすか？」

「今夜、俺たちがここに宿泊することを樽沢戌一に告げておくよう、津村刑事に指示しておいたからだ」

二人は意味がわからなかったらしくしばらく目をぱちくりとさせていたが、やがて黒氏がはっとした。

「ひょっとして怪奇現象を起こしたのは戌一さんだと？　どうしてです？」

「クレセント錠の受け金を切断し、クレセント錠自体に溶接する。こんなことを給食室で行うとしたら、道具を運び込まなければならないし、大きな音が出る。樽沢の留守中は施錠されていて校舎に忍び込むことはできない」

「そりゃそうっすね」

「だとしたら犯人はどうやって細工をしたんだ？」

うーんと唸る黒氏の横で、柘榴井が口を開いた。

「同じ規格のガラスサッシを用意して、あらかじめ別の場所で細工して持ってきます。樽沢社長を訪ねたとき、社長の目を盗んで給食室に忍び込み、もとあった窓をサッシごと外し、外へ出します。そして、外に置いてあった加工済みのサッシを運び込み、内側から嵌めなおします」

只倉はうなずいた。

「そのとおりだ。普通の人間には難しいことだが、自宅に作業場を持つ者なら簡単だろう。そもそもあんな細工、金属加工の技術がなければ実行を思いつかない。思い出してみろ。やつは今日、俺たちの前で、この建物で起きた怪奇現象を怖がってみせた。大げさとも思えるくらいの怖がり方だった。

「たしかに、あれは妙でした」

柘榴井があごに手を当てる。

「戌一は自らこの校舎で怪奇現象が頻発することを印象付け、申一がこの校舎から手を引くようにしている。今夜、俺たちがここに泊まると知れば、必ずや何か怪奇現象を起こしてくるに違いない」

「なるほど、そこを押さえるってことっすか」

黒氏はいたずらを思いついた子どものようにニヤついた。

「そりゃ楽しそうっす。腕が鳴りますね」

「万全な態勢で臨むことにしようじゃないか。まずは腹ごしらえだ」

三人で連れ立って、二年二組へ戻った。壁や床、ランドセル用の棚などはそのままだが、じゅうたんが敷かれ、大理石ふうの豪華なテーブルの上には《千葉県警》と書かれた段ボール箱が一つ置いてあった。津村刑事が気を回して差し入れてくれたものだった。

津村の言っていた使い勝手のよさそうなアイランドキッチンは、教卓があったあたりに置かれ、黒板の前には食器棚とオーブンレンジ、シャンパンゴールドの大きな冷蔵庫があった。生活はちゃんとできるようになっているらしい。

段ボールの中から出したカップめんや缶詰などで夕食を取りつつ、お互いの話などをしているうち、時間はどんどん過ぎていった。外は真っ暗だ。まだ夏といっていい気候だが、空調は思いのほかきちんとしていて快適だ。

「母は浮気をされたくせに、いまだに父のことを引きずっている節があるんです」

柘榴井は打ち解けてきた様子で、珠緒のことを愚痴っていた。

「イヤリングをしていたでしょう、トルコ石の」

「ああ、あれトルコ石っすか」

珠緒の耳に下がっていたイヤリングを只倉は思い出していた。

「父からプレゼントされたものなんです。そういうの、ふつうは捨てませんか？」

おや……と、只倉は妙な違和感を覚えた。あの青い石にはそういういきさつがあった。となると……いや、考えすぎだろう。それにこれは、事件と関係のない、柘榴井珠緒のプライベートのことだ。

「浮気していたお父さん、どこに行ったか、わからないんすよね？」

黒氏が質問を重ねている。

「わからないんです。私はもう、会いたいとも思いませんし」

思いがけず強い口調で柘榴井が答えたそのときだった。

「ん？」

黒氏が目を細めた。

「何か、聞こえませんでしたか？」

「いや。柘榴井、聞こえたか？」

柘榴井は首を横に振る。だが、黒氏の耳がずいぶんいいことは確認済みだ。只倉は腕時計を見た。八時十分。思ったより早い。

「あ、ほらやっぱり。誰かがぼそぼそしゃべってる。……一階っすね」

黒氏は立ち上がった。只倉は耳をすますが、やはり何も聞こえない。

「でもおかしいっすね。給食室のある西の端じゃないっす。これは、東のほうだ。戌一が入ってきたんでしょうか。行きましょう」

「待て。向こうが怪奇現象を起こすのを待つんだ。現行犯逮捕だ」

只倉の言葉など耳に届いていないように黒氏は教室を走って出ていく。

「ちくしょう。柘榴井、行くぞ」

只倉は懐中電灯をつかみ、柘榴井とともに慌ててそのあとを追いかけた。夕方以降電気をつけていないので、廊下は真っ暗だ。黒氏はまるで気にしないようにずんずん進んでいき、階段に差し掛かった。

「おい、危ないぞ」

「理科室っすね」

階段を下りて左側に二十メートルほど進んだところが理科室である。一本の懐中電灯の明かりを頼りにそこへ近づくにつれ、ようやく只倉の耳にも何かが聞こえてきた。男がぼそぼそしゃべっている。夕方前に捜索したときには閉めたはずの理科室の扉が、半開きになっていた。

「戍一のやつ、何かを企んでいるな」

怪奇現象めいたことが起きてから現行犯で逮捕しようと考えていたが、ことは早いほうがいいと思い直した。只倉は黒氏に声をかけ、自分が先に行くと告げた。

半開きになっているドアに身を潜め、中の状況をうかがう。

「……はい。はい。そういうことです。……いえいえ。……そうです。お楽しみに」

戍一とは確認できないが、男の声だ。誰かとしゃべっている……いや、電話で会話をしているようだった。外に仲間がいる？　……そうか。窓の外に幽霊を飛ばすつもりか。

「神妙にするっす！」

只倉がタイミングを計っていると、黒氏が突然叫んで飛び込んだ。こいつ、勝手な真似を――しかしこうなってしまった以上、もうあとには引けない。黒氏はすでにそいつともみ合っていた。

「おとなしくしろ！」

叫びながら只倉は電気をつける。そして、仰天した。

黒氏の下敷きになっているのは、見覚えのある和服姿の、ウェーブのかかった髪の男だったのだ。

「お……お義父さん。こんばんは」

6

「おとうさん？」「只倉さんの息子さんっすか？」

またこの面倒なやりとりかとうんざりしながら柘榴井と黒氏に手早く説明すると、只倉はその男――関内炎月を怒鳴りつけた。

「貴様、なんでこんなところにいる？　今日は渋谷でライブじゃなかったのか？」

廃校の理科室で見るその姿は、いっそう只倉の目に不気味に映った。

「そうです。目下のところ、そのライブに出演中でして」

炎月は手に持った自撮り棒を見せてきた。先にスマートフォンが取り付けられており、「炎月さん？」「どないしたん」などという声が聞こえている。不思議そうな顔をして黒氏が体を離すと、炎月は身を起こし、

「すみませーん、一度通信を切らせていただきます」

スマートフォンを自撮り棒ごと実験台の上に置くと、彼は事情を説明しはじめた。

「今日の昼、ライブのリハーサルへ行くと、彼らはお義父さんがライブに出演しないということを聞いてえらい剣幕で怒りはじめました。責められに責められた挙句、私は心霊スポットよりリモート出演する羽目に。どこでもいいから心霊スポットに行って心霊現象を目の当たりにし、実況中継をしろということです。ところが昨今、全国の心霊スポットというのは立ち入りが難しく

なっています。そこで私は、お義父さんの昨日の話を思い出しました」

　花坪町、取り壊されずに残っている廃校——この二つの手がかりだけで炎月はここを突き止めたのだという。

「お義父さんがわざわざ行くということは、心霊現象が起きる疑いのある場所ということです」

「胸を張って、気持ち悪いことを言うんじゃない！」

「あの」

　いつのまにか二人のそばに、栢榴井が来ていた。その手には樽沢の手帳が握られていた。

「心霊現象なら起きているのです」

「待て。そいつにそれを見せるな」

「拝見」

　炎月はさっと栢榴井から手帳を受け取ってぺらぺらとめくった。その顔が紅潮してくる。

「これはまさに、現代の『稲生物怪録（いのうもののけろく）』！」

「いのう、もののけ……なんすか、それ」

　黒氏が訊ねると、炎月はぱたんと手帳を閉じ、懐から例のろうそく型ペンライトを出した。

「すみませんが、どなたか電気を消してもらえませんか？」

＊

　江戸時代、備後（びんご）の国に稲生平太郎（へいたろう）というたいそう肝の据わった男がいました。寛延（かんえん）二年の五月、平太郎は隣に住む権八（ごんぱち）という男と百物語をしたあとで、近所にある比熊山（ひぐま）のてっぺんに行きます。ここは訪れると祟（たた）りがあるという場所なのですが、平太郎は恐れもせず帰ってきます。

しばらくは何も起こらないのですが、七月一日の夜になって、平太郎の身の回りに怪異が起きます。それから夜な夜な、畳が飛び上がったり、足だけがぺたぺたと部屋の中を歩き回ったり、大男が現れたりと、それはもう毎晩、不可解なことばかり。しかし平太郎は一向にこの怪異に音を上げず、毎晩毎晩現れる物の怪に……

＊

「ちょっ、ちょっ、いいすか？」

黒氏が割って入った。

「な、なんです？」

怪談を途中で止められることに慣れていないのだろう、炎月は面食らった様子だ。

「江戸時代の怪談話はいいんすけど、俺、さっきからずっと気になってることがあるっす。炎月さん、どっから入ってきたんすか？」

「えっ？」

「職員玄関も昇降口も鍵がかかってたと思うんですけど」

「ええ、その二つの入り口からは入れませんでした」

「となると、給食室の窓からしか入れないはずです。でも、ずーっとそっちの方は静かだった気がするっす。むしろ、校舎の東の端から物音がしたような」

「宿直室でしょうか、畳の部屋の扉から入れました」

「なんだと！」

只倉は思わず叫んだ。

「あの扉は施錠されていたはずだ。間違いない。昼間、確認した」

「施錠されていましたが、蝶番のほうが外れました。……大きな声では言えませんが、心霊スポットの廃墟などでは、そっちが外されていることがあるんです」

「案内しろ！」

炎月についてぞろぞろと廊下を歩き、校舎の東の端の宿直室に入る。ドアが枠から完全に外されており、外の虫の声が聞こえている。しゃがみこんで蝶番を調べると、たしかに簡単に外せるようになっていた。金具のそばの板に、何か金属製の道具でつけられた傷が無数に残っている。

「これってもともと外れるんすか？」

「室内のドアはそうだが、外に蝶番が向いている場合は固定されているはずだ。だがこれは壊した跡がある。先のとがった細い工具のようだ」

「これも戌一さんの仕業でしょうか」

柘榴井が眉を顰める。

「わざわざ二つ出入り口を開けておく必要はない。これは、給食室のクレセント錠の細工を知らなかった人間の仕業だ」

只倉は頭の中を整理しなおした。すべてが戌一の仕業というのは間違いだ。そして、さっき食事中に得た、新たな情報も加味し――だんだんと真実が形になっていく。

「あっ！」

黒氏の叫びに、只倉の思考の鎖は断ち切られた。もう少しで全容がわかるところだったのだが……。

「どうした？」

「また音が。あれは間違いなく、給食室のほうっす」

宿直室を飛び出していく黒氏。本当によく聞こえる耳だと呆れつつ、そのあとを追いかけていく。

と、昇降口の前まできたところで、黒氏の足が止まった。

「た、只倉さん、あれ……」

黒氏が指さす先……廊下のあちこちに、白い光が漂っていた。

「あれは、人魂（ひとだま）です」

柘榴井の震える声。おたまじゃくしのように尾を引いて漂う白い光。たしかに人魂に見える。はじめは三つだったものが増えていき、十個ほどになった。まさか……と、只倉はただ呆然と眺めている。

「プロジェクションマッピングですねえ！」

炎月が大声をあげたので、只倉はびくりとした。人魂が飛び交う廊下に、炎月はずんずん進んでいく。

「私は本物の怪異を目の当たりにしなければならないのです。そうじゃなければ、渋谷で待っている仲間も納得しません。インチキではいけないのです。プロジェクターはどこですか。ふむ。光の方向からして、ここですかね」

壁際の、トロフィーなどが飾ってあるスチール棚に近づくと、がん、と叩いた。ぽろりと何かが落ちてきて、とたんに人魂は消える。

「見てくださいお義父さん。スマホ型のプロジェクターです。これでも十分、今のような映像を映し出せるのですよ」

がたがたと、何か黒い塊が給食室のほうへ逃げていく。黒氏がすぐさま走り出す。

「放っておけ！」

只倉が叫ぶと、彼はぴたりと足を止めた。

「どうせ明日、すべてを明らかにしてやる。それより炎月、お前、インチキ心霊現象にはずいぶん厳しいと見えるな」

「当然です。私は、本物の怪異に出会いたいのです」

「さっきの手帳に書いてあった怪異、あれも全部、人為的に起こせるのか？」

炎月は一瞬怯（ひる）んだ顔をしたが、

「まあ、できると思います」

そう答えた。

怪しく笑う顔が癪に障るが——餅は餅屋、怪奇現象は怪談師だ。今回は協力を仰ぐことにしよう。

「栢榴井。鴛海に連絡だ。あることを調べてもらわなければならないからな」

7

夜は明け、あっという間に午前十時になった。

栢榴井と黒氏の二人はいない。只倉の他にいるのは、徹夜で目を真っ赤にさせた炎月だ。

「結局、本物の怪異現象は何も起きませんでしたね」

「起きるわけないだろう」

それきり黙って、校門のほうを見ている。一分ほどして、シルバーの車が一台やってきた。運転席のドアが開き、降りてきたのは津村響子だった。

「おはようございます只倉さん。あれ、部下の方、昨日と違うけれど」

「あの二人は別件で帰した。こいつは関内炎月だ」

「以後、お見知りおきを」

馬鹿丁寧に、炎月は頭を下げた。

「個性的な人が多いのね。それより只倉さん、一つ、報告からさせてもらうわね」

ん、と彼女は咳払いをする。

「ここから五キロほど東にある磯、夜釣りのポイントなんだけど、今朝の五時ごろ、そこで樽沢社長の物と思われるクーラーボックスと釣り竿が見つかったの」

「ほう」

「樽沢社長はもしかしたら四日の夜に釣りに出て、そのまま海に落ちたのかもしれないわ。裏山の捜索は打ち切って、今日から捜査員を海の捜索に集中させることにするわ」

「日数が経っているが、見つかる望みはあるのか」

「正直、厳しいでしょうね。それより、せっかく宿泊してくださったのに、ごめんなさい」

「謝ることはない。むしろ、パズルの最後のピースが嵌まった気分だ」

「どういう意味？」

「こっちの話だ。それより、戌一と申一は連れてきてくれたか？」

「ええ」

津村は後部座席のドアを開き、降りてくるように促す。兄弟は迷惑そうな顔をしていた。

「おい、なんだか知らないが早くしてくれ」「私は午後から学会なんだ」

「よし。それなら早速、詳らかにしてやろう。この建物で樽沢巳之助が出会った怪奇現象の正体を」

只倉の宣言に、戌一、申一、そして津村が顔を引き締めた。

「こっちにこい」

只倉は一同を率い、校舎の中へ入っていく。彼らを連れてきたのは給食室だった。クレセント錠に細工された窓に近づき、そのからくりを示す。

「見ての通り、この窓は常に開閉が可能だった。この部屋に日頃入らない樽沢社長はその事実を知らなかった。この細工をした者は……おや」

只倉は話すのをやめ、一同の後ろに目線をやった。

「おい、あの釜を見ろ！　なんだあの大量の虫は」

さっと振り返る戌一と申一。ひっそりと置き捨てられたその大釜の表面に、ゴキブリ、蜘蛛(くも)、ムカデ……何百何千という虫たちがうじゃうじゃと這いずり回っているのだった。

「うわあ！」申一が叫ぶ。「俺が親父と見たのとお、同じだ。でもどういうことだ。今の今まで何にもいなかったのに。なぜ、急にあんなに虫が」

「失礼しました」

平鍋のそばに立っていた炎月が謝り、その平鍋の陰からスマートフォンのようなものを取り出した。同時に、釜の上の虫たちは消えた。

「どういうことなの？」

目を丸くしている津村に、炎月はその機械を見せた。

「これはスマートフォンに見えますが、プロジェクターなのです。こうして物陰に隠せば、壁でも天井でも好きなところに映像を映し出すことができます」

「寝室の白い足、教壇の虫、音楽室の女、これらはすべてプロジェクターによる映像だ。この窓から侵入してきた犯人が、樽沢社長に知られないように仕掛け、タイマーか何かで映し出していたんだろう」

「だけど、音楽室の女は、でこぼこの壁の前に現れたのよ。プロジェクターで映し出したら不自然に歪んでしまうんじゃないかしら」

「プロジェクションマッピングならそんなことは起きません」

炎月が毅然として言う。

「映し出す面の凹凸具合をあらかじめ組み込んでおけば、でこぼこの壁の前にあたかも女が現れたような映像を映し出すことも可能です。私には怪談ライブの演出に使う程度の技術しかありませんが、大々的なエンターテインメントの場で働く方ならそんな技術もお持ちでしょう」

調子に乗って打ち合わせ以上のことまでべらべらしゃべる炎月の前に、ずいと只倉は体を割り込ませる。

「昨晩、俺たちに人魂を見せたのは、お前だな」

戌一の顔に、人差し指を突き付けた。

「……なんのことだか」

「警察庁の同僚に頼み、あのサッシを作っている会社に受注者リストを提出させ、調べてもらった。樽沢戌一の名前はなかったが、一か月前にあんたの勤める《ナイジェル・アミューズメント》の名義でひとセットを購入している記録があった。遊園地をプロデュースする会社がサッシを一つだけ注文するというのはおかしな話だ。そこで同僚はついさっきあんたの会社に行って調べてくれた。サッシを一つだけ購入した記録はなく、その代わりにあんたの上司から面白い情報を得ることができた」

額に脂汗を浮かべている戌一に、只倉は指先を向けた。

「一年ほど前、上司に新しいプロジェクトを考えたと、『廃校テーマパーク』の話をしたそうだな。学校を一つ買い取り、ひとつひとつの教室や特別授業室に乗り物のアトラクションを配置する。今までにない面白い室内アミューズメントパークが出来上がると、興奮してまくしたてたあと、『実はもう、使う廃校のめどは立っている』と告げたそうじゃないか」

「戌一。お前ってやつは……！」

申一が叫んだ。

「自宅にサッシの細工ができる作業場を持ち、廃校を欲しがっている、樽沢社長の身内。こんなに怪しい人間はいないな」

戌一は額に脂汗を浮かべ、ぎりぎりと歯ぎしりをしていたが、

「違う！」

叫んで、額に浮かんだ汗を右手で拭った。

「たしかにこの細工をして窓を交換したのは俺だ。廃校テーマパークの件も認めよう。申一の手にこの校舎が渡らないよう、虫と、白い足と、女の映像を見せた。だが……、だが違うんだ。俺が親父といるときに、チャイムが鳴ったり、電気がぱちぱちしたり、本が勝手に飛んだり……あれは俺の仕業じゃない。あれは本当の怪奇現象だ！」

只倉はうなずいた。

「その言葉が聞きたかった」

「はっ？」

「案内しよう。もう一つの出入り口へ」

只倉は一同を率い、給食室を出る。ぞろぞろと歩き、宿直室に着く。ドアは外されたままそこに置かれており、只倉は蝶番の説明をした。

「ちゃんと捜索したはずだったのに」

津村は唖然としていた。無理もない。こんなところが外れるかどうかなど、ふつうは確認しないものだ。津村はすぐに、戌一のほうを向く。

「これもあなたが？」

「違う」

戌一より先に、只倉は答えた。

「給食室の窓にわざわざ見つからないような細工を施した戌一が、もうひとつ出入口を作っておくなど不自然だ。ここを通っていたのは、サッシに細工がされていたことを知らないもう一人の人間だ」

とそのとき、チャイムが鳴った。ひっ、と小声を上げて戌一が飛び上がる。ついで、校内放送用のスピーカーから、子どもたちのざわめく声が流れ、《と……しょ……し……つ》と声がした。

「この声だ……」

戌一は口元を震わせていた。

「導かれるように図書室に行ったら、ビュンビュンと本が飛んでいたんだ」

その言葉を合図とするように、がしゃがしゃがしゃんと、食器棚から皿や茶碗が落ちた。

「ひいっ！」

棚の横板が外れたのだった。しーんと静まり返る一同。——すっ、とスマートフォンをつかんだ右手を挙げた男がいた。

「すみません、私の仕業です」

炎月だった。

「棚の横板を支えている部品をあらかじめ緩くしておき、ブルートゥース接続のスピーカーを載せておきます。スマートフォンで、人間の耳にギリギリ聞き取れるくらいの低さの音を流し、横板を振動させることによって落とす……やっつけで作りましたがまあまあの出来でした。材料がそろえばもう少しちゃんとした仕掛けが作れるでしょうから、時計を落とすことは簡単です。同じくブルートゥース接続のスピーカーを使えば、放送室からではなくチャイムを鳴らせますし、空気圧装置を使えば本を飛ばすこともできます。電気スタンドの明滅など、物理の知識があればもっとも簡単な仕掛けです」

「落ちる掛け時計、ひとりでに鳴るチャイム、飛びかう本、電気スタンドの明滅……戌一が見た物理的怪奇現象は、このドアから入ってきたもう一人の者の仕業と見るのが正しそうだ。……さて、この蝶番の金具、先の細い工具で壊されている。鉱物用のピッケルに見えなくもない」

「鉱物用……って、お前か、申一！」

戌一が申一を睨みつける。申一が白を切る前に、只倉はダメ押しの一言を告げた。

「同僚が調べてくれたが、八月十七日、二十九日、九月一日……学術調査だと言って研究室を出ているが、そんな調査は全く行われていなかった。怪奇現象を起こすのにわざわざアリバイ工作など必要ないと思ったのだろう」

ふん、と申一は目をそらして笑う。否定はしないという態度だった。

「申一、お前、どうして」

「廃校テーマパークだなんて浮ついた目的とはわけが違う。この校舎の下には、貴重な地層が眠っている可能性があるんだ。チバニアンを知っているだろう?」

首をひねる戌一。

「まあいい。お前に言ってもわからんだろうが、俺の睨んだところによれば、あの時代とさらに古い時代のあいだに当たる地層がこの一帯にあるんだ。掘り当てれば、俺は地質学の歴史に名を刻むことができる。校庭の大規模掘削を親父に頼んだが、一笑に付された。俺のほうがこの敷地を相続する価値があるのは自明だ」

「勝手なことを……!」

申一にとびかかっていく戌一。申一はすぐさまその顔を引っ掻(か)き、この野郎、この野郎と昨日と同じような取っ組み合いの喧嘩が始まった。

「おいっ!」

只倉は止めた。

「つまりお前たちはそれぞれが自分勝手な目的のためにこの校舎を欲しがり、相手が樽沢社長に会いに行っている日を見計らって侵入し、怪奇現象を起こしあっていたということだ」

そろって悔しそうに唇をかむ戌一と申一の顔はそっくりで、やはり兄弟なのだと思わせた。

「……なんだか空しいわね」

津村刑事がぽつりと言う。

「さんざん騒いだ怪奇現象が、兄弟同士のいがみあいだったなんて。そして結局、巳之助さんは怪奇現象とは関係なく磯釣りに行って足を滑らせてしまった。……さあ、この場は解散しましょう」

勝手にまとめようとする彼女に、只倉は手を差し出した。

「津村刑事、悪いが、車のキーを貸してくれないか？　別に乗ろうっていうわけじゃないが」

「どうして？」

何も言わずに手を出し続ける。津村は不思議そうな顔をしながら、只倉に鍵を手渡す。青い石のついたキーホルダーを、只倉は目の前にかざしてじっくり観察した。

間違いない……。

「やっぱり、まだ解散するわけにはいかないな」

「なんでよ」津村刑事は笑った。「私は海の捜索の指揮をとらなければならない。十時半には行くと部下たちに言ってあるのよ。それとも只倉さん、まだこの二人のどちらかが巳之助さんを連れ出したとでも言いたいの？」

「お、俺はそんなことはしていないぞ。申一に決まっている」「違う、戌一だ」

只倉はどすんと足を踏み鳴らして、再び兄弟喧嘩を止めた。

「二人とも四日の夜のアリバイはしっかりしていてあの晩樽沢社長を連れ出すのは無理だった。樽沢社長は他の人物に、殺されたんだ」

戌一と申一がびくりとしたのが、只倉にはわかった。

「親父は……死んでいるのか？」

ややあって申一が訊ねた。

「残念ながらその可能性が高そうだ。殺された日時はやはり四日の夜。ただし彼が出たのは給食室、宿直室のどちらの出入り口でもない。巳之助自身が犯人に呼び出されて昇降口から出たんだ。通常通り、鍵をかけて」

「待てよ」戌一は納得がいかないようだ。「昇降口の鍵は親父の寝室から見つかってるんだぞ。他でもない、津村刑事が見つけたんだ」

「他でもない津村刑事が、捜査をしながら鍵を見つけたふりをして持ってきたのだったら簡単だ」

「なっ……」

そろって津村刑事を見る兄弟。津村刑事はくすりと笑った。

「面白くない冗談ね」

「姿を消す直前の九月四日の夕方、樽沢社長は柘榴井珠緒に『自分で告白してほしいものだな』

と言ったそうだ。……告白。この言葉を私は『愛の告白』と勘違いしていた。だがこの言葉は、『罪の告白』という使い方もできる。樽沢社長はある人物の罪を知った。その事実を、被害者に自分で告白してほしいとその人物に告げたんだ」

只倉は、津村のキーホルダーを一同に見せるように掲げた。

「この青いトルコ石。柘榴井珠緒のイヤリングについているものとまったく同じだ。珠緒の夫は、女にトルコ石を贈るのがよくよく好きだったと見える。これだってもとからキーホルダーなのではなく、ネックレスか何かだったのだろう？」

津村刑事は答えなかった。

「樽沢社長もまた、このトルコ石から気づいたのではないか。珠緒の夫の浮気相手が、津村刑事であったことに」

ひっ、と申一が怪奇現象を目の当たりにしたときのような声を上げた。戌一はただ言葉を失い、只倉の顔を見ているだけだ。只倉は津村の顔から目を離さず、続けた。

「樽沢社長はあんたに、珠緒にすべてを告白して謝るように迫った。だがあんたとしては簡単にそんなことはできない。現職の刑事があろうことか親友の旦那と浮気をしていたなどと知られたら大問題、社会的抹殺は免れないだろう。なんとか口止めをし続けたがついに限界を感じ、殺すことにした」

「妄想もそこまでいけばたいしたものだわ！」

津村は只倉を遮るように大声をあげる。その態度が焦りの裏返しであることを、只倉は刑事の経験で察知した。

「だけど、その話を裏付ける証拠がない。巳之助さんの遺体だってまだ見つかっていないというのに」

「すぐに見つかる」

只倉はポケットからスマートフォンを取り出す。

「さっき磯釣りの道具が見つかったと聞いたとき、私はあんたが犯人だと確信した」

「どういうことかしら？」

「樽沢社長が失踪してからまもなく一週間だぞ。もし四日の深夜に置かれたものなら、今まで誰も見つけなかったのがおかしいだろう。地元では知られた夜釣りのスポットだというのに」

津村の表情は変わらない。

「人を殺した犯人が遺体の処理に苦労するのは刑事の常識だ。海に投げ込んだとしてもどこかに打ち上げられる可能性がある。そうなれば解剖に出され、他殺の跡や、死体をしばらく保存していた跡が見つかってしまうだろう」

「保存？　保存ってなんだ」「親父はどういう状況にある？」

戌一、申一がそろって訊ねるが、只倉は答えずに津村に向かって話を続けた。

「あんたは考えた末、刑事ならではの発想で『絶対に捜索されない場所』を自ら作り出すことにしたんだ。失踪した男はこんな広い廃校に住んでいた。捜査の手順としてまず、廃校の中を探すだろう。そこにないとなれば次は裏山だ。そうはいってもあまり大きくない山だから、三日も捜索すればここにも遺体はなさそうだなという雰囲気が捜査員たちのあいだに立ち込める」

只倉は津村の顔を指さす。

「そのタイミングであんたは、隠し持っていたクーラーボックスと釣り竿を磯に置く。こうすれば捜査員の注意は当然、海に向く。校舎や裏山は空振りだったと、もう二度と見向きもされない。こうして、『絶対に捜索されない場所』の完成というわけだ。とはいっても校舎は兄弟のどちらかの手に渡るから危ない。残るは裏山だ。おそらくあんたは、今晩遅くに裏山に隠すつもりだったのだろう」

津村は声もなく目尻を下げ、口角を上げるなんとも残忍な笑顔だ。対照的に戌一の顔は真っ青だった。

「お、親父の遺体は、今、いったいどこに……」

「まだまだ暑い季節だ。放っておけば腐乱して臭いが漏れる。それを防ぐためには冷凍するのがいちばんだ。遺体を凍らせておくほどの大きい冷凍設備はどこにあるか」

とそのとき、只倉の手の中のスマートフォンが震えはじめる。ちょうどいい頃合いだ。

只倉は通話をタップしてスピーカー設定にした。

「もしもし、只倉だ」

〈あっ、只倉さん、見つかったっす！〉

電話の向こうの黒氏は興奮していた。

〈津村刑事の実家の、駄菓子屋です。アイスの冷凍庫の中に、五十代後半の男性の遺体が。樽沢

巳之助と思われます！〉

「朝、あんたの家に行くように言っておいたんだ」

只倉は、薄い笑みを浮かべている津村に告げながら、尻ポケットから手錠を取り出した。

「決まりだな」

津村は何も言わず、両手を差し出す。手錠をかけようとした、そのときだった。

強い衝撃を手に受け、手錠が弾き飛ばされた。怯む間もなく、只倉は手を取られ、宙に投げ飛ばされた。宿直室の擦れた畳の上に、体を思い切り打ち付けられる。

「うぐっ……！」

「捕まるわけにはいかないの。こんなことで、私が……」

津村の目には怒りが宿っていた。捕まるわけにはいかないだと？　自宅で遺体が見つかっているのだ。そんなことが言えるわけないのに……まともな判断力を失っているのだろう。

「待て」

痛む腰をかばうこともなく、廊下へ逃げ出そうとするその女の足首をつかんだ。どてん、と津村は転んだ。無我夢中でその牛のような巨体に覆いかぶさり、両手を後ろ手に重ねる。もがく津村。ものすごい力で、ロデオのように只倉の体は左右にゆすぶられる。

「だ、誰か……」

視界の端に、そっくりの表情で腰を抜かしている樽沢兄弟の姿があった。だめだ、こいつらは役に立たない。

「炎月！」

「は……はい？」

背後からうわずった声が返ってきた。

「手錠を拾って、津村の両手にかけろ」

「私が？　私は、警察官ではありません」

「こいつは俺を投げ飛ばした現行犯だ。現行犯の逮捕は、怪談師にもできるんだ！」

「なるほど、それなら」

体の下ではうぉううぉうと吠えながら津村が暴れ続けている。手錠を拾った炎月がやってきた。

だが、かけようとするそぶりを見せず、只倉の顔を覗き込んでくる。

「お義父さん。手錠をかける代わりにお願いが」

「な、なんだ、早くしろ」

「再来月末、またライブがあるんです。ご出演いただけませんか？」

この野郎。殴りつけたくなったが、津村を押さえなければ。

「ライブでもなんでも出てやるから、早く手錠を！」

「約束ですよっ！」

少々手間取りながら炎月は、かちゃりと、津村の両手に手錠をかけた。それを合図にしたかのように、津村はおとなしくなった。

ふっ、と一息つく只倉。炎月が満面の笑みを向けてくる。

「やりましたね、お義父さん」

瞬間、激しい後悔が体の中に湧き上がってきた。怪奇現象の多発する廃校だなんてただでさえ気味の悪い事件なのに、この男の助けを借りてしまった。心中のもやもやをどうにか晴らしたいが、出てくるのはいつもと同じ言葉だけである。

「お義父さんと呼ぶんじゃない！」

――その顔が、いつになく忌々しく感じる只倉であった。

第5話　対決・仏像怪談

1

晩秋の曇天の下、ビルのてっぺんからゴジラが顔をのぞかせている。

歌舞伎町などに来るのは何年ぶりだろうか、と、只倉恵三は考えた。キャバクラ、ホストクラブ、ぼったくりバー……そういった店ばかりの印象があったが、こぎれいな飲食店を擁する巨大な映画館ビルや、ビルの中から別のビルがにょきりと突き出たようなデザインの歌舞伎町タワーなど、ずいぶんきれいに様変わりしていた。もっともそれは目立つ一部分だけで、一歩入った裏通りは依然ごちゃごちゃしているのかもしれない。

「この先、もう少し行ったところです」

人ごみを抜けながら、先を行く関内炎月が振り返る。

髪の毛こそいつもより整えられているが、いつもの和服姿だ。外国人観光客の一団が、「Ｏｈ、

ＫＩＭＯＮＯ！」というもの珍しげな声をあげている。

「逃げないでくださいよ、お義父さん」

炎月は冗談めかしたように言った。

「逃げるものか。それよりお義父さんという言い方をやめろ」

「ああ失礼。只倉さん」

その呼び方も気に入らないが、他にない。

また、悔悟の念が湧きあがる。何が悲しくてこの俺が、怪談ライブなどに出演しなければならないのだ。

荒々しい駆け足で、黒ずくめの男が走ってきたのは、そのときだった。黒いセカンドバッグを小脇に抱えている。

「待てこらっ！」

ドーナツ屋の陰から、ジャケット姿の三十代くらいの男が飛び出してくる。黒ずくめの男を追っているようだった。

「ん？」

ジャケットの男の顔に見覚えがあることに、只倉は気づく。たしか彼は、錦織……そうだ。錦織優也。以前とある強盗殺人事件で合同捜査をしたときに顔見知りになった、新宿署刑事課の若手だった。ということは、この黒ずくめの男は、何かの犯人だろう。

男は炎月の脇を駆け抜けようとする。只倉は反射的に右足を出す。男は只倉の右足に引っかかり、アスファルトの上に転がる。セカンドバッグがチャリンと金属音を立てた。

「だあっ！」

錦織が男に覆いかぶさった。只倉はさっとセカンドバッグを拾い上げる。中にじゃらじゃらと金属片が入っている感触がした。

「ご協力、ありがとうございます。……ん？」

もがく男の手を押さえながら、錦織は只倉の顔を見る。

「これは！　深川署の只倉さんではないですか」

「久しぶりだな。今はもう深川署にはいない」

「ああ、そうでしたか。今日は、捜査で？」

いや、と答えようとして炎月のほうを見た。ただただ、目をぱちくりさせている。

「そんなところだ。その男は？」

男はようやく静かになっていた。目の周りに小さなドラゴンのタトゥーが、首周りにも緑色のドラゴンのタトゥーが入っている。

「中国系犯罪組織の一味ですよ。この先にある中国料理屋がアジトだというタレコミがあって、ガサ入れたらそれを持って走り出したんです」

只倉は手の中のセカンドバッグを見た。チャックが半分ほど開いて、碁石のような金の塊がかなり入っているのが見えた。

「密輪か」

「ええ、まあ。他にも余罪がありそうですが」

「錦織！」「大丈夫か！」

ドーナツ屋の向こうから、新宿署の同僚と思しき刑事たちが三人、駆けてきた。只倉は自分の身分と事情を話し、その中の一人にセカンドバッグを手渡した。

「ご苦労様です！　今日は、事件の捜査でありますか？」

若い刑事がかっちりした敬礼をして訊いてきた。

「そんなところだ」

もう関わり合いにはならんという態度をあらわにし、炎月のほうを見る。

「行くぞ」

は、はいと返事をして、炎月は只倉のあとをついてきた。

「表だけきれいになっても、歌舞伎町は変わらんな」

コメントに困ったらしく、炎月は首を左右に振った。

2

会場は音楽イベントに使われそうなライブハウスだった。百席ほど椅子が並んでいる。

狭い楽屋に入ると、すでに他の出演者四人がそろっていた。

「はじめましてぇー。るくてぷです」

元気よく挨拶してきたのは、若い女性だった。ピンク色の髪の毛に、チェック柄のスカートの制服。アニメからそのまま飛び出してきたようだ。

「るくてぷさんは、怪談コスプレイヤーとして活躍されています」炎月が言った。「撮影会にいらっしゃるお客様から収集された怪談の数々は、なかなか興味深いものが多いんですよ」

「えっへへ。炎月さんに言われるとうれしーぃ」

両手を胸の前で組み、身をよじらせる。

「焼畑さん、こちら、本日ご一緒する只倉さんです」

炎月は、隣の男に話しかけていた。髪の毛に白いものが混じっているが、胸板が厚いからか、妙な若々しさがある。まだ五十にはなっていないだろう。緑色のトレーナーには大きく髑髏が描かれているが、この妙な模様はなんだろう?

「キャベツ怪談師、焼畑孤平太だ。よろしく」

「キャベツ怪談師?」

「焼畑さんは群馬でキャベツ農家を営んでらっしゃいます。出荷がすんで、比較的時間の空いているときに街へ出て怪談収集をされているそうです」

「冬のあいだは書き入れ時だな、ある意味。今日はよろしく頼むな、只倉さん」

年下だろうにずいぶんと尊大な男だ。髑髏の模様がキャベツの葉であることを、只倉はようやく認識していた。

「続いてこちらが、怪談シスター、シエロ三橋さんです」

修道女の衣装を着た女性が「お見知りおきを」と祈るように頭を下げる。

「我々はシスターとお呼びしていますが、今は教会には出入りされていないんですよね」

「はい。怪談を集めるため、教会の活動からは退かせていただきました。夫には思いとどまるよう言われましたが口論になり、別れることになってしまいました」

ものすごく丁寧な口調で、ものすごく罰当たりなことを言っているような気がしたが、只倉は何も言わなかった。

「なんだ、シスターも離婚したのかよ。俺も去年の暮れ、カミさんが突然別れるって言いだして、今じゃ独り身だよ。いったい俺の何がいけなかったのかね」

怪談を集めているところだろう。只倉はよっぽどそう言ってやりたかったが、頭のねじがどこか外れている連中にそんなことを言っても理解しないだろう。

「あとは、あの人ですね」

炎月は部屋の奥でじっとしている男のほうに目をやる。

痩(や)せ形の、ストライプのスーツを着た男だが、問題なのはその顔だ。革でできたマスクをかぶっている。目の部分は遮光シートが貼られて真っ黒であり、鼻から口元にかけて、鋭い突起が伸びていて、まるで鳥のくちばしのように見えるのだった。

「閑古鳥啼男(かんこどりなくお)さん。社会的地位のある方で、こうしたイベントにはあのマスクが不可欠なのです」

閑古鳥と呼ばれた男は、こくりとうなずいた。

「しゃべらないのか?」

「怪談以外はいっさい余計なことはお話しになりません。声で素性がバレてしまうとまずい方なので」

「でも、いい声してるんだよなこいつ」「声優さんになったらいいのにぃ」「閑古鳥さんのお話はいつも楽しみにさせていただいております」

三人の怪談師に褒められ、鳥マスク男は無言のまま恥ずかしそうに頭を掻いた。

六時からリハーサルを少し行い、六時半に開場。

舞台の袖から見ていると、客席はすぐに満席になった。客層は見事に二分している。

「若い女と、中年男が多いな」

「ええ」

そばにいる炎月が答える。

「昔からの怪談ファンも多いんですが、最近は若い女性が友人に誘われてハマってしまうというケースが散見されます。日向さんもそうでしたね」

忌々しいことを言う。娘の日向には、今日は来るなと言ってある。まさか来ていないだろうなと改めて会場を見渡す。

「ん?」

演出だろうか、非常口ランプの近くに魔女の顔をかたどったランプが吊り下がっていてその下に若い女性客がいる。

思わず、「あっ」と叫びそうになった。
会場の明かりが落ち、観客の顔は見えなくなった。歪（ゆが）んだ讃美歌（さんびか）のような音楽を聞きながら、今の女は間違いない……と只倉は思っていた。

「行きますよ」

炎月の小声に我に返り、他の怪談師たちとともにステージに進む。割れんばかりの拍手。客席後方からの照明がまぶしく、客の顔はほとんど見えない。リハーサルどおり、上手（かみて）から二番目の席に座った。

「みなさまようこそお越しくださいました。『炎に揺らめく怪談考察ナイト』。主催を務めますのは私、関内炎月でございます」

再び湧きあがる拍手。出演者の怪談師たちを一人一人炎月が紹介していくあいだ、只倉は目を細めてさっきの女を確認しようとしたが、やはり照明に邪魔されて無理だった。

「さて本日は、みなさまおなじみの怪談師諸氏とは別に、特別なゲストをお招きしております。只倉恵三さんです、拍手を」

只倉は姿勢を正した。目の前に置いてあるマイクをとり、

「只倉です」

とだけ挨拶をする。

「只倉さんは現役の警察官であり、強固な心霊否定派でもあります」

おおーと、客席から声が上がる。

「今日はみなさんの披露される怪談を、いつもどおりワイワイと考察するだけではありません。只倉さんに、警察官ならではの鋭い洞察力で斬っていただこうと思う次第であります。そしてですね、みなさん、お手元に扇子がありますね」

観客たちは手に手に、片面が赤、もう一方が青の扇子を握っている。

「怪談師たちが怪談を語るたび、只倉さんは否定派の意見を述べられます。みなさんは両方の言い分を聞いた後で、披露された怪談がやっぱり怪談だと思うなら赤の『怪』、只倉さんの解説によりそれが怪談でなくなったと思うなら青の『解』を舞台のほうに向けてお上げください。多いほうが、その話の勝者となります」

事前に聞いていたとおりのルールだった。刑事をなめるな、全員青にしてやる——客席の女のことはひとまずおいて、只倉は内心意気込んだ。

「さてそれではさっそく怪談のほうに移らせていただこうかと思いますが」

炎月は小さな棒を手にした。彼の目の前には、仏具のりんが置いてある。

「どなたからいきましょうか」

今夜、話す順番は特に決めておらず、その場の雰囲気で……と、リハーサルのときに炎月は言っていた。怪談イベントというのはそういうものなのだそうだ。

怪談師たちはお互いの顔をうかがうように見ていたが、

「はぁーい！」

元気よく、コスプレ娘のるくてぷが手を挙げた。声までアニメのようだ。

「いいねえ」キャベツ怪談師の焼畑が笑みをこぼす。「ハナはるくてぷちゃんがいいよ。元気がいいし可愛いし」

「私も、異存ございません」

修道女のシエロ三橋が祈りを捧げるようなポーズをした。鳥のマスクをかぶった閑古鳥も無言でうなずく。

「それでは今宵の第一話は、コスプレイヤー怪談師るくてぷさん、お願いします」

ちーん。りんを鳴らす炎月。照明が暗くなる。

「はーい。みなさん改めましてこんばんは、ゴールの見えない日本社会、怪に恋するシュークリーム。怪談コスプレイヤー、るくてぷです。今夜も、恐怖と、ナニソレ？　のぉ――」

ミルフィーユ！　と客席の一部から声が飛ぶ。

「ありがとぉー。るくてぷ、がんばるよぉ」

本当にこんな子に怖い話ができるのだろうかと、只倉は必要のない心配をしてしまう。

「えっとー、これは、私の撮影会によく来てくれる社長さんの体験なんですけどぉ……」

＊

その社長さん、仮にKさんとしますけどぉ、焼肉屋さんをいくつか経営してて、この歌舞伎町にも店舗があるんですね。私も一回だけ行ったことあるんですけど、象とか飾ってあって、タイ風なんだと思います。そういえば、ナンプラーとレモングラスをたっぷり利かせた「タイ風コチユジャン」ってのがあって、けっこうおいしいんですよぉ。

それで、Kさんの知り合いに、家具とかインテリアとかの会社をやっている人がいるんですけど、今年の八月の真ん中あたりに、その人の工場に遊びにいったんだそうです。その工場は直売なんかもやってて、家具のほかにいろんなところから集めてきた置物もいっぱいあるんですけど、その中に、木でできた仏像があったんですって。

三十センチくらいって言ってたかなあ、普通に立像ってやつで、持ったら木なのになんかずっしりしてて、これ、店に飾るのにいいかもなあなんて思ったんですって。そうしたらその家具屋さんが言うんです。

「それ、四か月くらい前に知り合いから預かったんだけど、そいつ引き取りに来られなくなっちゃったんだ。それで持て余しててさあ……。安くしとくから、よかったら持ってってくんない？」

Kさん、気に入ってますから、それを買って東京に持って帰って、歌舞伎町のお店に飾ることにしたんです。お店の真ん中の目立つ棚にあったガラス細工の虎の置物を窓際に移動させて、そこに仏像を置いたんです。そこからだと店内全体を仏像が見守ってるみたいでいいだろ、ってことで。

お店の雰囲気にもバッチリあって、初めは気に入ってたんですけど……。

そのお店、夜しか営業してないんですけどぉ、Kさん、いつもお昼の二時にはお店に行って鍵を開けてるんです。仕込みっていうんですか？　よくわかんないけど、いろいろ作業があるみたくて。

で、その仏像を入れた次の日ですよ、いつもみたいに二時に出勤したら、お店の中がなんか焦げ臭いんです。椅子に火がついてたんですって。

お店のテーマはアジアンですから、東南アジア模様の布が張られた椅子があるんです。それが一脚、ぼうぼう燃えてるんですって。

Kさん、慌てて水を持ってきて消して、それ以上の火事にはならなかったんですけどぉ……おかしいですよね。だって、Kさんが来るまでその店、鍵がかかってたんですもん。

お店の中を探したけれど、どこにも人なんていなかったです。

窓も無理ですよ。そもそもそのお店、ビルの三階です。まあ、すぐ下の二階の飲食店にはイタリアンレストランのテラス席があるんですけど、そこから誰かがよじのぼっていたら、さすがにお客さんや店員さんが気づきますよね。

とにかく火事にならなかったからよかったねということで、その日は営業したんですけど、それから三回も、同じことがあったんだそうです。

四回とも、燃えた椅子は同じ位置にあったんです。焼肉屋さんだから、それぞれのテーブルにガスで点火するあれがあるんですけど、火の元は毎日ちゃんと最後の人が、締めてるかチェックしてるし、そもそも椅子に火をつけるなんて無理じゃないですか。

Kさん、つてを頼ってお祓(はら)いのできる人に来てもらったら、その人、真っ先にあの仏像を見て「これが原因だ」って言ったんですって。Kさん、「捨てたほうがいいですか?」って訊いたら、「この店が気に入っているようだから、捨てたらもっと悪いことが起こるかもしれない」って言われたそうで。とりあえず位置を変えなさいって、お祓いの人の言うとおり窓際に移動させて、そこにあったガラスの虎はまた棚に戻されたんです。

そうしたら、嘘みたいにぴたりと、椅子が燃える現象は収まったんですよぉ。

ところが、ところがです。

九月になって初めの日曜日って言ってたかなあ……。そのお店、貸し切りの飲み会があったんです。私、あまり詳しくないんですけど、土日の歌舞伎町の飲食店って、よく貸し切りパーティーされるんだそうですよ。その日、下の階のイタリアンレストランも、ドレスとかタキシードの人たちが集まるパーティーが開かれていたそうで……まあ、それはどうでもよくって。そのタイ風焼き肉屋を貸し切ったのは辛味研究会っていう、辛い物の好きな人たちの集まりで、コチュジャンがめちゃ消費されたって言ってました。

その飲み会の最中、一つのテーブルで排煙設備？　あの、煙突みたいな、あれが詰まっちゃって、運の悪いことにそのテーブルでカルビの脂に火がついちゃって、火事みたいに煙が店中に充満しちゃったんですって。

ドアとか全部開けてようやく煙を出して、まあ、その日はそのテーブルは使わないってことで飲み会は終わったんですけど、最後に店を片付けていたとき、バイトの男の子が「あの仏像、ありません」って。

見たら、窓際に置いてあった仏像が、なくなってたんですよ。

今でもその仏像は行方不明なんですけど、火とか煙のトラブルもおさまったみたいです。気に入ってたけど、あれ以上持ってたらもっと大きな火事に巻き込まれてたような気もするな……って、Kさん、私にそう言ってました。

＊

「おわりでぇーす」

頭に手を当て、ぺこりと頭を下げた。ぱちぱちと拍手が湧き起こる。

「ふーん、興味深いですねぇ」

炎月が腕を組んだ。

「火の災いをもたらす仏像。私は聞いたことがないんですが、シスター、どうでしょうか」

「私は仏像のことは門外漢ですが」

当たり前だろと只倉は心中で毒づいた。仏像についての意見を、修道女に訊いてどうする。

「絵なら聞いたことがございますね。持っていたら火事になる絵」

「ああ、『泣く少年』ね」

焼畑がうなずく。

もとはヨーロッパの画家が描いた、涙を流す少年の絵。初めの所有者の家が火事になったことにより、別の者の手に渡ったが、その所有者の家も火災に遭う。その後も所有者を変え続けるが、ゆく先々で不審火が起こる。不思議なことに、その絵自体は燃えるどころか、焦げひとつつかない——シエロ三橋と焼畑孤平太は、二人でそんな話を繰り広げた。

「この仏像もその、『泣く少年』の類でしょうか。るくてぷさんはどう思いますか」

「そう思いますぅ。煙の中から消えちゃって、きっとまたどこかで、火事を起こそうとしてるんだと思うんです。そう思ったらぁ、怖くないですかぁー？　みなさんも仏像にはお気をつけくださいねーっ」

「と、いうことなんですが」

炎月はここでようやく、只倉のほうを向いた。

「只倉さんのご意見は？」

只倉は炎月を見つめ、次いで怪談師たちの顔をたっぷり眺めてやった。

「——くだらん」

「はい？」

「勝手に椅子が燃えたことも、煙が充満したことも、ちゃんと説明がつく。もちろん、怪奇現象などではなく」

これはずいぶん楽な勝負だ、と只倉は思っていた。

3

「椅子が勝手に燃えたのは怪奇現象ではない、と」

炎月が首をかしげた。

「いったいどういうことでしょうか」

「店長のKが仏像を手に入れたのは八月の真ん中あたり、つまり八月中旬だと言ったな?」

るくてぷに問う。彼女はしばらく目をぱちぱちさせていたが、

「あ、はい、そうです」

アイドル風ではない素の声で答えた。只倉は質問を重ねる。

「店の中央の棚に仏像を飾るとき、そこにあったガラス細工の虎を窓際に移動させた。そうだな?」

「そうでぇーす。タイはそういう、動物のガラス細工も有名なんでぇーす」

取り返そうというように、わざとらしいぐらいの作り声だった。

「透明なガラス細工だな?」

「そうでぇーす」

「真夏の日差しの強い時期に、湾曲した透明なガラスを窓際に置いておくのは極めて危険だ」

「なるほど」炎月がつぶやく。「収斂火災ですか」

「そうだ」

只倉はうなずいた。

「シューレンカサイ? なんですかぁ、それ」

「湾曲したガラスで屈折した太陽光の熱は一点に集まることがある。虫メガネがその代表例だな。熱が集中したところに偶然物があった場合、発火することがある。それが原因の火災を、収斂火

災というんだ」

「ははぁ」キャベツ怪談師も納得したようだった。「今回の場合、ガラスの虎によって熱が集中するところに、偶然、椅子があったってことか。そういや、毎回同じ位置に置いてある椅子が燃えるって、るくてぷちゃん、言ってたなあ」

「そうだ。この火災は仏像が原因ではなく、Kの不注意が原因だ」

「でもでもぉ」

勝ち誇るでもない只倉に向かって、るくてぷが身を乗り出す。

「煙はどうなりますかぁ？　排煙装置が詰まっちゃうなんてぇ」

「それはただのメンテナンス不足だろう」

「仏像、煙の中から消えちゃったんですよぉ」

「それは」と只倉は言葉に詰まりそうになるが、引き下がるわけにはいかない。「誰かが盗んだんだ。三十センチ大なら、カバンに入れて持ち去るのも可能だからな」

「なんでそんなこと、するんですかぁ」

「さあ、ほしかったんだろう。どこにでも盗み癖のある人間はいるものだ」

警察官として犯罪者と対峙（たいじ）してきた只倉にとっては自明のことだったが、他の三人はこの部分に関してはあまり同意していないようだった。

「さあ、という只倉さんのご意見でしたが、そろそろみなさんのジャッジを仰ぎましょう」

客席に水を向ける炎月。

「今のるくてぷさんのお話、怪談だと思った方は赤い『怪』、只倉さんの解説により怪談ではなくなったと思われた方は青い『解』をこちらに見せてお上げください。どうぞ！」

客席が少し明るくなり、舞台上から見やすくなった。般若心経にバイオリンを合わせたような気味の悪いBGMが流れる中、ばらばらと扇子が上げられていく。勝ったか——。

「だいたい、半々だなあ」

焼畑がつぶやく横で、

「赤が五十四、青が四十六です」

シエロ三橋が言った。

「シスター、なんでそんなに早く数えられるの？」るくてぷが訊く。

「教会でクリスマス集会をするとき、子どもの数と大人の数を数えることがあるんです。神父様が、すぐに数える方法を伝授してくださいました」

「さすがです。ともあれ」炎月がまとめる。「今回のお話に関しては、『怪談』と認定させていただきます」

ぽく、と木魚を叩く炎月。

「おい、そんなに簡単にまとめるな」

只倉は抗議しつつ椅子から腰を浮かせるが、

「今宵の勝敗はすべてお客様の多数決にゆだねられる。このことは事前にご理解いただいているはずですが」

こう言われると、もう何も言えない。ぐっと唇をかみしめ、椅子に腰を下ろす。

何事もなかったかのように進める炎月。シエロと焼畑は顔を見合わせているが、只倉はその向こう、もっとも上手の鳥マスクの男——閑古鳥啼男を見た。微動だにしない。さっきから何もしゃべらないが、話を聞いているのだろうか。まさか眠っているわけではないだろうが……。

「よっしゃ、俺が行こうか」

焼畑が右手を挙げた。

「では、今宵の第二話。キャベツ怪談師、焼畑孤平太さん、よろしくおねがいします」

ちーん——炎月がりんを鳴らす。

「俺のも、仏像の話なんだけどな——」

*

俺のも、仏像の話なんだけどな、Tという神奈川県在住の三十代の男性から聞いたんだ。

Tには一人、仲の良い学生時代からの飲み友だちがいたんだ。

この友だちっていうのを、仮にRとしておくけれど、ちょっと変わったやつなんだって。一年中、くすんだ灰色のニット帽をかぶって、いつもお気に入りのジャージを着ている。そのジャージも、白地に、赤い豹(ひょう)の毛皮みたいな模様のついたデザインで、どこで売ってるんだよそんなのって感じだよな。TはこのRと二人で、毎年春にタケノコを掘りに行くんだそうだ。今年も四月の最終土曜日に行こうという話になって、Rが車でTの家の前まで迎えに来たんだ。ところがその車、トランクの扉がぼこーってへこんでいたんだって。

「お前、これどうしたんだよ」

Tが訊くと、

「いやー、こないだ自転車に突っ込まれて」ってRは頭を掻いた。

「修理に出さないのか？」

「金かかるじゃん。しばらくはこのまま乗ろうかって思ってさ」

服装には変にこだわるくせに車はへこんでてもおかまいなし。そういうおかしなやつだったんだそうだ。

で、まあ、そのへこんだ車に乗って山の竹林に行って、二人でタケノコを掘ってたんだって。しばらくするとRが「あれ？」と不思議そうな声を出したんだな。

その山、下りるには勇気のいる、急な斜面があるんだけど、Rはその斜面の下のほうを指さして、「なんだあれ、仏像じゃないか」って言うんだ。Tが見ると、確かに斜面の下に仏像が落ちている。

「ちょっと取ってきてくれないか」

Rはそんなこと言うんだ。

「自分で取りにいけよ」ってTは言ったんだけど、「俺、腰痛いから」ってRが。
R、その日はたしかにずっと腰を曲げて痛そうにしていたんだって。で、車を出してもらっている手前、Tも断れなくて、気をつけながら急斜面を下りて、仏像を拾ったんだけど、それが気持ち悪い仏像でさ。金属製で、鈍色に光ってるんだけど、胸のところにナイフが突き立てられてるんだって。

斜面を登ってRに渡すと、Rは喜んで、

「これ持って帰ろうかな」って。

「やめとけよ。捨てて帰ろうぜ」

Tは言うんだけど、

「それってバチ当たりじゃないかなあ」

ってRが。

Tは驚いたんだよ。Rってやつは神仏をあがめるっていうことが一切なくて、前に一緒に有名な神社に行ったときには、鳥居に向かって立ち小便をしたこともあるほどなんだって。そんなやつが「バチ当たり」というのがなんとも不可解だったんで、Tは気味が悪くなって、それでもう、何も言わずに無視してタケノコを掘り続けたんだって。

それから三十分くらいしたら持ってきたカゴがいっぱいになったんで、

「そろそろ帰るか」

って話になって、Tは助手席に乗って、Rの運転で山を下った。

まだ早いからお前の家に車置いて、どっか遊びに行こうぜってTは助手席からRに話しかけるんだけど、何を話しかけてもRのやつ「ああ……」とか、「うん……」とか、気のない返事で。しばらくしたら何を話しかけても無反応になっちゃったんだって。

そうかと思うと急にキッ、て車を停めた。……そこ、なんだかよくわかんない、平たい木材がたくさん積まれた工場の前なんだって。

「ちょっと行ってくるから待っててくれ」

Rはドア開いて出て行っちゃった。

「おい！　なんだよ。ここ、どこなんだよ？」

Rは何も答えず、トランクを開けて何かを取り出した。それを車内から見ていて、T、ゾッとしたって言うんだよ。

それ、さっきの仏像だった。そういえばタケノコ掘ってる最中にRがいないなってときがあったんだとTは思い出したんだ。

「あいつ、あの仏像、持ってきたのかよ」

Rは、仏像を持ってその工場の中に入っていったんで、

「なんだあいつ……」

って思いながらTはずっと待ってた。Rは五分くらいして戻ってきて運転席に座ったら、

「待たせて悪かったな」

って、けろっとした顔をしてたんだって。

「よし、じゃあどこかに飯でも食いに行くか。おかゆがいいかな！」

その声がいつも以上に明るい気がして、なんだか気持ちが悪くって、Tは仏像のことを何も聞けなかったんだって。

「なあおい、悪いんだけど、俺、今日、帰ろうかと思う」

Tがそういうと、Rは別に残念がるふうもなく「そうか」とつぶやいて、Tを家まで送り届けた。

その二日後だっていうんだよ。Rが死んだっていう知らせをTが受けたのは。

Rの家の近くに、大きな団地があるんだけど、そこの一棟の五階に住む主婦が、夜の十一時過ぎにゴミを捨てようとドアを開けたら、階段に住民でも何でもない男の人が胸を押さえて苦しそうにしていたって。声をかけたけど動かなくなっちゃって。それがまあRなんだけど、救急車で病院に運ばれて、その日のうちに死んでしまったんだ。

で、その団地な。Rと何にも関係ない場所なんだよ。知り合いも住んでいないんだって。

Tはそれを聞いたとき、あの仏像のことをふと思い出した。胸にナイフが刺さっていたよな、あれ……って。R、拾っちゃいけないものを拾ったんじゃないかって。

あと、これは関係あるかどうかわからないんだけど、Rの死後少しして、例のへこんだ車、ドアがこじ開けられて中が荒らされたらしいよ。

＊

「……以上だ」

キャベツ髑髏怪談師・焼畑はそう話を締めくくった。観客席から拍手が巻き起こる。

「こわーい」

るくてぷが両手を顎に当て、首を振る。

「だってそれってやっぱり、仏像に呪いがかけられてたってことですよねぇ」

「仏像に、ですか」

疑問を呈したのは、シエロ三橋だった。

「だってだってぇ、胸にナイフが刺さってたんですよ、藁人形に五寸釘を打つのに似てますよ」

「しかし、仏像の胸にナイフを刺して呪いをかけるなんてしますでしょうか」

「依り代はなんでもいい、という考えの持ち主だったのかもしれませんね」

炎月が答える。

「藁人形に限らず、人の形をしたものに呪詛をかけるという風習は世界各地にあります。仏像に呪いをかけるというのもなくはないかもしれません。それより私が気になるのはですね」

こほり、と空咳をして炎月は続ける。

「その仏像が誰を呪ったものだったのかということです。もとからRさんを呪ったものであったとは考えにくいですよね」

「そうだな。Rは見つけただけだ」

焼畑は同意した。

「しかも、自分じゃ絶対に取れない斜面の下にです。それをどうして持っていきたいなどと言ったのでしょう。その時点でRさんは仏像の持つよからぬ力に魅入られていたと、私は思うのですが」

「俺もそう思う」

「まるで操られるように、Ｒさんは Ｔさんの気づかないうちにトランクに仏像を入れていた。そして呪いの矛先が自分に向いて、命をとられてしまった」

「やだー、こわぁーい」

るくてぷはただただ、怖がるだけだ。それを見て客席の一部から「かわいー」という声が飛び、只倉の神経を逆なでする。

「工場は、何なのでしょうか」

修道女はまだ、冷静だった。

「さあ、それがわからん」と焼畑。

「わからないところが怖いですね」と炎月。

「ひょっとして、工場の従業員たちもみんな、心臓やられてたりして」

「だとしたらすごく強い呪いということになりますね」

「こわぁーい！」

だん、と只倉はテーブルを叩いた。怪談師たちがびくりとする。会場もシーンと静まり返った。

「どうしたんですか、只倉さん」

「茶番に怒りがこみあげてきたんだ。何が仏像の呪いだ」

ぱちりと瞬きをする炎月。

「……ということはこれは怪奇現象ではないと？　Ｒさんが死んだのは仏像の呪いではない

と？」

「当たり前だ」

とは言ったものの、正直なところ、客席を納得させるだけの根拠になるだろうかという不安はあった。だが、刑事の意地にかけて、引き下がるわけにはいかない。

「Rは、タケノコ狩りに行く前から心臓が悪かったんだ」

「どうしてです？」

「一緒に飯に行くかと言ったあと、おかゆと言ったんだろう？　男二人で食いにいくものじゃない」

「まあ、たしかにそうですね」

「しかも学生時代からの飲み仲間。どうして酒を飲みにいかない？」

「どうしてでしょうか」

「食事もアルコールも規制されていたんだろう。もとから心臓が悪かったと考えてもおかしくない」

「根拠として弱い気がいたします」炎月はすっぱりと言い返してきた。「百歩譲ってもともと心臓が弱かったとしても、それをどうしてTさんには言わなかったんでしょうか。むしろ心臓が弱いのならタケノコ狩りなどあきらめませんか？　タケノコを掘るという運動をしている間に発作でも起きたら大変です。そんな危険を冒してまで掘るタケノコにどんな価値が……」

「うるさいうるさい！」

只倉はわめいた。決め手がない分、自分にイライラしているのだった。何なのだ、胸にナイフの突き立てられた仏像？　持ち込まれた工場？　こんな脈絡のない話、解説しろというのが無茶だ。

「とにかく俺は、呪いなど認めん！」

「そのジャッジは、お客様にお願いしましょう」

炎月は客席のほうを見る。

「みなさん、扇子をご用意ください。今の焼畑さんのお話、怪談だと思う方は赤い『怪』、只倉さんの解説により怪談ではなくなったと思う方は青い『解』を、音楽が鳴っているあいだにこちらに向けてお上げください。どうぞ」

流れるＢＧＭ。扇子が上がっていく。

今回の勝敗は明らかだった。赤のほうが圧倒的に多い。

「どうやら焼畑さんのほうが優勢ですね。いかがでしょう、シスター」

「赤、八十五。青、十五です」

祈りを捧げるようなポーズで、シエロは告げた。

「というわけで今回は、怪談ということになりました」

ぽく。木魚を叩く炎月の口元に笑みが浮かんでいるのを、只倉は見た。

4

炎月の目論見が次第に明らかになってくるにつれ、只倉は苛立ちで体が熱くなってきた。

いつも自分をコケにしてくる只倉に、怪談ライブという手法を使って復讐をしようというのだろう。怪談話を推理によって怪談話ではなくする……刑事のこのやり方を、大勢の面前で否定し、辱めようとしているのだ。

だいたい観客はみな、金を払ってまで怖い話を聞いてやろうなどという頭のねじの外れた連中だ。否定派に分が悪いのは目に見えているではないか。

「さてそれでは次はどなたのお話にいきましょう」

炎月は何も知らない風に会を進めている。

「私が参ります」

手を挙げたのは、怪談シスター、シエロ三橋だった。

「この流れで思い出したお話がございまして」

「ということは」キャベツ怪談師・焼畑がシエロの顔を見つめる。「仏像の話かよ?」

「まさに、でございます」

客席がざわついた。るくてぷが「うっそー」と両手で頬をはさむ。ここまで微動だにしていなかった閑古鳥ですら、シスターのほうへ鳥マスクのくちばしを向けた。

「これは大変興味深い！」

炎月が叫ぶ。

「教会で起こった怪異譚を数多くお持ちのシスターが、仏像の話なんて。只倉さん、とてもラッキーな日にいらっしゃいましたね」

心底楽しそうな顔を、張り倒してやりたくなる。炎月はりん棒を取り上げた。

「それでは今宵の第三話目。怪談シスター・シエロ三橋さん。お願いします」

ちーん。

「これは、私の姪から聞いた話でございます――」

*

これは、私の姪から聞いた話でございます。

姪の旦那さんを仮にサブローさんといたします。

サブローさんは都内に本社を持つ某IT企業にお勤めなんですが、今年の九月、この会社の後輩がご結婚なさったそうです。披露宴の会場は新宿のホテルでして、三百人規模の大きな式だったそうでございます。

サブローさんはこの披露宴に出席しました。サブローさんは結婚前はタバコもお酒も野放図に楽しんでいたのですが、姪が嫌がるので結婚後は共に止めています。しかし、こういうたまのハレの場では姪も許していますので、サブローさんはここぞとばかりに飲んでくるのだそうです。

姪はその日、「今日は遅くなるだろうから先に寝てしまおう」と、ダブルベッドに一人で入って就寝しました。

翌朝起きてみると、サブローさんは横におらず、リビングのほうから大いびきが聞こえてきます。

サブローさんは披露宴に出席した恰好から、ジャケットを脱いでネクタイを外しただけの状態で、ソファーの上で眠っていました。

しょうがないわねえとそばに近づこうとしてテーブルの上を見ますと、大きな紙袋が置いてありました。みなさんお察しと思いますが、披露宴の引き出物でございます。

姪はサブローさんを起こすのを後回しにして、どんな物をもらったのか検めることにしました。甘いものが好きな姪ですので、バウムクーヘンでも入っていたらいいなと思ったそうでございますが……、紙袋を開けて絶句してしまいました。

お菓子の箱とか、カタログとか、そういうものは確かに入っているのですが、その横に、丸太のようなものが突っ込まれていたのでございます。引き上げてみて仰天。それは……そうです。木でできた仏像でした。

紙袋に入っていたと申しましたから、大きさはこれくらいでございましょうか。古ぼけたような木肌で、気味の悪いことに足のあたりに赤くてドロドロしたものがべったりとついていたそうです。

「これ、血じゃないの？」

姪は気味悪がってすぐにサブローさんを起こしました。

サブローさんはとても飲んだと見え、大変お酒臭かったそうでございますが、姪はお水を飲ませ、仏像を見せて「これは何だ？」と質（ただ）しました。

「まったく覚えがない」

サブローさんはそう答えたのでございます。

引き出物の紙袋は披露宴で各々の椅子の下に置かれており、ろくに中を確認せずにサブローさんは持ってきたそうです。その後も二次会、三次会と一度も中を見ることなく持ち歩き、タクシーにて自宅マンションに帰ってきたのは夜中の二時すぎとのことでした。

二次会か三次会で荷物がごちゃごちゃになってしまったときに、別の人の紙袋を持ち帰ってしまったのではないか。姪はそう申したそうですが、サブローさんは紙袋の中を調べて、底から名刺大の紙を一枚引っ張り出しました。それは、披露宴でそれぞれの席に初めから置かれた新郎新婦からのメッセージカードで、サブローさんの名前がしっかり書いてあったのです。

二次会は新宿通りの居酒屋、三次会は歌舞伎町のイタリアンレストランで行われたそうですが、いずれのときも、持っていったきんちゃく袋を紙袋の持ち手に結びつけたので間違えたわけはないと……その、自分が酔っ払ってしまうことを予期していたサブローさんはあらかじめ、間違えないようにしておいたというわけでございますね。

もちろん姪は二次会の店にも三次会の店にも電話しましたが、いずれの店からもそんな仏像は知らないと、言われたそうです。

「捨ててきてほしい」

姪は当然言いましたが、サブローさんはのん気なもので、「せっかくだから飾っておこうじゃないか」などと言って、足に着いた血のようなものを丁寧に拭きとって、仏像を自分の書斎に持って行ったのだそうです。

それからしばらくしてからでした。サブローさんの様子がおかしくなったのは。

夜、姪がふと目を覚ますと、となりにサブローさんが眠っていない。リビングに行ってみると、ベランダに出て夜空を眺めているのだそうです。

「何をしているの？」

姪がガラス戸を開けて訊ねますと、サブローさんははっと振り返り、

「今、光が空に……」

と答えるのだそうです。夜空に無数の光が浮かんで、ぐるぐると回っていたのでずっと眺めていたのだと言うんですね。姪も夜空を見上げますが、何もありません。するとサブローさんは、

「仏さまがお迎えに来たんだ。危ないから中に入ってろ！」

などと喚きますので、慌てて姪は中に入ります。一分ほどしてサブローさんはリビングに入ってきて、

「もう大丈夫、寝よう」

などと笑うのだそうです。

そんなことが続くようになって二か月ばかり経った、つい先日のことでございます。

姪は専業主婦ですが、昼間、買い物に出て帰ってきたんです。するとマンションのエントランスの前で突然、「すみません」と、声をかけられました。近づいてきた男の格好がそれはそれは変わってございました。

上下黒のスーツなのですが、首に真っ赤なマフラーを巻き、目にはスキーゴーグルを装着しているのだそうです。

姪はその怪しい身なりに警戒しつつ、「はい？」と返事をしました。

「タルイサブローさんの奥様ですか？」

そのしゃべり方もどうも片言っぽかったのだそうですが、姪は反応しました。

タルイサブローというのは、仮名ですがサブローさんのフルネームです。「そうです」と答えますと、男は言いました。

「最近、サブローさんは仏像を持ち帰りませんでしたか？」

姪はもちろん心当たりがありますから、「はい」とうなずいたのでございます。ゴーグル男は喜んだ様子でした。

「それは私のものです。手違いで旦那様の手に渡ったのです。返していただけませんか？」

気味が悪かったのですが、サブローさんの様子がおかしくなったのはあの仏像がうちに来てからだというのを姪もなんとなく勘づいておりましたので、

「わかりました」

と答え、男をエントランスに待たせておき、すぐに部屋に入って書斎から仏像を取ってきて渡

しました。ゴーグル男はそれを受け取ると礼を言って立ち去りました。

仏像が消えたことに対して、サブローさんは特に何も言わなかったそうです。

＊

「……以上でございます」

胸元で十字を切るシエロ三橋。

「ううー、なんだよその話、気持ち悪いなあ」

拍手の音が止んだのを見計らい、キャベツ怪談師・焼畑がうめいた。怪談師にとって「気持ち悪い」というのは最大の賛辞なのだというのを、只倉も重々承知していた。

「まず、結婚式の引き出物にいつの間にか入っていたっていうのが気持ち悪い」

「そうですよねぇー、しかも血がついてたなんて。なんかその日式を挙げた新婚カップルに、よくないことありそうですぅー」

るくてぷもまた、嬉しそうに口元を緩めて首を振る。

「それにしても、後半の急展開です」

炎月がコメントをさしはさむ。

「ゴーグル男は何者なんでしょうか。黒スーツを着ているというところから、私には、メン・イン・ブラックのような気がしてならないんですが」

「ああ、私もそれ思いましたぁ！」

興奮して両手をぶんぶんと振る、るくてぷ。

「只倉さんはご存じですか、メン・イン・ブラック」

「ああ？」

不機嫌な返事をしてしまう。静謐（せいひつ）な雰囲気を持ったシエロの口から紡がれるあまりに奇っ怪な話に、胸がつまりそうだったからだ。……こんな話、どうやって、何から否定すればいいのだ。

炎月はお構いなしに続ける。

「会場にもご存じない方がいらっしゃるかもしれないので軽く説明しますと、メン・イン・ブラックというのはＵＦＯや宇宙人にコンタクトを取った人間の前に現れ、さまざまな圧力をかけて口止めをする、謎の組織の人間です。黒スーツとサングラスに身を包んだような恰好で現れるそうで、まあ、スキーゴーグルもまた、サングラスの一種と考えることもできましょう」

「シスター、やっぱりサブローさんが見た夜空の光っていうのは、ＵＦＯだと思うか」

焼畑が訊ねると、シエロは不可解そうに首を傾げた。

「ＵＦＯについて私は門外漢なのですが……私のつたない知識でもやはり、ＵＦＯとメン・イン・ブラックのような気がいたしますね」

「にしても仏像と宇宙人が結びつくか？　ひょっとしてそれ、仏像じゃなくてＵＦＯの部品か何かじゃなかったのか？」

「それは興味深いですね、焼畑さん」炎月が手を打った。「それならメン・イン・ブラックが回収しにきたというのもうなずけます」

「メン・イン・ブラックっていうか、宇宙人本人じゃないですかぁ？」

とるくてぷ。

「落としたＵＦＯの部品を返してもらいたくて、夜な夜なベランダにサブローさんを呼び出して、宇宙からの光で話しかけてたんですよぉ、きっと」

「なるほど」

焼畑がニヤリとした。

「だけどサブローは返すのを拒否し続けた。だからヤツは地球人になりすまし、シスターの姪御さんのほうに近づいたってわけか。冴えてるな、るくてぷちゃん」

えへへ。るくてぷはピンクの髪の毛に手をやって舌を出す。

「議論は尽きないところですが、只倉さん、このお話についてはどう思われますか？」

「……くだらん」

ハンカチで額を拭きながらなんとか絞り出したが、自分の声から覇気が失われていることを、只倉は承知していた。だが、続ける。薄弱ながら、反論の糸口めいたものが思い浮かんだからだった。

「なぜメン・イン・ブラックが赤いマフラーをするんだ、ばかばかしい。メン・イン・ブラックなど存在しない。もちろん、ＵＦＯもだ」

「そぉーんなこと言って、いいんですかぁ？　アメリカじゃ、国防総省と国家情報長官室がＵＦＯの情報を公開しましたよ。つまり、国家がＵＦＯの存在を認めたんです。アメリカが認めたということは……」

「タバコだ！」

只倉はその怪談コスプレイヤーの話を一刀両断した。

「はい？」

「妻が寝た後、夫がわざわざベランダに出る理由など決まっている。タバコを吸うためだ。サブローは、結婚前は喫煙していたんだろう？」

「ええ」シエロが答えた。「しかし、結婚後は妊に気を使って止めています」

「彼は披露宴や、それに続く二次会三次会で、仲間と一緒に羽目を外して久々に酒を飲んだ。当然、妻に気を使って控えていたタバコも吸ったろう。やっぱりタバコは美味いと再確認した。酒は家に隠しておけないがタバコなら隠し持っておける。これからも妻の寝たあと、ちょっとなら吸ってもいいだろう……そう思ったんだ」

「ん。それは納得できるな」

焼畑が言った。彼も妻帯者で喫煙者なのだろう。只倉は続ける。

「隠れてベランダでタバコを吸った余韻に浸っていたら、妻が起きてきたんだ。『何をしているの？』そう訊かれたら、妙な言い訳もするだろう。ベランダに出てこられたら、服に残った匂いがわかってしまうかもしれない。だから怖い顔をして妻を部屋に戻したんだ。どうだ！」

シエロ三橋は唇をかみ、るくてぷも口を半開きにしている。勝った。そう思えたのは一瞬だった。

「ベランダの奇行はそれでいいとして、そもそも仏像はどこからやってきたとお思いですか」

炎月がツッコんでくる。

「知るか。酔っぱらって拾ってきたんだろう」

「なぜ血がついていたんです？」

「落とし主の鼻血だ」

「スーツの男の正体は？」

「仏像マニアだ」

自分でも何を言っているのかわからない。その弱みをつくように、

「精彩を欠くなあ……」

先ほど一瞬だけ味方だったキャベツ怪談師が顎に手を当て、ニヤリとした。

精彩を欠くだと？　そんなことは只倉自身がよくわかっていた。タバコの件に関しては自信がある。だがその他のことに関しては皆目わからない。不甲斐（ふがい）なさに、額に汗がにじみ出る。

「それではそろそろ、ジャッジに移らせていただきましょう」

客席のほうを向く炎月。この野郎、と思っても、なすすべがなかった。先ほどまでと同じく扇子についての口上を炎月が述べ、ＢＧＭが流れだす。

「赤が九十二、青が八です」

自分の話だからシエロがカウントをごまかしたのではないことは、一目瞭然だった。

5

「さて、今宵の宴が開始してからすでに一時間が経過しようとしていますが」

炎月はおどけたように言った。

「どうしましょう。ここでいったん休憩しますか？」

それはいい、と只倉は思った。ここらで一息入れなければ、息が詰まりそうだ。

ところが、

「まだいいんじゃないか」

焼畑が余計なことを言った。

「私も大丈夫でぇーす」「私もです」

女性二人が同意する。

「というか、閑古鳥のやつがまだ一言もしゃべっていないぞ。こいつ、眠ってるんじゃないだろうな」

「――起きてますよ」

初めてその男が声を発したので、只倉は身構えてしまった。合唱で言えばテノールくらいの、よく通る魅力的な声であった。客席にも緊張が走るのがわかった。

「みなさんの話を聞いていて、ずっとゾッとしていました」

「ゾッとしてるのはこっちのほうだよ、こいつしゃべれるんだって思った人も多いはずだ。なあみんな」

焼畑の言葉に、客席から安堵に似た笑い声がわく。

「なぜゾッとしていたかというと、私もあるんです……仏像の話が」

「なんと」炎月はすでに、りん棒を手にしている。

「じゃあさっそくお話しいただきましょう。怪談は思い出したときが話しどき。怪の連鎖はさらなる怪をよびますので」

わけのわからない理屈を述べつつ、只倉の意見を聞かないうちから休憩の提案は取りやめになるようだった。

「それでは今宵の第四話。閑古鳥啼男さん、お願いします」

ちーん。

＊

閑古鳥啼男と申します。只倉さんも含めまして、初めての方がいらっしゃいますので、私のことを軽く話します。

こう見えまして私は弁護士資格を持っており、都内某所の弁護士事務所に勤務しております。とはいえまだ駆け出しですので、先輩弁護士のお手伝いをしながら勉強しているところです。こうして顔を隠させていただいているのは、そういう事情があるからなのです。ご理解ください。

ではいよいよ本題に。

じつは先日、先輩について、とある殺人事件の容疑者と面会をしてきました。仮にこの容疑者をマモルとします。

マモルは高校を卒業後、キャンプインストラクターの資格を取り、アウトドア用品店で働いていました。仕事は楽しかったのですが、給料は思いのほか安く、次第に不満を持つようになっていきました。そんなとき、中学のころの友人に誘われたことをきっかけに犯罪組織の末端の仕事を手伝うようになってしまいました。身のこなしが軽い彼は、住宅に忍び込んでは金品を盗んでくるということを依頼されていたのだそうです。

メッセージアプリやショートメールなどでは記録が残りますので、指示はいつも仲間からメモ書きで渡され、仕事が済んだらすぐに破棄するよう言われていたそうです。

今年の四月、マモルはいつものように紙切れを渡されました。

『老婆一人暮らし。

庭のガラス戸、壊しやすい。

仏間に黄金の仏像あり。

それを盗んでくる』

メモにはこう書かれ、簡単な地図と住所が添えられていました。仏像を盗んでくるなんて珍しいとマモルは思いましたが、いつものように引き受けました。

マモルの闇仕事は平日の深夜と決まっています。四月二十四日木曜日の深夜、指示された住所の最寄り駅にやってきた彼は日付けが変わって二十五日の午前二時まで時間を潰し、ターゲットの住宅の庭に侵入し、音が立たないようにガラス戸の鍵を壊して侵入しました。間取りは知らされていなかったので、とりあえず一番近くの部屋の襖を開き、入っていきました。ペンライトでその部屋の奥を照らし、マモルは思わず声を上げそうになったといいます。

仏壇がひとつあり、その内部にも、周囲の畳の上にも、大小の仏像がずらりと並んでいたのです。仏像といえば優しい顔立ちをしているイメージがありますが、マモルはその仏像たちに「何をしに来た？」と睨みつけられているような錯覚に陥ったそうです。

しかしとにかく、盗みの対象の仏像を探さなければなりません。黄金の仏像はどれだとライトの光を当て、いくつかの仏像を手にして検めますが、みな木像か石像、あるいはプラスチックのような素材でできたものばかりで黄金ではありません。

そのとき、背後でがたりと音がしました。

振り返ると、さっき入ってきたのとは別の襖が少し開いていました。どうやら隣の部屋に通じているようです。

見られた！

マモルはそう思いました。

声はしませんが、老婆に違いないと思いました。そして、気づかれないうちに警察を呼ぶつもりなのだと思いました。

とにかく見られたのならただで済ませるわけにはいきません。それに、狙いの仏像を持ち帰れなかったら、組織の上のほうから制裁を加えられるかもしれません。それならいっそ老婆を締め上げて仏像を出させようと思い、用意していた目出し帽をかぶって、開いた襖を引き開けました。

そこには、乱れた布団があり、老婆が横たわっていました。

「おい！」

ドスを利かせて声をかけましたが、老婆は反応しません。寝たふりをしてやりすごそうとしているのだとマモルは思いました。

「起きろ！」

その髪の毛をひっつかんだところでマモルは違和感を覚えました。ぬらりとした何かが手についたのです。ペンライトで手を見て、

「ひっ！」

マモルは声を上げました。

それは血でした。老婆はぐったりしていました。死んでいるのは明らかでした。

マモルは驚きましたが、同時に老婆の死体の右手がなにかを握っているのを認めました。それがライトの光を反射させているのです。よく見ればそれは、金属でできた仏像でした。

これだ！　とマモルは思いました。そして老婆の手からそれをもぎ取るようにして、慌てて家を出ていきました。

死体を見た恐怖と興奮で、そこからのことはあまり覚えていないそうですが、気づいたらどこかから盗んだ自転車で山のほうへ来ていたそうです。いつしか空は白んでいて、のどがものすご

く渇いているのに気づきました。

　自転車を降り、休んでいるところに電話がかかってきたのです。いつも指示を出してくる三十すぎのタジマという男でした。

「仏像は首尾よく盗んだか」

　タジマは訊ねてきました。マモルは迷いましたが老婆の死のことは言わず、盗んだ仏像が手元にあることを告げました。

「いいか、その仏像の中には金塊がある。それを俺とお前で山分けしようじゃないか」

　予想もしない話にマモルは面食らいましたが、聞けばそれはロシアから中国経由で金を密輸するために作られたダミーの仏像なのだそうです。外はちゃちなプラスチックに見えるが、こじ開けると中には金塊が入っているとのことです。タジマはそれを横取りして高飛びしようという計画を持ち掛けてきたのでした。たじたじとするマモルに一方的に待ち合わせ場所を言うと、タジマは電話を切りました。

　明け方の山の中でしばしマモルは呆然としていました。気づけば朝日が出ていて、林の影がバーコードのように見えるなあ……などと関係のないことを考えていたそうです。はっと我に返り、とにかく金塊のことだけ確認しようと、仏像を開こうとしました。よくよく見れば、仏像の手のあたりにわずかな溝があります。無理にこじ開けようと二、三分奮闘していたそのときです。

　視界の端に何か白いものが見えた気がしました。見れば、向こうに腰を曲げた白い人物がいて、ゆっくりゆっくりとマモルに向かってくるのです。髪は灰色で、白い服のあちこちに赤いものが飛び散っていました。

老婆だ！

マモルは直感しました。血にまみれて死んだ老婆の霊が追いかけてきたのだ――「俺じゃない。俺が家に侵入したとき、あんたはもう死んでいた。仏像を返すから、追ってこないでくれ！」

マモルはそう叫んで仏像を投げ出し、幹から伸びている細かい根に足を幾度も滑らせながら林道に出ました。すぐさま自転車に飛び乗り、山道を降り、いちばん先に目に入った交番に飛び込んで自首しました。どれだけ慌てていたのかわかりませんが、自転車の右ハンドルが何かに強くぶつかったようにひしゃげていたようです。

老婆の遺体はその後、マモルの証言どおりの家で発見され、殺人事件として捜査が始まりました。捜査に協力することを申し出たマモルでしたが、すぐにその容疑が窃盗から強盗殺人に切り替わりました。

老婆は後頭部を殴られており、凶器はそばに落ちていた大理石の仏像です。そこにべったりとマモルの指紋が残されていたのです。

マモルは殺したのは自分ではないと主張し、国選弁護人として選出された私の上司、並びに私に今の話をしたのです。

＊

「以上、長くなりました。ご清聴、ありがとうございました」

閑古鳥は、鳥マスクをかぶった頭を、深々と下げる。最後まで口調こそ丁寧だが、本当に気味が悪かった。

「これはすごい話です……」炎月はそうコメントすると、「今回は、まず只倉さんにお伺いしたいかと。現役の警察官として、今の話、どう思われますか？」

「弁護士が報道されていない依頼人の話をべらべらとしゃべるものじゃない。そう思う」

本当の本音を言ってやったが、あはは、と炎月は冗談めかした。

「そこはどうぞ穏便に」

怪談師などに常識が通用しないのはわかっている。只倉は鳥マスク男のほうを向いた。

「マモルは山の中に仏像を投げ出したと言ったな？　その仏像は見つかったのか？」

「いいえ。警察が探したのですが、見つからなかったとのことです」

「タジマという男は本当に存在するのか」

「マモルのスマートフォンには当該時刻に発信者不明の着信記録がありましたが、タジマという男にはたどり着いておりません」

「それなら決まりだ」ふん、と只倉は鼻息を出した。「すべてはそのマモルという男の妄言だ。黄金の仏像などというものは初めからなかった。単純に盗みに入り、老婆を殺害し、錯乱して逃げた。仲間から電話があったのは事実だが、どうせ何を話したかなどわからないだろうと適当なことを並べ立てた」

「それにしては証言が具体的な気がするなぁー」

るくてぷがピンク色の髪をいじった。

「朝日が出て林の影がバーコードみたいに見えるとか、細かい根っこに足を滑らせたとか」

「いいところに気づくなあ、るくてぷちゃんは」

焼畑が褒める。馬鹿馬鹿しい、と只倉は思う。林の影をバーコードに例えるなんて。木々の幹が太すぎてバーコードになど見えないだろうに。バーコードに見えるのは――

「えっ？」

只倉の頭の中に、ある光景が浮かんだ。幹から伸びた細かい根、足を滑らせる――

「ちょっと待て！」

只倉は机に手を叩きつけ、立ち上がった。

「ど、どうしたのです？」

炎月が訊ねるが、答えてなどいられない。頭の中で数々の情報が動いていく。五人の怪談師と百人の観客が沈黙して見守る中、たっぷり一分の思考時間を使ったあとで、

「――そういうことか」

そう、つぶやいた。

一瞬遅れて、活火山の溶岩のように興奮が湧き上がってくる。

「は、ははは……わははは！」

気づくと笑っていた。

「どうしたのです、只倉さん？」

炎月が訊ねてきた。まだだ。まだ、この推理を裏付けるには少し時間がいる。

「炎月。休憩だ」

「はい？」

「今から休憩時間を取れ。お客さんもみんな、疲れているだろう」

炎月はあっけにとられていたが、「は、はい」と素直に応じた。

「それでは今から十五分ほどの休憩とさせていただきます。お時間一分ほど前にはアナウンスさせていただきますので、お早目のご着席を」

ＢＧＭが流れだす前に、只倉は舞台袖へと歩いていく。

楽屋に戻り、カバンの中からスマートフォンを取り出したところで、炎月や他の怪談師たちが戻ってきた。

「いったいどういうことですか」

炎月の問いには答えず、只倉は後ろの四人に質問を投げかける。

「誰かこの中でノートパソコンを持っているやつはいるか？」

「はぁーい。持ってまーす」るくてぷが手を挙げた。

「ビデオ通話アプリは入ってるな？」

「もちろんでぇーす。使いますかぁ？」

「貸してくれると助かる」

「わぁー、何に使うんだろう。楽しみぃー」

只倉はニヤリとした。

「今から一件、電話をかけてくる」

怪談師たちの間をかきわけ、外へ向かう。

裏口の鉄扉を開けると、新宿の汚い路地裏だった。ごみが散乱し、嘔吐物の臭いのしみこんだアスファルトにネズミが走っていく。スマートフォンを取り出し、只倉は一人、愉快な気持ちでいた。——見てろよ。お前たち全員まとめて、ほえ面をかかせてやる。

6

「皆さま、大変長らくお待たせしました」

炎月が謝りながら、客席を見回した。十五分と伝えておきながら、休憩が開始してから三十分以上が経っている。只倉が外から戻らなかったからだった。仕方あるまい。只倉は自分に言い聞かせた。怪談師たちをやり込めるには、相応の準備が必要なのだ。

目の前にはるくてぷから借りたピンク色のノートパソコンと、イチゴをかたどったマウス。舞台後方にあるスクリーンとすでにつながっている。

「周りに空席、あるいは、先ほどとは違う人が座っているなどということはございませんでしょうか。ございませんね……それでは後半戦、始めたいと思います」

手元の機械を操作する炎月。オープニングでも流れた、気味の悪い音楽——その音楽が止まっ

たところで、

「さて只倉さん」

炎月は只倉のほうを向いた。

「前半に披露された怪談師たちの怪談について、改めて何か見解があるそうですが」

「当たり前だ」

只倉は口元のほころびを抑えられない自分に気づいていた。戦いの幕は、切って落とされた。

「まずは鳥男、お前の話からだ」

閑古鳥のほうを見る。マスクで表情の変化こそわからないが、彼は背筋を伸ばした。

「『大和市老婦人殺人事件』。神奈川県警の大和署管内で四月に起きた事件だ。お前が話した老婆の一件はこれで間違いないな」

「……実名は、伏せたほうが」

その反応だけでじゅうぶんだった。

「長く警察官をやっていると横のつながりもできてな、神奈川県警の知り合いに聞いたら事件のことをよく教えてくれた。強盗殺人の容疑で逮捕された青年――お前にならってマモルとするが、彼が末端の仕事を請け負っていたのは、『ブラックフェレット』という中国系犯罪組織だ。連中はたしかに数年前、ロシアから中国経由で金を仕込んだ安物の仏像を日本に持ち込んでいる。連中はそれをいったん国内で売りさばき、ほとぼりが冷めた頃に売った相手から盗んで金を回収するという計画を立てた。そんなことも知らずに買ってしまったのが、件の老婆だった」

「え、ええ……そう聞いています」

「ところが、『ブラックフェレット』には香港系の『紅い竜舌蘭』という対抗組織がある。どうやら『ブラックフェレット』から仏像の顧客リストが『紅い竜舌蘭』に漏れたらしい。となれば、『ブラックフェレット』より先に、仏像を盗み出そうと考えてもおかしくない」

「なるほど」

意外なところから合いの手が入った。シエロ三橋だ。

「つまり、マモルさんが仏像を盗みに入ったその日、直前に『紅い竜舌蘭』の構成員が同じ家に侵入して老婆を殺害していたと、おっしゃるのですね」

「そういうことだ」

「しかしですね」炎月が口をはさむ。「その部分は閑古鳥さんの怪談の肝ではありません。むしろ、マモルさんが嘘をついていないのだという主張ならば、そのあと彼が山で見た老婆の幽霊の話も本当なのだということになりませんか」

「大事なのはそこだ、炎月。マモルは嘘などついていない。だが、錯乱状態の中で、幽霊ではないものを幽霊と勘違いしてしまったんだ」

「はい？」

「マモルが老婆の死体を発見したとき、実際の殺人犯、つまり『紅い竜舌蘭』の手先の者はまだ家の中にいた。……こいつの名を仮にXとしよう」

仮名にアルファベットを使うなど、怪談みたいだ。軽く嫌悪感を覚えつつも、只倉は話を進める。

「Xは、押入れか何かの中でマモルが老婆を発見して腰を抜かし、仏像を持ち去るのを見ていた。彼は当然マモルを追いかけたが、マモルは自転車を使っていたために追いつけなかった。それで、近くの地理に明るい仲間に連絡をし、その行方を追ってもらうことにしたんだ。X自身は現場に引き返し、仏間にひしめき合う数多の仏像の中から、凶器にふさわしい大理石の石仏を拾い上げ、老婆の血をつけて遺体のそばに転がしておいた。マモルは家に入ったあと、目当てのものをさがしてあらゆる仏像に触れている。当然、凶器に仕立てあげた石仏にもマモルの指紋がべったりついているから、マモルに罪を擦り付けることができる」

「指紋のことはわかったのですが」炎月が顔をしかめた。「仲間というのは？」

「『紅い竜舌蘭』の仲間に決まっている。やつは自分の車で、マモルが逃げた山のほうへ向かった。道路が途切れているところに自転車が置いてあるのを認め、車を降りて人が行きそうなほうへ追っていった。その姿を、先に山に入っていったマモルは死んだ老婆と見間違えたんだ」

「その仲間というのもやはりお婆さんだったというのですか？」

「違う。小柄な男だ」

「しかし、腰が曲がっていて、白髪まじりで、白い服に血が点々と飛び散っていたと」

「腰を悪くしていて、灰色のニット帽をかぶっていて、白地に赤い豹柄のジャージを着た男ならどうだ？」

只倉の言葉に、会場は静まり返った。

「ん？　ん？　ん？」

焦ったように只倉のほうに身を乗り出してきたのは、キャベツ怪談師の焼畑だ。

「それって、俺の怪談に出てきたRじゃないか？」

「そうだ。マモルは、追ってきたXの仲間、すなわちRを老婆の幽霊と見間違えたんだ」

「そんな」

突拍子もないことを、というように笑う焼畑。だが只倉は引かない。

「交番に自首したとき、マモルの自転車は右のハンドルがひしゃげていた。どこかにぶつけたのだと思うが覚えていないとマモルは言ったそうだが、それはRの車だったんじゃないのか。Rは『こないだ自転車に突っ込まれて』と言ってたんだったな」

「たしかに言っていたけど……」

笑みを崩さない焼畑。只倉は閑古鳥のほうを向いた。

「マモルが逃げ込んだのは林と言っていたが、普通の木の林ではないだろう。木なら幹が太すぎて朝日が出ても影がバーコードのように見えることはない。バーコードのように見えるのは、竹林だ。マモルが足を滑らせた『幹から伸びた細かい根』というのも、木ではなく竹の特徴。どうだ？」

水を打ったように静まる場内。誰もがその、表情の見えない鳥マスク男の発言を待っている。

「……ご推察の通りです」

やがて閑古鳥は絞り出すような声で言った。

「別に隠すつもりもなかったのですが、マモルは竹林と言っていました」

　ざわざわと観客席がざわめく。

「キャベツ怪談師。お前にさっきの話を提供したTは神奈川在住の男性だと言ったな。大和市じゃないのか？」

　先ほどまでの余裕の表情はどこへやら、焼畑の顔は青ざめてすらいた。

「ああ……本当はさっきからいつ白状しようかと思っていたんだ。TもRも、神奈川県大和市の人間だ」

「うっそ」

　るくてぷは素の反応をした。

「閑古鳥さんの話と焼畑さんの話はつながっていたっていうんですか」

　いい流れだ。只倉は内心ほくそ笑みながら続ける。

「マモルが去ったあと、Rは仏像を回収しようとした。だが仏像は山の急斜面の下だ。腰を悪くしているRにはとても回収に行けない。そこでRはタケノコ狩りを利用して、Tに取ってきてもらおうと考えたんだ」

「ちょ、ちょっと待って」

　るくてぷが止めた。妙な敬語はもうなかった。

「Tが拾ったのはマモルが盗んできて落とした仏像だっていうんですか」

「それ以外に何がある？」

「だって、Tが拾った仏像は胸にナイフが刺さっていたんです。誰が刺したんですか」

「なんだ、そんなことが気になるか」わざと余裕があると聞こえるように言って、再び閑古鳥のほうを向く。

「マモルはたしか、キャンプインストラクターとして働いていたんだったな」

「そうです」

「仏像の胸にあったわずかな隙間をとっかかりとしてこじ開けようとするなら、爪よりナイフを突き立てたほうが手っ取り早い。キャンプインストラクターならそういう発想になって当然だ」

「……たしかに。マモルは私には言いませんでしたが、仏像にナイフを突き立てたのかもしれません。そうやってこじ開けようとしている最中、Rさんを老婆と見間違え、仏像を投げ出した。それが、急斜面の下へ転がっていってしまった」

閑古鳥が認めたことにより、追い風が吹いたように感じた。

「Rの目論見通り、Tはしっかり仏像を拾ってきてくれた。それをトランクに入れ、Rは目的の工場に運んだ」

「工場……」炎月だ。「只倉さん、Rが立ち寄ったその工場が何なのかも、もうわかっているというのですか」

「家具工場だ。Rはそこで仏像の表面を加工し、あたかも木でできているような見た目にしてもらおうとしたんだろう」

「なぜそんなことを？」

「金を横取りし、換金しようとしたんだ。自分の心臓手術の費用に充てるためにな。だがすぐに換金すれば足がつくし横取りしたことがバレる。だから、もとの仏像とわからないような見た目に加工したんだ」

炎月は質問を重ねてはこなかった。

「工場の社長は後日取りに来るようにRに言った。だがそれは叶わなかった。Rはその二日後、心臓発作で死んでしまったからだ」

「それは……そのタイミングで死ぬということは、それはやはり呪いではないのですか。しかも、知り合いも誰も住んでいない団地の階段で死んだのですよ」

祈るように両手を組み、シエロが訊ねる。

「Rは追われていたんだ」

「誰にです？」

「決まってるだろう。『紅い竜舌蘭』のXだ」

「ええ？」るくてぷが頬に手を当てる。「その人、まだ出てくるんですかぁ？」

「Xにしてみれば、仲間のRが仏像を自分のところへ持って来ないことを疑問に思うはずだ。Rの家の近くで待ち伏せして、問いただすのは自然だろう。Rは『ブラックフェレットの若いやつが失くしてしまったようだ』としらばっくれたが、Xはその嘘を見破った。Rは逃亡し、Xをまくために巨大な団地に逃げ込み、適当な棟に入り込んで一気に階段を五階まで上った。心臓の弱い人間がそんなことをしたらどうなる？　発作が起きて死んでしまってもおかしくない」

「そこを偶然、団地の奥さんが見かけたというのですか」

シエロは静かに言った。

「……なくはないでしょうね。いやむしろ、そうとしか思えなくなってまいりました」

只倉はうなずき、先を続ける。

「仏像のことに話を戻そう。工場の社長は、加工が済んだが依頼主が死んでどうしようもなくなった仏像を持て余し、それからしばらく、仏像はその工場に放っておかれたんだ。四か月後にある人物が目に止めるまで。その人物とは――《カルビ・シリラート》の社長だ」

なんだそれ……と怪談師たちは首を捻る。ただ一人を除いて。

「うー、そー、でー、しょー」

「どうしたの、るくてぷちゃん」

訊ねる焼畑のほうに、彼女は顔を向けた。

「それは、私に仏像の話を聞かせてくれた、焼き肉屋のKさんですぅ」

えっ、と客席から声が上がる。

「その通りだ。つまり、君の話に出てきた仏像もまた、同じ仏像だったということだ」

「うー、そー、でー、しょー」

「Kは自ら経営する焼肉店《カルビ・シリラート》の歌舞伎町店のインテリアとしてその仏像を飾った」

「はぁー……」

るくてぷはもう何も言いたくないというように両手を前にして机に突っ伏す。入れ替わるように口を開いたのは鳥マスクの閑古鳥だった。

「しかしですね只倉さん。その仏像は、辛味研究会の飲み会の最中、煙の中で消えてしまったんです。その現象はやはり、怪談ではないですか」

「まったく違う」只倉は否定した。「仏像はさっきのいきさつで、窓際に移動していた。煙が出たとき、窓際の客が窓を開けるのは当然の反応だ。騒ぎの中で、仏像は窓の外に落っこちていったんだ」

「しかし、その窓のすぐ下はイタリアンレストランのテラス席になっているんでしたよね。たしか当日も、貸し切りパーティーが開かれていたのではありませんでしたっけ」

閑古鳥の口調は整然としている。只倉は思わずにんまりする。

「そうだ。『ドレスとかタキシードの人たちが集まるパーティーが開かれていた』んだったな。ドレスやタキシード。新宿の真ん中のレストランでそんな恰好で大騒ぎするパーティーとはなんだ？」

「えっ」

閑古鳥は答えに窮したが、気づいた怪談師がいた。

「……結婚式の三次会だ」

呆然とした顔で焼畑がつぶやいた。るくてぷは突っ伏したままだ。

「《リストランテ・ポヴェーリア》。《カルビ・シリラート歌舞伎町店》のすぐ下に入っているレストランだ。シスター、この名前に聞き覚えはないか」

「ええ」シエロ三橋は素早く二回、十字を切った。「姪から教えられた店です。サブローさんが参加した三次会はまさに、そのお店でした」

「クロークなどのないレストランでパーティーをするとき、荷物は一か所にまとめておくのが普通だ。その三次会ではテラス席が荷物置きになっていたのだろう。上の階の《カルビ・シリラート》で窓際席に座っていた人間が窓を開き、仏像を落としてしまった。それが、テラス席にあったサブローの引き出物の袋にすっぽり入ってしまった。酔っ払ったサブローはそれに気づかず持って帰ってしまったんだ」

シエロは口をつぐんだまま目をつぶる。閑古鳥はマスクの上から痒そうに頭を掻きむしっていたが、

「血は？」

と訊ねた。

「シスターによれば、引き出物の袋から出てきた仏像にはべっとりと血のようなものがついていたと……」

「コチュジャン！」

只倉が言う前に、るくてぷが叫びながら起き上がった。

「《カルビ・シリラート》はナンプラーとレモングラスをたっぷり使ったタイ風コチュジャンがウリで、お肉と一緒に頼み放題なんです。辛味研究会ならそれ山盛りで頼んでただろうし、煙の

混乱の中で仏像に飛び散ってもおかしくなーいっ！」

予想外の解決に、閑古鳥はもう何も言わなかった。閑古鳥どころか、誰の声も聞こえない沈黙が数秒、あった。

「それで……そのあとは？」

乾いた声で、炎月が訊ねてくる。

「シスターの姪のもとへやってきた、ゴーグル男は何者です？」

「決まっているだろう、Xだ」

「出た！　X！」

るくてぷがのけぞった。

「R亡き後、やつは必死になって仏像の行方を追ったに違いない。そして、車に思い至った。Rが死んだあと、車のドアがこじ開けられていたんだったな？」

焼畑に訊ねると、彼は口をあんぐりと開けたままこくりとうなずいた。

「Xはドライブレコーダーのデータを狙ったんだ。そして、Rが仏像を例の家具工場に持ち込んだことを知った。家具工場へ行ったが時すでに遅し。続いて歌舞伎町の《カルビ・シリラート》を突き止めたが仏像がなくなったいきさつを知り、その日階下の《リストランテ・ポヴェーリア》で結婚式の三次会が開かれていたことを突き止める。その出席者名簿を手に入れた彼は一軒一軒、しらみつぶしに調べて回った。『あなたのご家族が、最近、仏像を持ち帰りませんでしたか』となト」

炎月は腕を組み、うう……としばらく唸(うな)っていた。この男のこんな顔を見られるなんてと、只倉は小躍りしたくなる気持ちを抑えるのに必死だった。だが、まだ勝利宣言をするには早い。

「……しかしですね只倉さん」

炎月は重い口を開いた。

「その話が事実である証拠はありませんね」

「怪談師のくせに、『証拠』だなんてもっともらしい言葉を口にしやがって。いいだろう、証明してやる」

只倉はイチゴ型マウスに手をやり、ノートパソコンを操作する。ぱっ、とビデオ通話アプリが開き、画面と背後のスクリーンに一人の男が映し出された。怪談師たちはそろってスクリーンを振り返る。何が起こったのかと客席が注目している空気が、舞台上に伝わってくる。

「聞こえるか」

〈はい、聞こえますが、いったいなんなんですか、只倉さん〉

画面の中の男——新宿署刑事課の錦織は不思議そうな顔で答えた。

「こちらの問いに答えてくれればいい。今日の午後五時過ぎ、東宝ビルの前で一人の男を拘束したな」

〈はい。中国国籍のシャン・リンケイという男です〉

「その男の写真を見せてくれるか」

画面の中に、男の写真が出た。先ほど見た通り、目の周りと首の周りにそれぞれ、ドラゴンのタトゥーが入っている。

「この男の素性と罪状はなんだ?」

〈中国系組織『紅い竜舌蘭』の構成員です。別の犯罪組織が中国経由で密輸した金を横取りしてさばこうとした罪で、今日、アジトであった歌舞伎町の中華料理店にガサを入れたところ、逃げ出したので逮捕しました〉

「取り調べで、何か別の犯罪を白状しなかったか?」

〈はい。神奈川県大和市で老婆を一人殺害したことと、同じく大和市内にて、金を持ち逃げしようとした仲間の車からドライブレコーダーのデータを盗んだことを〉

会場が驚愕の空気に包まれていく。只倉はスクリーンに映し出された中国人の顔を指さし、観客席に告げた。

「この男こそXだ。スキーゴーグルと赤いマフラーは、目の周りと首に彫られたこの特徴的な刺青を隠すために装着していたんだ」

炎月を含め、どの怪談師もすでに、反論をはさむつもりはないようだった。只倉は心の底から満足し、錦織に礼を言って通話を切った。スクリーンには、ポーズをとったるくてぷのデスクトップ映像が映し出される。

怪談師たちも観客たちも、固まったように動かない。

「炎月、ジャッジだ」

声をかけると、炎月はぱちりと瞬きをして只倉の顔を見つめた。

「観客に訊け。今日のすべての話が怪談だったのか、そうじゃなかったのか」

「あ……」さらに二、三回瞬きをしてから、「そうでした。では観客の皆さん、扇子をご用意ください」

観客たちも我に返ったようにガサゴソと動き出す。

「今日の一連のお話、怪談だったと思う方は赤い『怪』を、只倉さんの見解によって怪談ではなくなったと思われる方は青い『解』を、どうぞ、お上げください」

青一色に染まる観客席は、さぞいい眺めだろう。さながら、山の頂上から雲海を見下ろすような——。

「えっ」

ばらばらと挙げられる扇子。

そのすべてが、赤い。

只倉の予想を大きく裏切り、観客席は赤一色に染められた。

「赤、百。青、ゼロです」

ミサのように清らかな声で告げるシエロ。

「ちょっと待て！」

只倉は椅子の上に立ち上がる。

「お前たち、間違っているぞ！　きっちり証拠を見せただろうが！　仏像が起こした怪奇現象は全部、説明がついたはずだ！　どこが怪談だっていうんだ⁉」

「……わかりませんか」

炎月の声はいつになく震えていた。いつしか握っているろうそく型ペンライトで、下から照らされた顔がおどろおどろしい。

「我々怪談師は、日々いくつもの怪談を集めています。その中から今日、ここで、選んで話した話が、一つの仏像で全部つながっていたのです。しかも私と只倉さんは、すべての現象の原因となっている男と、まさにこの日、会場に来る直前に出会っていた——まるですべての話が、ここに引き寄せられているようでした。これが怪談でなくて、いったい何が怪談だというのです？」

「まったくです」閑古鳥が同意した。「学生時代から怪談を集めていますが、こんなにゾッとしたのは初めてです」

「俺もだ……」キャベツ怪談師はまだ呆然としていた。「すまない只倉さん、あんたのことを見くびっていた。こんなに素晴らしい怪談を引き寄せるなんて」

「やめろ……」

只倉は首を振る。また、思わぬ方向に話が進んでいる。

「私なんてぇ、もう怖いを通り越してぇ……感動しちゃってぇ……」るくてぷは右手で目をぬぐっている。「まさに、恐怖とナニソレ？　のミルフィーユです」

「やめろ、そんなつもりじゃ……」

「おお、神様！」シエロが勢いよく立ち上がる。「このような奇蹟に私を立ち会わせてくださってありがとうございます。すべては、怪談の御心のもとに」

「やめろと言っているだろうが！」

怪談師たちだけではない。赤い扇子をこちらに向けている観客席全体が、只倉に対する感謝のオーラで溢(あふ)れている。

「只倉さん……いや、お義父さん」

炎月もまた立ち上がり、只倉に真摯なまなざしを向けている。

「敬服を込めて申し上げます。あなたは真に、怪談刑事(デカ)だ」

「うるさい！」

「お義父さん。今日ここで起こった一連の出来事――この怪談を、私に下さい」

深々と頭を下げる炎月。

「お義父さんと、呼ぶなぁっ！」

いつものように声を張り上げた――そのとき。


視界の隅で、ちらりと赤が青に変わった。


誰もが扇子の赤い『怪』をこちらに向ける観客席の中、一人だけ裏返した者がいたのだ。

魔女のランプの下に座っていたあの女だった。

彼女は只倉に向けてニヤリと笑うと、再び扇子を赤に戻した。

――やはり、間違いない。

7

充満する焼き鳥の匂い。談笑するサラリーマンたち。

歌舞伎町から少し歩き、大ガードの下をくぐった「思い出横丁」の片隅にある居酒屋だった。カウンター席に腰かけ、一人で日本酒を飲んでいる。炎月がいつも持ってくるものよりだいぶ安く、不味い酒だった。

時計を見ると午後十時半だった。ライブが終わってから一時間以上たつ。あの野郎、逃げたか――そう思った直後、がらりと引き戸が開いた。

「いらっしゃいませ」

店員が応じる声を聞き流しながら、只倉は右手を挙げた。ひょこりと頭を下げ、近づいてくる。関内炎月であった。

「すみません遅れまして。ライブハウスの方と、来月のイベントの打ち合わせをしておりまして」

「座れ」

炎月はまたひょこりと頭を下げ、只倉の隣に腰を下ろした。只倉は炎月の背後にちらりと目線をやったあとで、黙って炎月の前に新しい猪口を置き、酒を注いだ。

「いただきます」

炎月は少し口をつけただけで、猪口を置く。酒の強い男ではないのだ。

「本日はお疲れ様でした。お義父さんが私を誘うなど珍しいですね。お考えを変えていただけましたか。先ほどの話を私のレパートリーに加えさせていただきたく……」

「そういうことじゃない」

只倉は遮り、もう一度炎月の背後を見る。やはり、話すしかないだろう。

「炎月。今日、舞台から見て、観客席の右後ろの、魔女の形をしたランプの下に座っていた女を見たか。みんなが扇子の赤いほうを向けているのに、一人だけ青に裏返したんだが」

「え……そんなお客さんがいましたか。すみません。ちょっとわかりません。本番中、客席のほうは見ないんです」

「ライブによく来る客というのはいるんだろうな」

「ああ、そうですね」

「お前のファンも」

「お恥ずかしいですが、はい。……お義父さん、どうしたのですか。いつもと何か違うような」

お義父さんと呼ぶな、と言い返す気力は失せていた。猪口に残った酒を一気に飲み干し、炎月のほうに体ごと向けた。

「魔女のランプの下にいた女はおそらく、お前の熱狂的なファンだ」

「はい？」

「こ、こ、こ、このところ、ず、っと、い、いるんだ、よ。お、前、の、後、ろ、に」

炎月はきょとんとしていたが、やがてその言葉の意味がわかったのだろう。両目が満月のように見開いた。

「まさか、お義父さん……」

「ああ……」

只倉だって認めたくなかった。自分がそれを視ることができるなどと。

肩越しに、炎月の背後を見る。彼女は赤い口を開き、ニヤリとしている。

生霊——その言葉が、心のどこかに浮かんでいた。

第6話　生霊を追って

1

「まあ、これとか？」

娘の日向が、寝ぼけ眼をこすりながらスマートフォンを座卓の上に出した。只倉恵三は、連れてきた和服姿の怪談師、関内炎月と二人、額を突き合わせてその画面を覗き込む。ずん、と視界が青くなったような疲労感に見舞われる。

「七月に四谷の《ブルーロック》で開かれたイベントのときのだけど。いったい何なのよ、二人して急に」

スウェット姿の日向はふわあとあくびをした。時刻はすでに夜中の零時三十分を回っている。

新宿歌舞伎町で開かれた怪談イベント——来るなと釘を刺しておいたので、日向は会社が終わったら直帰し、妻と食事をしたあと入浴してすぐに眠ったらしい。

只倉だって、怪談会なぞというくだらないイベント、終わったらすぐに帰るつもりだった。だが、そうもいかない事情ができてしまった。

イベントが終了する間際、視えてしまったのだ。会場に、その女がいるのを。

会場のオーナーと次回イベントの打ち合わせがあるという炎月と、新宿駅付近の思い出横丁の居酒屋で待ち合わせをし、その旨を伝えたのが今から一時間ほど前のこと。

とにかくその女の名前をつきとめようということになったが、炎月はファンとの写真を所持しているような男ではなかった。それで炎月を連れて自宅へ帰り、眠っていた日向を起こしたのだった。事情を話すと、「はぁ?」とわけがわからなそうだったが、それでもかつて炎月のイベントの帰りにファンたちで集まって撮った画像がいくつかあるとスマートフォンを出した。

画面に映し出されたのは、ライブハウスの看板の前だった。二十人ほどの若者が映っている。七割ほどが女性だ。只倉はその中の一人に目を付けた。他の面々ははっきりとした顔で映っているのに、その女だけやけに輪郭がぼやけている。画面に指を近づけ、その女の顔を拡大する。

右目にかかりそうな長い髪。やせこけた頬。やけにぎょろりとした両目……。

「間違いない。こいつだ」

「氷野さん?」

日向は目をぱちっとさせて訊いた。

「知ってるのか?」

「うん。よくイベントで一緒になるもん。氷野美樹さんっていって、初めは、私の友だちの加奈子が話しかけて、それからよく話すようになった。……氷野さんがどうしたの？」

「今日のイベントの客席にいたんだ」

日向は一瞬首をかしげて、あははと笑った。

「そりゃいてもおかしくないよ。炎月さんのファンって言ってたから」

とっさに炎月のほうを見る。炎月は恥ずかしそうに目を伏せると、

「たしかに、何度かお手紙をいただいたことはあります」

「お前が何か気を持たせるようなことをしたんじゃないのか」

「滅相もないです。内容は他のファンの方と同様、怪談に関することだけでした。そういえば一度、昔飼っていた猫に関するお話を詳しく聞くためにビデオ通話をしたことがありますが……」

「ねえお父さん、どういうことなの？」

眉を顰める日向に向かい、只倉は言った。

「この女の生霊が、炎月に憑いている」

それは、自分が一生口にしないであろうと思っていた類の言葉だった。

*

今から振り返れば、初めて氷野美樹の気配らしきものを感じたのは、あの「繰り返す男」の事件が解決したときのことだった。

只倉家のこの居間で事件の真相を明らかにする証拠となる映像の中に、炎月が不可解な老女の

顔を見つけた。この映像をライブで使わせてくれと懇願する炎月——両手を畳につけて深々と頭を下げるその背中に垂れ下がった髪が、わさっと盛り上がった。「お義父さんと呼ぶなあっ！」と叫んだ直後、それが髪の毛でないのに気づいた。背中に何か黒いもやのようなものが覆いかぶさっているのだった。

もちろん怪奇現象を毛嫌いしているから、気のせいだとやりすごした。ところがその数日後、また炎月のそばにその姿を視ることになる。

それは、猫に憑かれた女優の事件を解決し、名古屋から帰った直後のことだった。門前仲町の居酒屋《よいどれ狸》にて、鴛海から恋人の父親が結婚を許してくれたという報告の電話を受けた。ナイジェリアの髑髏への血の願掛けが成就した。そんな非現実的なことを否定したく、思わず立ち上がって電話越しに鴛海を怒鳴りつけた。

「とにかくお座りください、お義父さん」

そうなだめようとする炎月をも怒鳴りつけたが、その瞬間、只倉には視えたのだった。炎月の背後にべったりくっついて笑っている、女の顔を。

一瞬ののちに消えたので見間違いだと自分自身に言い聞かせたが、炎月との関係はまだまだ続くだろうと、根拠もなく感じた。

その悪い予感は、神奈川県の奥地、鬼深湖で具現化する。怪死事件の再捜査に訪れたその湖で、怪談系ユーチューバーコンビとともに動画を撮影する炎月と偶然出会った。女の姿こそなかったが、突然の豪雨と土砂崩れにより、陰気なドライブインに足止めを食らうことになった。

何年も前に起きたそのドライブイン近くのトンネルの怪談についてあれやこれや好き勝手なことを言うユーチューバーコンビ。その都度怪談に関するうんちくを差しはさむ炎月がろうそくライトをつけるたび、背後の影がやたら大きくなった。その中に、ちらちら女の顔が見え隠れしていたのだ。只倉はその女が気になりながらも「こいつの顔など見たくもない」と、炎月のほうを見ずに叱責した。妙なことに、あんなに怪談に興味のある二人のユーチューバーにはまったくその姿は視えていないようだった。

その女が炎月に憑いている怪異(モノ)の姿で、どうやら自分にだけ視る力があるらしい――只倉がそれを認めざるを得なくなったのは、千葉県・花坪(はなつぼ)町の廃校住居の家主の失踪事件だった。

真相の究明のため、黒氏瞬(くろうじしゅん)、柘榴井菜月(ざくろいなつき)の二人とともにその廃校に宿泊することに決めたが、夜も更けてきてから建物内で物音がした。それは、渋谷で行われているライブに遠隔で出演している炎月が侵入してきた音だったが、暗い理科室の中にいた炎月の背後には、まごうことなきあの女がぴったりくっついていた。「廃校の理科室で見るその姿は、いっそう只倉の目に不気味に映った」が、黒氏と柘榴井の反応を見る限り、やはり二人には視えていないようだった。その夜は女から目を背けるように、炎月までも巻き込んで現実の事件の真相究明に精力を注いだ。

やがて夜が明けると、女の姿は消えた。炎月にその女がとり憑いているであろうことを、只倉は認めざるをえなかった。おそらくは幽霊というものなのだろう、漠然とそう思うようになった。

そして、今夜のイベント――。

幕が開く直前、只倉はまた、その女の姿を目撃した。ただし今夜は、炎月の背後ではなく、客席だった。

チケットは完売で満席だと、炎月は言っていた。それならあそこにいるのは現実の、生きた女なのだろう。どういうことだ——と混乱する只倉の頭の中に、「生霊」という言葉が浮かんだ。

ステージが始まってしまい、怪談師たちの怪談を突き崩すのに必死になるうちにいつしかその女のことは忘れていたが、最後のジャッジの時間に、向こうから仕掛けてきた。目立つように、扇子の色を一度変えたのだ。

これまでの様子から考えて、炎月自身には視えていないのは明らかだった。一度、はっきりと問いただす必要があると只倉は思った。

*

「お話を聞く限り、やはり七月に見せていただいた、お葬式の告知ビデオがきっかけのような気がしますね」

炎月は静かに言った。

「素質はあるが霊を視たことがないという人が、映像越しにでも強い霊体を視てしまうと、能力が開眼してしまうという話を聞いたことがあります」

俺に素質などあるものか！　と言い返そうとして只倉は踏みとどまった。先日、廃校へ向かう車の中で栢榴井菜月が同じことを言っていた。あのビデオ……。

「今も、いるんですか？」

回想していると、炎月が自分の背後を指さして訊いた。

「今は視えない。しかしどんなきっかけで現れるかわからん。視る予兆として、視界がずん、と青くなって寒気がするんだ」

炎月はなんとも言えない表情をしていた。だがそれが純粋な恐怖ではないのはわかった。むしろ、自分にそんなことが……と喜んでいるようにも見える。

「まさかこんなに身近に、視える方が現れるとは。いや、鬼深湖の一件のときから『やはり』と思っていたのです。あのドライブインの女主人も、お義父さんがお引き寄せになったものなのでしょう」

やはりだ。全然怖がってはいない。やはりこの男を娘に近づけるべきではない。

「日向、炎月とは今すぐ別れなさい」

「は？」

目を丸くする日向。

「当然だろう。生霊に狙われるような仕事なんだぞ、怪談師というのは。それに、憑かれているというのにこんなに喜んでいる。こんな男といると不幸になる」

まるで自分の口から出た言葉ではないようだった。だが、炎月と別れさせるならば、自分だけが生霊が視えることを認めるのは仕方がない。

「嫌よ」日向は、炎月の左手に自分の腕を絡ませた。「そんなことより、視えるならお父さんがなんとかしてあげればいいじゃない」

「そんなこと、できるわけないだろう」

「警察官でしょ？　ずっと刑事畑一筋だって自慢してきたくせに！」

「生霊は警察の取り締まりの範囲外だ！」

声を荒らげたそのとき、襖の向こうにすっ、と女が現れた。

「うっ、出た！」

「なんです、深夜に大声を出して」

妻の早苗だった。

「おじゃましております」

「今日、ライブだったんですってね。主人がお世話になりまして」

「いえ、お世話になったのはこちらのほうで」

「お腹すいたでしょう、何か召し上がります？」

と台所に向かっていく。

「おい炎月、とりあえずこの話はまた今度だ」

わが妻だけは、この忌まわしい話に巻き込むまい。何があっても。

2

只倉が目下勤める警察庁の「第二種未解決事件整理係」は、朝八時半には出勤する決まりになっている。遅刻しても処分はおろか咎められることもなさそうだが、皆、真面目なのかかなり早く出勤しており、毎日八時二十分にやってくる只倉がいちばん遅い。

只倉は電車に乗っているときから、調子の悪さを感じていた。昨日、生霊などという非現実的なものの話をしたからだろう。帰りにマッサージにでも行こうかと考えつつ登庁し、エレベーターで地下四階まで降りる。

「そんな勝手なことを言わないで！」

廊下を歩いているときから、女性の金切り声が聞こえていた。不審に思いながら部屋に入っていって驚いた。

「あなたが行きたいって言ったんじゃない！」

顔を真っ赤にして怒鳴っているのは、柘榴井菜月だった。右手を拳にし、木の枝のように細い腕を、黒氏瞬に振り下ろしている。

「やめろ、やめろって」

床にしゃがんだまま、黒氏は頭を押さえていた。

廃校住居の事件が解決した直後から、この二人は交際を始めていた。前々からお互いを意識しあっていたものの、あの気味の悪い校舎で共に一夜を過ごしたことにより心の距離が縮まったんですよ、と黒氏は嬉しそうに報告してきたものだ。それがつい先月のことだが……

「話を聞けよ」

「もう、いやーっ！」

つかみかかる黒氏の顔を、柘榴井はがりがりと引っ掻くと、「ほっといて！」と叫び、只倉の横を抜けて廊下を走っていった。

「痛い、痛いっす！」

顔を押さえる黒氏の両手のあいだから、血が流れている。

「黒氏、大丈夫か？」

思わず声をかけるが、「大丈夫っす」と言って、柘榴井を追いかけていく。

「激しいわねえ、へっへっへっ」

すぐ近くのデスクで、丸い眼鏡をずりあげ、幕場清江が笑う。四十五歳の独身女性で、再調査に出ていないときはいつもこのデスクで卒塔婆のような細長い木の板を削っている。今日はその板に、筆ペンで読めない文字をずらずらと書いていた。

「あんな喧嘩しちゃって、あの二人、早くも破局じゃないかしら」

独身のひがみかもしれないと思ったが、もちろん口にはしない。

「破局と言えばね、そちらの彼も」

カッターナイフを器用に扱いながら幕場は顎をしゃくった。隣のデスクに座っている鴛海の様子がおかしい。背中を丸め、いつも磨いているあの髑髏を眺めてため息をついているのだ。

「どうしたんだ、鴛海」

「あ」

顔を上げ、只倉のことを認めると、その目にみるみるうちに涙が浮かんだ。

「只倉さん……僕、結婚、ダメになってしまいました」

「なんだと？」

「昨晩、彼女の自宅にうかがって、ご両親と一緒に食事をしていたんです。和やかな雰囲気で話をしていたのに、突然お父さんが怒り出して、『結婚の話は白紙に戻す！』って。謝っても何しても聞く耳を持ってはくれません。そのまま追い出されてしまいました」

　さめざめと泣く鷺海。

「何かしたんじゃないのか？」

「していないです。直前まで趣味の釣りの話をして上機嫌だったのに、本当に突然、突然ですよ」

　へっへっへっ……幕場の低い笑い声が聞こえた。

「初めからあんたのこと、気に食わなかったんでしょうよ」

「初めはたしかにそうでした。でも、最近は関係も良好だったんです。僕のこともちゃんと理解してくれたのに……もう、どうすればいいのか……」

　ここまで落ち込んでいる相手になんと声をかければいいのか。

「状況が好転することを祈る」

　結局、それだけ言って只倉は自分のデスクについた。立てかけてあったファイルを取り出し、今日の午後訪れる予定の所沢市の事件現場の確認をはじめた。すると今度は、一番奥のデスクで頬杖をついていた牛斧係長が言った。

「うちのカミさんが昨日、突然、『寝室を別にする』と言い出してね。俺の枕と布団をリビングに勝手に運んだんだ」

真っ白な頭はぼさぼさで、眼帯をしていないほうの目に隈ができている。

「朝起きたら、枕もとに離婚届が置いてあった。慌てて寝室に行ったら、スーツケースが消えていたよ」

「一方的に出て行ったということですか。原因は？」

「まったくわからん。まあ、最近は話していても会話が途切れることが多かったが、飯は作ってくれるし、不満そうなそぶりも見せなかったんだが」

「不満を口にしない女っていうのは、溜まったら突然行動にでるもんですよ」

口をはさんでくる幕場。普段は黙々と木を削っているだけなのに、こと男女のことになるとネガティブな意見をはさんでくるのだと只倉は理解した。

落ち込む鴛海。目をこする牛斧係長。全国から送り付けられてくる奇怪な物品がそこかしこに並び、もともと明るい職場ではないが、今日はそれをおいても空気が悪い。何か理由をつけて、さっさと所沢の現場へ行ってしまおう……。

「只倉さん」

すっ、と牛斧係長が立ち上がった。

「はい？」

係長は背筋を伸ばしていた。こんなに姿勢のいい人だっただろうか。手を伸ばし、背後にずらりと並ぶ分厚いクリアファイルの中から、一冊取り出すと、ぺらぺらとページをめくる。長らくそこに収納されていたのだろう、ホコリが舞って目が痛くなりそうだった。

やがて牛斧係長は一つのページから茶封筒を取り出した。

「今日、この事件を調べてきてくれ」

蠟細工(ろうざいく)のような無表情で、差し出してくる。『蒲田(かまた)・トンガリ道祖神怪死事件』――色あせた封筒で、少なくとも十年以上前の案件と思われた。中から資料を取り出すが、表紙に「解決済」のスタンプが捺(お)してあった。

「係長、これは解決済みになっていますが」

「それが、上から再調査の要請があったんだ。大至急だそうだ」

「上？　この係の上というと……」

「とにかく、上」

どうも要領を得ない。

「以前から申し上げている通り、今日は午後に所沢の『女神のバターナイフ信仰事件』の再調査がありますが」

「それ、今日はなくなったよ」

「えっ？　なくなった？」

「俺が、連絡を受けたんだ。再調査は、後日また」

眼帯をしていないほうの目が只倉をまっすぐ見つめる。さっきから瞬(まばた)きをしていないように思えるが気のせいだろうか。

「とにかく、大至急、それ」

「……わかりました」

どういうわけかわからないが、組織で働いていれば上層部の都合で仕事の優先順位が変わることは日常茶飯事だ。深川署の刑事課時代にも何度も経験している。

とりあえず資料を読もうと自分の椅子に座ると、ずしりと背中に何かがのしかかってくるような重みを感じた。斜め前のデスクで、幕場はもう、いつものように木を削るのに集中していた。

3

それはもう十七年前に起きた奇怪な事件だった。

東京都大田区蒲田で、竹山白男、發男、中男という三兄弟が次々と怪死を遂げたのである。麻雀が好きな三人はあるとき雀荘を経営しようと金を出し合って土地を買ったが、そこにはもともと、石づくりの古い像があった。まるでネイティブ・アメリカンのテントのような円錐状をしており、そのいわれは誰も知らないものの、地元では「トンガリ道祖神」とあがめられていた。

三兄弟はトンガリ道祖神を一度取り除いて雀荘を建て、店内の神棚の下に置いておいた。

開店三日後の早朝、長男の白男が、雀荘の近くのゴミ捨て場に血まみれになっているのが発見された。腹には鉄製の円錐状のものが突き刺さっていた。

それから一か月の間に、發男、中男も同じような円錐状の金属に胸を貫かれて死んだ。所轄署は捜査に当たったが暗礁に乗り上げ、未解決となった。人々は「トンガリ道祖神の呪い」だと噂しあった。

――これが初めに送られてきた概要だが、続く添付資料には、再調査によって真相は明らかになったと記載されていた。

犯人は天内和太郎という、三兄弟の幼馴染の男性。三兄弟にいじめられた少年時代を過ごしたあと大阪に引っ越し、成人して鉄工所に勤務するようになった彼は、いちばん胸にダメージを与える形状として円錐形に注目して武器を作り出した。その威力を試すため、かつて自分をいじめた三兄弟を殺そうと上京し、次々と殺害していったというのだ。石像の形と武器の形が共に円錐形だったのは偶然で、そもそもトンガリ道祖神は純粋な円錐というより十二角錐に近いものだと、締めくくられていた。

蒲田にやってきた只倉は、その場所をすぐに見つけることができた。

「たしかにな」

雀荘はすでに取り壊され、空地になっているが、その「石像」は残されていた。風雨にさらされ、頂上は欠けているが、十二角錐なのは間違いない。日に当たらない側面には苔が生し、不気味な雰囲気を醸し出している。

「……だから何だ？」

カバンから資料をはさんだ緑色のファイルを出し、開く。

犯人の天内は再調査により、三兄弟を殺したことを認めたという。勤め先の大阪の鉄工所からは、凶器作製に使われたと思しき機械と、試作品の円錐がいくつか見つかっており、本人の自宅からは三兄弟に対する恨みで埋め尽くされたノート三冊が押収されている。人間関係的にも距離的にもあまりに遠かったため、所轄署の捜査員は彼にたどり着かなかったのだ。

解決済みとなったのは十三年前の十月十二日と記録されている。再調査に当たった第二種未解決事件整理係の担当者は服部重太という名前が書き込まれていた。もう辞めた人間だろう。

この服部に会って話を聞くべきだろうか。それより先に刑務所の天内に会うべきか……。

ぱたりと開いたばかりのファイルを閉じ、トンガリ道祖神に背を向け、ふうと息をついた。

「無駄だ」

この一言に尽きる。犯人が自白して、補強証拠もいくつもある。文句なしの「解決済」。十三年も経った今、上層部はいったいこの事件の何を再調査せよというのだ。

帰ろうと振り返った。

車道を挟んだ向かいには、《ハイツせんざき》という看板の二階建ての古いアパートが見える。時刻は午前十時。住宅街の人通りはまったくない。

犬を抱いた六十代ぐらいの女性がやってきて、アパートの鉄階段の前で立ち止まる。只倉を気にするでもなく、二階を見上げた。

二階の真ん中の扉が開き、男が一人出てきた。上下黒のスウェットで、ニット帽をかぶっている。その歩き方から、何かがおかしいと只倉は感づいた。

「あっ、ひっ！」

女性が叫ぶと、男は走って鉄階段を下り、彼女を突き飛ばした。

「空き巣！　誰か助けて！　空き巣よ！」

考えるより先に足が動くのが刑事である。逃走する男を追いかける。すぐに体力の衰えを感じた。敵のほうが明らかに足が速い。それならと、カバンの肩掛け紐（ひも）をつかんで頭上で振り回し、投げ縄の要領で飛ばす。

「がっ！」

後頭部にカバンが直撃し、男はアスファルトに倒れこんだ。只倉は飛びつき、両手を後ろ手にした。抵抗はしているが、あまり体格のいい相手ではない。これぐらいなら一人で大丈夫だ。

「あ、あ、ありがとう」

よたよたと老婦人は駆け寄ってくる。

「あそこ、姪（めい）っ子の部屋なのよ。最近、部屋からものがどんどん消えてるって悩んでいてね……」

「どうかしたんですか」

付近の家からエプロン姿の女性が出てきた。

「誰か、警察を」

「ああ、蒲田東署のクサオカさんね」

そう口走る老婦人のほうは携帯電話を所持していないようだった。エプロン姿の女性がスマートフォンで通報をしているあいだ、カバンから出した結束バンドで男の手を縛りあげた。

「あら、ずいぶん手際がいいのね」

犬を抱いた老婦人が言った。ちょうどいい、この男が逃げる気を失せさせるチャンスだ。

「私も警察官なもので」

「ええそうなの？　だったらあなたが蒲田東署までこの空き巣を連れていったら？」

「いえ、警察庁から来た者で。別の事件を捜査しているんです」

「ああ、二年前にうちのアパートで起きた事件ね。それなら、私がなんでも答えますよ」

何か勘違いをしている様子だ。だが、刑事としての興味が掻き立てられた。

「二年前の事件とは？」

「ほら、百田鷹代さんが殺された事件。おかげであの部屋、あとには誰も入らないわ」

この女性は《ハイツせんざき》の大家であり、どこかの部屋で二年前に女性が殺されていることがわかった。だが――

「すみません。その事件は関係ありません」

「やっぱりあれ、旦那の浮気相手の女を疑って洗い直そうって言うんでしょ？　なんて言ったっけね、あの浮気相手の女」

思い込むと周りが見えなくなってしまうタイプらしかった。尻の下では空き巣がまだもがいている。早く警察官が来ないだろうか。

だが次の瞬間、只倉はまるで冷水でも浴びせられたような衝撃を受けることになる。

「そうだ、思い出したわ浮気相手の名前。氷野美樹よ」

4

蒲田東署の刑事に空き巣犯を引き渡したあとで、殺人事件について老婦人に問うと、それならうちへいらっしゃいと誘われた。

彼女は仙崎（せんざき）ミヨシと自己紹介した。アパートから三分も歩かない場所にある、〈仙崎〉と書かれた表札の掲げられた一戸建てが、彼女の住まいだった。毛足の長い絨毯（じゅうたん）の敷かれたリビングに、ガラスのローテーブルと黒いソファーが一組。

「ちょっと待っててくださいね」

只倉の正面のソファーの座布団の上に犬を置くと、仙崎はキッチンへ姿を消した。

手持無沙汰になった只倉は犬をぼんやりと眺めている。パグという犬種だろう。体の下の座布団に毛が大量に付着していることから見て、この犬専用と思われる。舌を出し、はっ、はっとせわしなく息をしながら、つぶらな瞳で只倉の顔を見つめてくる。

よく見れば、右の後ろ脚が変なほうに曲がっている。事故にでもあったのだろうか。

「お待たせしました。あら、ハルちゃんの相手をしてくださっていたの。ありがとう」

十分ほど待っていると、ティーポットとカップを載せたトレイを持って、仙崎は戻ってきた。

ハルちゃんというのはパグのことらしい。

「足が曲がってるでしょ。ちょっと前、散歩中に深さ三メートルの排水溝に落ちちゃって。足を折って歩けなくなっちゃったのよ。リードをちゃんと握ってなかった私にも責任があるからかわいそうでね。今は抱っこして散歩しているんですよ」

慣れた手つきで紅茶を注ぎながら、パグのことを説明する。排水溝に落ちたとは思わなかったが、それ以外は思った通りだった。

「それで？　百田鷹代さんの事件の何をお訊きになりたいの？」

どんな些細な情報が解決につながるかわからない。となれば、訊けることはすべて訊いておくべきだ。だがそれには、相手が話しやすい誘導が必要だ。

「まずその、百田さんがあなたのアパートに住むことになったいきさつから」

「それは……別に普通ね。不動産屋さんが紹介してくれて」

「何年前のことですか？」

「ええと、四年前かしらね。旦那さんと二人で。内見には私も立ち会って、ご夫婦で住むには狭いでしょうって言ったんですけど、家賃の安いのが魅力的だとおっしゃってね」

百田夫妻は二人で飲食店を出すのが夢で、その資金を貯めるために安い物件を探していたらしい。それで、《ハイツせんざき》の一階の端、１０３号室に入居した。

「旦那さんの真輔さんのほうは渋谷の韓国料理屋にお勤めで、奥さんはスーパーマーケットと清掃業でパートのかけもち。初めは仲が良かったけれど、仕事の都合でなかなか二人の時間が合わないでしょう。休みもまちまちだし、すれ違いが多くなったみたいね。それであるとき、旦那さんが浮気を始めてしまった。相手は勤め先の韓国料理屋の従業員の女」

「それが、氷野美樹ですか？」

その名前を口にするたびに、あの気味の悪い目が頭に浮かぶ。

「そうよ。まあ名前はずっと後に知ったんだけど、実は私は鷹代さんのほうから『旦那が浮気してる』って何度も聞かされていてね。それと同時に、真輔さんと氷野が二人で歩いているのを何度か見かけたわ。気まずいじゃないの。だからいつも見て見ないふりをして……どうして私のほうが隠れなきゃいけないのよ、まったくねえ」

仙崎は笑うが、只倉はまったく可笑しくない。

「事件が起こったのは？」

「忘れもしないわ、二年前の九月九日。その日、真輔さんは研修か何かで大阪にいたのよ」

実際に遺体が発見されたのは死亡推定時刻の翌日、九月十日の早朝だった。隣の102号室に住んでいた品田という男子大学生が散歩に出ようとしたところ、103号室のドアの前に血のこびりついた金づちを発見した。

「ドアノブを握ると鍵はかかっていなかったそうよ。怪しく思った品田君が思い切って開くと、胸から血を流して仰向けに倒れている鷹代さんの姿が目に飛び込んできたんですって」

怖いわあ、と身震いをして、仙崎は続ける。

「死亡推定時刻は夜中の十二時前後。仲が冷え切っていたとはいえ、真輔さんは大阪でしょ。鷹代さんはスーパーでも清掃会社でも人間関係をそつなくこなして、交友関係はあまり広くなく、動機のありそうな知り合いはいなかった。私もさんざん事情聴取されたけれど、収入源の店子さんを殺してわざわざ事故物件にするはずないものねえ。となればあと動機があるのは浮気相手ってことで、警察は氷野美樹を徹底的に聴取したみたい」

「事件当夜、氷野美樹はどこにいたんです？」

「目黒区洗足の自宅にいたっていうけれど、一人暮らしで証人はいないものねえ。それに、宅配業者の証言があるもの」

「宅配業者？」

「九月九日の夜九時半に、鷹代さん宛の荷物を届けた業者がいるのよ。鷹代さんが受け取った後、がちゃりとドアの鍵をかけた音を聞いているの。でも品田君が鷹代さんを発見したとき、鍵は開いていたわけでしょう？　真輔さんは、奥さんのいないあいだに部屋に氷野美樹を来させていたことがあって、合鍵を渡していたんですって」

それは重要な状況証拠だ。刑事としては当然そう思うが、別の可能性は潰しておかなければならない。

「犯人は鷹代さんの知り合いで、鷹代さん自身が開けたという可能性もあるのでは？」

「そう。その可能性もあるからって、確固たる決め手にはならなかったわけね。氷野美樹のほうもずいぶんとまあのらりくらりとした証言で、言い逃れをしたんでしょうね。結局、財布のお金が全部盗られているってことで、どこかで合鍵を作った押し込み強盗の仕業でしょうってことになったんだけど、なんかもう、ずっともやもやしているのよ！」

のらりくらり――客席で只倉の顔をじっと見ていた、氷野美樹のあの陰気な顔にあまり合わない表現のような気がした。

「ふっ」

しばらく考えて、只倉は笑いを漏らした。

「ふ、ははは」

「どうしたのよ、急に笑い出して。気持ち悪い人」

「すみません。なんでもありません」

何を自分はこだわっているのか。そもそも、百田鷹代を殺した疑いがかけられているこの氷野美樹という女が、炎月のファンだというあの氷野美樹と同一人物である確証などどこにもない。日向から氷野美樹の画像でも借りていれば目の前の仙崎に確認もできただろうが、そんなことをするまでもないだろう。

氷野、美樹。ありふれてもいないが、同姓同名がいてもおかしくないだろう。

考えすぎだ。そもそも、昨日は怪談イベントの雰囲気にのまれて生霊などと口走ったが、やはりそんなのは非現実的なことだ。炎月の背後に見えていた女？　そんなのもまやかしだ。

ずいぶんと、寄り道をしすぎたようだった。

「すみません、おいとまします」

「あら、もういいの？」

ええ、と答えつつ、只倉はソファーから腰を上げた。パグのハルちゃんが只倉を見上げる。

「絶対に犯人は氷野美樹よ。早く捕まえてね」

力強く訴えるその老婦人に、只倉はあいまいな笑顔を返した。

5

「ただいま戻りました」

警察庁の地下四階の部屋に戻ったのは、それから一時間後のことだった。

「おいおい、只倉さん」

牛斧係長が立ち上がり、焦ったように手招きをする。

「今ちょうど、電話しようとしていたところだよ。どこに行ってたの？」

「どこって、蒲田ですよ」

「どうして蒲田なんかに。所沢署から何度も電話があったよ。今日、『女神のバターナイフ信仰事件』の再調査だろ」

「だから私もそこに行こうとしたのに、係長が蒲田に行けと言ったんじゃないですか」

カバンから資料を取り出して見せたが、「なんだこの事件？」と牛斧係長は首をひねった。

「もう解決しているじゃないか」

「上からの至急の案件だって……」

「この部署に、至急の案件なんてあるわけがない。ましてや上からなんて。上は、こんな部署があることすら知らないよ」

まったく話がかみ合わない。部屋の中を振り返れば、木の板を削っている幕場清江しかいなかった。気味の悪い同僚だが、証人になるのは彼女しかいない。

「幕場さん、係長が私に命じるところ、見ていたよね？」

「はい？　ええ？　そんなことあったかしらね？」

まぶたを半分閉じたまま、幕場はへらへら笑っている。……何の仕事をしているのかわからず、同僚のゴシップばかりを気にしている、とことん頼りにならない同僚だ。

「そんなことより、所沢署の担当はもうこのあと予定が詰まっているからリスケをしてくれって。頼むよ只倉さん、リスケが終わったら今日は、別の案件の整理を進めておいて」

一方的に言うと係長は、そちらからの言い分には聞く耳を持たないとでもいいたげに、くるりと椅子を回して背中を向けた。

釈然としない思いを抱えながらデスクに戻る。所沢署に電話をかける気も起きないまま、只倉は重い肩に手をやった。

どうしても、氷野美樹のことを考えてしまう。

口を大きく横に開いて笑うあの不気味な顔……。

ぶるると、スマートフォンが震えた。〈関内炎月〉からの着信だった。忌々しいが、先日、連絡先を交換したのだった。なんとなく係長に聞かれてはいけない気がして、只倉は廊下に出て、着信に応じた。

「只倉だ」

〈炎月です。お義父さん、今日、時間ありますか？〉

どこか意気消沈しているような雰囲気があった。お義父さんという呼び名に反応する気も起きなかった。何かあったのだろう。……氷野美樹のことについて、やつと共有しておいてもいいと思った。

「俺のほうにも、お前に話がある」

〈よいどれ狸ではいかがですか。午後六時に〉

「わかった」

*

門前仲町の居酒屋《よいどれ狸》に着いたのは、午後六時まであと五分という時刻だった。炎月はすでに来ていて、入り口に最も近い四人席に座っていた。

「どうも」

やはり、落ち込んでいるようだった。おしぼりとお通しを運んできた中年女性の店員にビールを頼み、炎月に訊(たず)ねる。

「何があった？」

「日向さんに、別れを告げられました」

「えっ——？」

妙な感情だった。

もともと只倉はこの怪談師とわが娘が付き合うことには反対だった。別れるならそれでいい。喜びがあってしかるべきだった。だが、日向が初めて交際をした相手だ。わが娘ながら、頑固なところがあるのは承知している——

「どうしてだ？」

疑問のほうが勝った。

「それが、よくわからないのです」

干からびたわかめのような頭髪に手を入れ、頭をかきむしる。

「今日の昼過ぎ、突然電話がかかってきたかと思うと、『何も言わず別れてほしい』と。もちろん私はわけを聞きました。『とにかく別れてほしい。あなたと付き合っていると胸の中が怒りで満たされて、頭がガンガン痛くなる』と、日向さんらしくない支離滅裂なことを言うのです」

「たしかに、あいつらしくないな」

「日向さんは一方的に電話を切りました。こちらから折り返ししても出てくれず、なしのつぶてです」

はあ〜とため息をつき、ビールに口をつける炎月。お待たせしました、と、中年女性が只倉のビールと突き出しを置いた。

「お義父さん、何か心当たりはありませんか。日向さんが私を嫌いになった理由です」

お前みたいに気持ちのわるい奴、初めからうちの娘は嫌いだったんだ——少し前の只倉ならそう言い放ってやっただろう。だが、今は違う。

「このあいだ、千葉の廃校で一緒に捜査をした、男と女の刑事を覚えているか」

「……はい。たしか、黒氏さんと栢榴井さんですね」

急な話題転換でも、すぐに聞く態勢になる。日ごろ、多くの人間から怪談を聞き出している癖なのだろうと、只倉の中の冷静な部分が分析した。

「あの事件のあと、あの二人は交際を始めた」

「そうでしたか。たしかに見ていて、お似合いのような気がしていました」

「話も合うらしく、職場でも仲良くしていた。だが今朝、私が出勤すると二人は喧嘩をしていた。正確には一方的に、栢榴井のほうが激高していた」

「あの女性が？」

炎月は眉間にしわを寄せる。

「二人は喧嘩をしながら外へ出て行った。それだけじゃない。これも前に話したな、ナイジェリアの髑髏の願掛けで婚約を成立させた、鷺海という同僚」

「はい」

「あいつも今日、相手から一方的に別れを告げられた。上司の牛斧係長もだ」

炎月は頰に手を当て、神妙な顔つきでしばらく考えた。そして、只倉のほうを真剣に見つめる。

「お義父さんの近くで、男女が別れているということですか」

「しかも、女のほうから別れを切り出している」

「……少し前の私のようですね」

「どういうことだ？」

「二年ほど前から、私の周りで、男女がよく別れるようになったのです。怪談師仲間だけで四組。……いや、昨日シスターも離婚されたとおっしゃっていましたね」

イベント直前の楽屋で、シエロ三橋が夫と別れた話をしていたことを、只倉は思い出す。

「別れを告げたのは必ず、女性のほうからです。私の母など、父がいなければ生きていけないと何度も言っていたにもかかわらずです」

炎月は頭を抱え、首を振った。

「仲間に関わることなので怪談として語ることはなかったのですが、どうも不気味なのです。日向さんとお付き合いすることになったときも心配していたのです。今日までは仲良くやってきたのに、突然……まるで、今まで私の周囲で別れてきた男女のようです」

いったい、何が起きているのか？　ぶるると上着の中でスマートフォンが震えた。取り出してぎょっとする。

「どうしたのです」

訊ねる炎月に、只倉は無言でスマートフォンを見せる。『只倉早苗』とある。

「妻だ」

「嫌な予感がしますね」

二十年以上連れ添った妻だぞ、なめるな。そんな気持ちで、〝通話〟をタップして耳に当てる。

「俺だ」

〈私よ。あなた〉

氷のように冷たい声だった。まさか――

〈今日、お夕飯は？〉

「……さっきメッセージを送ったはずだが。外で食べてくると」

〈あら、そうだったの？　美味しいホッケを買ってきたんですけど〉

「明日食べる」

〈そう？　そうね。わかりました。ごゆっくり〉

いつも通りの明るい声だった。

「大丈夫だった」

「そうでしたか」

ほっとした様子で、炎月は答えた。

二人ともしばらく、沈黙の底に沈んだ。隣の席のプロ野球談議がやけに遠くに聞こえた。

不意に、只倉の視線の隅に、黒いものが動いた。トイレに通じる暖簾だった。その暖簾がふわりと動き、向こうにあの女――氷野美樹の顔があった。

「お前！」

立ち上がると、暖簾はふぁさりと元に戻った。氷野美樹は姿を消していた。

がしゃん、と、厨房のほうでガラスが割れる音がした。

「なんなのよ、あんたは！」

さっきビールを運んできた中年女性の店員が金切り声を上げながら、グラスを投げている。

「な、な、なんだよ、急に」

この店は夫婦経営である。投げられているのは旦那に違いなかった。

「別れてやる。あんたとは、別れてやるからっ！」

すごい剣幕だ。隣の席の三人組は野球談議を中断し、厨房のほうに顔を向けて呆然としている。

「お義父さん」炎月が声を潜めて言った。「出ましょう。私たちは今、どうも周りを不幸にするようです」

今回ばかりは只倉も、炎月に従う以外の選択肢を持たなかった。

6

東京メトロ東西線で門前仲町から葛西まで移動して少し歩き、雑居ビルの地下に潜る。二年ぶりだったが、《ウルコラク》は変わらずそこで営業していた。

十字架の装飾が施された銀色のドアを開くと、暗いバイオリンの調べが二人を包んだ。

「いらっしゃい。おや、珍しい」

店主が只倉の顔を見て言った。

カウンター五席だけの小さな店だ。店主はもみあげとひげがつながっていて、まるで狼男のような風貌をしている。一番奥の席で、背中を思い切り丸めた六十代くらいの男がちびりちびりとウィスキーを舐めている。

炎月と並んで座り、スコッチのソーダ割りを頼むと、炎月も「同じものを」と言った。

「お義父さん、このお店は」

「五年ほど前まで、近くに住んでいた同僚がいてな。そのころはよく通ったもんだ」

「大丈夫なんでしょうか。その……」

心配そうに店主のほうを見る炎月。

「心配するな。マスターは一生独り者を気取っている」

「気取ってるわけじゃねえ」棚からボトルを出しながら、店主は言った。「今はまだ、相手が見つからねえだけさ」

なっ、と炎月のほうを見ると、口元に笑みを浮かべてうなずいた。日向に別れを告げられて滅入っていたが、少しは余裕が出てきたらしい。

酒が来て、口をつけると、ピートの香りが炭酸に溶けて心地よかった。

「美味しいですね」

「美味い。……しかしそれより炎月、《よいどれ狸》で話せなかった、俺のほうの話だ」

「はい。傾聴いたします」

只倉は、蒲田に行くことになったいきさつと、そこで聞いた氷野美樹がらみの一連の事件について、炎月に話した。

「……それはまた、奇怪なことですね」

「ああ。さらに奇怪なことに、俺が警察庁の職場に戻ると、牛斧係長はいきなり俺を叱責したんだ。所沢の事件はどうした？　アポを取ったのに行かなかったのかと」

「えっ。だってお義父さんを蒲田に行かせるかわりに、そちらのほうは改めておいてくれる約束だったのでは？」

「そんなことを言った覚えはないと、係長は言うんだ。振り返ってみれば、俺に蒲田行きを命じたときの牛斧係長は変だった。瞳孔は開きっぱなしで、瞬きもしなかったような気がする」

炎月は、考え込むようなしぐさをして、酒を一口飲んだ。

「お義父さん。氷野美樹は思ったより恐ろしい存在かもしれません」

「どういうことだ？」

「係長さんを操って、お義父さんを蒲田に行かせ、そのトンガリ道祖神の近くにあるアパートで起きた事件にかかわらせようとしたんじゃないですか」

やけにピンとした背筋、瞬きをしない表情……あのときの牛斧係長の様子はたしかに変だった。どこかで只倉もその可能性に思い当たっていたのだろう。改めて怪談師の口からそれを語られるとゾッとする。

「どうしてそんなことをしたんだ？」

「氷野美樹は自分の存在をお義父さんにアピールしようとしているんです」

「だからなぜ私なんだ？」

「お義父さんが『視える人』だと気づいたからですよ」

カウンターの上のオイルランプは、いつものろうそく型ペンライトよりもずっと不気味に、彼の顔を照らしていた。

「霊というものは、アピールしたい相手が『視える人』ではない場合、できるだけその人の近くにいる『視える人』を探し、訴えを届けてほしいと近づく――そういう話はよく聞きます。私は、怪談こそ愛していますが、けしてそういうものが視えない人間ですから」

「俺だってそんなものは本来、視えない」

反発はしてみたものの……その言葉にもう自信が持てなくなっていた。炎月の背後に何度も氷野の顔を視ているからだ。さっきの《よいどれ狸》でも……。

只倉の韜晦（とうかい）を感じ取ってか、炎月は何も言わない。ＢＧＭはいつのまにか、重低音の管弦楽曲に変わっていた。

「生霊というのは、自分の意思で派遣できるものか？」

沈黙を破ったのは只倉のほうだった。炎月は只倉のほうに顔を向け、不思議そうな顔をしたが、

「一般的には、自分でも気づかずに飛ばしていることが多いそうです」

そう答えた。

「日本で一番有名な生霊といえば、源氏物語に登場する六条御息所（ろくじょうのみやすどころ）という女性になりましょうが、彼女も意思なく源氏のもとに生霊を飛ばしていました」

生霊を相手のところへ遣（や）ることを「飛ばす」と表現することを、只倉は初めて知った。少々面

はゆいが、その表現を使うことにする。

「もし、意識的に特定の相手のもとに、特定の時刻に生霊を飛ばせる技術を習得できる人間がいたとしたらどうだ」

炎月はまた沈黙した。否定も肯定もしない。ただ、グラスの中の泡を見つめている。

「忌まわしい話になりますが、そういう話はなくもないです。呪術的な手続きを経て、特定の相手のもとに、思い通りの時刻に自分自身の姿を見せるという……そういう呪いの訓練のような話です」

「炎月、お前、その訓練の話を人前で話したことはあるか？」

「ええ。もう二年と少し前になりますか。シエロ三橋(みつはし)さんの主催で開かれた『ダークミサ・イン・赤羽(あかばね)』というイベントで」

「その会場に氷野美樹はいたんじゃないのか？　それで、自分でもその訓練をして、特定の相手のもとに思い通りの時刻に自分の生霊を飛ばそうと思った」

「思い人がいたというのですか？」

「違う。アリバイ作りのためだ」

「アリバイ？」

只倉の発言が突拍子なく感じられたのだろう、訊き返す炎月の声は甲高かった。

「氷野美樹は百田真輔と交際するうち、どうしても真輔と結婚したくなった。だが真輔は妻の鷹代と別れようとはしない。『鷹代さえいなくなれば』と、氷野はいつしか殺意を抱くようになった。だが、鷹代が殺されれば、真っ先に疑われるのは真輔の浮気相手である自分だ。何かうまいアリバイ工作はないか……と悩んでいたとき、赤羽のイベントでお前の話を聞いたんだ」

只倉はウィスキーで口を湿らせ、先を続けた。

「氷野美樹はこんな計画を考えた。真輔が不在の夜を狙い、《ハイツせんざき》の１０３号室にやってくる。そして、社会的信用度の高い知り合いのもとに、自分の生霊を飛ばす。部屋に押し入り、鷹代を殺害、現場から逃げた後で生霊を自分のもとに戻す」

「意図的に、自分の生霊を現場から離れたところで目撃させるというわけですね？」

「そうだ。アリバイは完璧になるだろう。出張している真輔はアリバイが担保されているから、二人は潔白。ほとぼりが冷めた頃に一緒になれる――そう思ったのだろう」

炎月はまるでひどい悪夢でも見たようなあとの顔をして考え込んだあと、口を開いた。

「どなたか社会的信用度の高い方が、氷野美樹の姿を目撃していたのですか？」

「そんな話はなかった。氷野は失敗したんだ」

「失敗……」

「もともと不確かな訓練だったのだろう。彼女は生霊を飛ばすことはできなかった。だが、現場に証拠が残らないように細心の注意は払っていた。一人暮らしの女性なんて、アリバイがないのが普通だからな。彼女を犯人とする証拠を蒲田東署の連中は何も見つけられず、事件は迷宮入りとなった」

「私には信じられません」

「怪談師はそう思うのか。しかし、刑事にしてみれば何の不思議もない」

ふっ、と只倉は笑う。

「刑事一筋三十二年。いろんな犯罪者を見てきた。殺人計画を立てようってやつは本当に、様々なアリバイトリックを弄するもんだ。エアコンを使って死亡推定時刻をずらしたり、公共交通機関を駆使して自分が別のところにいたように見せかけたりな。『犯行時刻に、現場から遠いところにいる人間に自分の姿を目撃させる』なんていう仕組みがあることを知ったら、こういう連中が飛びつくのは目に見えてる。たとえそれがどんなに不確かなことでもだ」

「そういうものですか」

「そうだ」

只倉はもう一度、酒で口を湿らす。

「そして、その不確かな力は、事件後ようやく、自分のものとなった。真輔とは結局、うまくいかなかったのかもしれない。生霊を飛ばす確実な力を身に着けた彼女は、ライブを見て思いを寄せるようになったお前に、生霊を飛ばしたんだ」

「そっちは成功したと？」

「ああ……そしてたちの悪いことに」只倉は重い自分の右肩をさする。「今は、自分に気づいた俺に憑いている」

炎月は顎に手を当て、

「それについては、納得できる気がします。彼女はとり憑いている人間の周囲に不幸をもたらす

〝力〟を持った生霊なのでしょう。私に憑いていたころは私の周囲の男女を別れさせていた。それが只倉さんにとり憑いたとたん、只倉さんの周りの男女を狙うようになった。かくして、私と日向さんも被害に遭ったというわけです」

被害とは人聞きが悪いが、それはさておき、只倉はうなずいた。

「炎月。氷野美樹からのファンレターはまだ持っているか」

「あると思いますが」

「そこに住所が書いてあるな？」

「いや……覚えがありませんが、あったかもしれません」

「その住所を教えろ。明日、俺は氷野美樹に会ってくる。百田鷹代の事件のときと同じ場所に住んでいるとは限らないが、蒲田東署の刑事に聞けば、たどることはできるだろう」

「会ってどうするんですか」

「生霊を飛ばすのを止めさせる」

「止めることが自分でできるのでしょうか」

「意識的に飛ばしているのだったら、できるだろう」

生霊を飛ばすだの飛ばさないだの、何を言っているんだ、大丈夫かお前——冷静にたしなめる自分が只倉の中にいた。だがしょうがない。目の前で起きていることが現実だ。

「私も連れていってください」

炎月がポツリと言った。

「なんだと？　……ダメだ。これは警察の捜査だからな」

「生霊の事件が、正式な警察の捜査ですか？」

素直に首を縦に振るのを、ためらった。これは第二種未解決事件整理係の仕事ではない。只倉の私的な行動だ。

「別れているのは俺の周りの男女だ。今や氷野美樹の呪いは俺につきまとっているとしか思えん」

「もともとは私につきまとっていたものでしょう？」

炎月はいつになく頑固だった。かと思ったら……

「初めての自分の『体験談』になるかもしれないのです。怪談師がみすみす、こんなチャンスを逃すわけにはいきません」

薄い笑みを浮かべた。どういう神経をしているんだこの野郎、と思ったが只倉は踏みとどまる。――こいつの知識があったほうが調査が上手くいくことはたしかにあるだろう。

「危険な目に遭っても知らないぞ」

「ありがとうございます」

どうせ私的な行動なのだ。誰を連れて行こうと勝手である。

と、そのとき、

「どうぞ」

二人の前に一つずつ、カクテルグラスが置かれた。銀色にキラキラと光る酒が入っている。

「シルバー・ブリット。ジンにキュンメルとレモンジュースを加えたカクテルです」

「頼んでないぞ、マスター」

「よくわからないけど、忌まわしいモノと対決しに行くんでしょう?」

ひげだらけの顔の目が、聡明(そうめい)そうに光っている。

「『銀の弾丸(シルバー・ブリット)』は、狼男の心臓を撃ち抜けるただ一つの武器なんですよ」

生霊と狼男じゃだいぶ違うだろうが……、

「ありがたくいただいとくか、炎月」

「そうしましょう」

怪談師とグラスを重ねて口をつけたそのカクテルは、やけに酸っぱかった。

7

炎月から、ファンレターに住所が書いていなかったという連絡があったのは、深夜三時のことだった。それなら自分で聞きだすまでだと、すぐに只倉は欠勤届を出し、まず一人で蒲田へ向かった。蒲田東署の刑事課の連中は「第二種未解決事件整理係?」と訝(いぶか)しそうに只倉を睨(にら)みつけたが、やがて当時の担当刑事が出てきた。

「その名は忘れようったって忘れられませんよ」

草岡(くさおか)というその刑事は三十代後半くらいの痩(や)せ形の男で、氷野美樹の名前を出すと、悔しそうに唇を歪めた。氷野のことは百田鷹代殺害事件の最有力容疑者だと今でも思っているが、起訴に持ち込めるだけの証拠が何一つなかったのだ、と、大家が言っていたのとほぼ同じことを言った。

氷野の住まいを訊ねると草岡は携えていた事件の記録ファイルを開いた。

「事件の直後に引っ越したようですよ。この女、怪しいんですよ、アリバイまで含めてね」

「アリバイ？」

仙崎の話では氷野にアリバイはないということだったが……。

「事件当夜、スマートフォンでビデオ通話しているんですよ。ところが通話の相手が、鷹代の夫の真輔なんです」

驚く只倉の前で、草岡はファイルに挟まっている資料を指さした。

「通話のときの背景は間違いなく氷野の部屋だったと真輔は言ってるんですけど、共に鷹代がいなくなったほうが都合のいい二人ですからねえ、当然、アリバイとしての能力はないわけです。むしろ怪しい」

「たしかに」

と答えながら、只倉は別の違和感を覚えていた。誰から見ても怪しく思えるアリバイを、二人は作るだろうか。とにかく草岡に礼を言い、氷野の新しい住所を、只倉は手帳に書き写す。

「ところで、どうして第二種未解決事件整理係がこの事件を調べているんです？　迷宮入りなだけで、不可解な現象なんて何も起きてないでしょう？」

「いや、死体の状況がな……」

只倉がごまかすと、

「ああ、足の打撲痕のことですか？」

思いもよらなかったことを、草岡は言った。

「足の打撲痕？」

「被害者の女性、胸にナイフを二回突き立てられた状態で、ベッドから転がり落ちていたでしょう。死因は失血死なんですけど、どういうわけか、右足のくるぶしあたりを何度も叩かれているんですよ。金づちでね。第一発見者の大学生が部屋の前で見つけたあの金づちですよ」

草岡が見せたファイルの資料には、確かにそんなことが書いてある。

殺人犯は普通、目的を達成したら現場から早く立ち去りたがるものだ。なぜ氷野美樹は、百田鷹代の足を金づちで打つなどという行為に及んだのか。何か、ごまかしたい傷があったのだろうか。

「この打撲痕が何か引っかかるんですか？」

「ああ、まあ、そんなところだ。また来る」

草岡の気づきを利用してそう告げ、只倉はさっさと退散する。

JR蒲田駅に足を運ぶと、待ち合わせ場所にすでに炎月は来ていた。水色のシャツにスラックスといういで立ちだった。目立つから和服はやめろと言ったのは只倉だが……、どこのチームなのかわからない『E』というロゴの入った野球帽は、ボリュームのある髪と不健康そうな顔立ちに、まったく似合っていない。

「住所、わかりましたか?」

「ああ、覚悟はいいな。今から行くぞ、氷野美樹のところに」

ファイルから書き写してきた住所は、世田谷区の桜新町(さくらしんまち)だった。電車を乗り継いで桜新町駅で下車し、十分ほど歩いてクリーム色の十階建てマンションに到着する。オートロックのインターホンで304号室を呼び出した。

「今さらなんですが」炎月が心配そうに口を開いた。「今日は火曜日です。平日の昼間に、在宅していますでしょうか」

「いなければここで待つ。何せ、向こうの顔は知っているわけだから、通りがかれば声をかければいい」

「こういうとき、いつもアポは取らないのですか」

「そんなことをして逃げられたらどうする? 何の準備もしていないところに押し掛けてボロを出させるんだ」

「さすが刑事です。しかし」なお炎月は不安げだ。「相手は生霊を飛ばしているわけですから、こちらの出方もわかっているのでは」

これには只倉も何と答えていいかわからない。こっちだって、生霊などを相手にするのは初めてなのだから。

〈はい?〉

インターホンの向こうから女性の声がした。

「氷野美樹さんのお宅でよろしいですか？」

〈ええ。私が氷野です〉

警察なのですが——と当たり障りのない挨拶をしようとしたそのとき、

〈えっ？　ひょっとして、関内炎月さん？〉

モニター越しに見えているのだろう。その声からは、いよいよ来たか、と迎え撃つような雰囲気は感じられなかった。どうします、と炎月が只倉に目で訊ねている。只倉はカメラの前の位置を炎月に譲った。

「そうです」

〈わあ、こないだもライブ、行かせていただきました〉

「いつもありがとうございます。いつかは怪談もご提供いただきまして」

〈覚えててくれたんですかあ？〉

「少し、お話をお聞かせ願いたいので、お部屋にお邪魔してもよろしいでしょうか」

〈大歓迎です、どうぞ！〉

自動ドアが開く。只倉を先導せんばかりの勢いで炎月は入っていく。くそ、と思いながら、只倉もついていく。エレベーターで三階に上がり、３０４号室の前についた。インターホンを押すと、待ち構えていたようにドアが開いた。

「こんにちは。氷野美樹です」

その顔を見て——、只倉は固まった。

「関内炎月です。こちらは、私の知り合いの只倉恵三さんです」

炎月は何事もないかのように対応している。

「もちろん知っています。一昨日の歌舞伎町のイベント、行きましたから！　客席の後ろのほうで見ていました。すごかったですね、仏像の……」

彼女に愛想笑いを返しながら、只倉は「炎月」と、袖を引く。そのとき、

「上がってもらったら？」

奥から男の声が聞こえた。

「おや、お一人でお住まいではないのですか」

炎月が覗き込む。廊下に、ポロシャツを着た四十代ぐらいの男性が立っていて、にこやかに笑っていた。

「今、私が交際している人です。今日はたまたま、二人とも休みだったので、彼がうちに来ていたんです。どうぞ炎月さん、上がってください」

「お言葉に甘えましょう、只倉さん」

炎月が言うので、只倉は何も言わずについていった。

どういうことなのだ……。只倉は混乱している。

部屋は１ＬＤＫだった。

「今、紅茶を入れますから、お二人はシンスケとくつろいでいてください」

シンスケ……？

「どうぞ」

座椅子を進めるその男の顔をまじまじと見つめてしまう。炎月にせっつかれて、ようやく只倉も腰を下ろした。

「失礼ですが、百田真輔さんでしょうか？」

問うと、彼は驚いたように目を見張った。

「なぜ私の名を？」

驚くのはこちらのほうだ、と只倉は思う。キッチンのほうで紅茶を支度している彼女のほうを気にする。声は聞こえていないようだ。

「私は今、鷹代さんの事件を再調査しているのです」

真輔は表情を変えた。どちらかというと、迷惑そうな顔だった。

「……彼女は不幸な死に方をしました」

「あなたは当時から、氷野美樹と交際していたのですね。その彼女と今こうして、恋人関係にある」

只倉の問いに、真輔はええ、と力なく答えた。

「おっしゃりたいことはわかっています。しかし、私も彼女も、鷹代を殺してはいない。鷹代は、押し込み強盗に殺されたのです」

疑念は拭い去れない。真輔と氷野は共謀して鷹代を殺害した――？

しかしそれより、大きな不可解さに只倉は包まれていた。不可解すぎて、胸が気持ち悪くなりそうだった。

「お待たせしました」

キッチンから、彼女がやってくる。トレイの上には、湯気を立てたティーカップが四つ、置いてある。

「炎月さんがうちに来てくれるなんて感動です。でも、どうして私のうちをご存じなんですか？」

ティーカップを並べていく彼女に、

「氷野美樹さん」

只倉は声をかけた。

「はい？」

彼女は只倉のほうを向いた。快活で、明るい表情。只倉が黙っていると、にこりと笑う。

只倉は炎月の二の腕をつかみ、立ち上がらせる。

「帰ろう」

「はい？」

「いいから、出るんだ！」

炎月を無理やり引っ張り、靴に足を突っ込んで玄関から出た。

「……どうしたのです、お義父さん？」

ドアが閉まるなり、不思議そうな顔をしている炎月に向かい、只倉は訊ねた。

「今の女は誰だ？」

炎月はきょとんとしていたが、

「氷野美樹さんですよ」と答えた。「日向さんのスマートフォンで一緒に見ましたよね」

「いや、俺が見たのはあの顔じゃない。お前の後ろについていたのも、イベント会場の客席で見たのも、日向のスマートフォンで見たのも」

只倉が見てきたのは、片目が隠れるほど髪の長い、口の横に広い女だ。だが今見た彼女はショートカットで、頬の血色がよく、何より快活だった。氷野美樹とは全然違うし、顔を見たことがない。

「どういうことです？」

炎月が言ったそのとき、

「助けて！」

ドアが勢いよく開いて、百田真輔が飛び出してきた。

「あっ、刑事さん、助けてください」

「いったい何があったんだ」

只倉が問うと同時に、彼女が出てきた。だが、

「真輔！」

その顔から、さっきの快活さは消えていた。蒼白で、だが怨恨がこもっているようで……右手に、包丁を握っている。

「突然、別れましょうと。別れないなら、あなたを殺すと、包丁を振り回しはじめたのです」

只倉は炎月のほうを見た。氷野美樹……いや、只倉が氷野美樹と思い込んでいた女のしわざだ。

「殺す！」

女は包丁を振り上げる。

「逃げろっ！」

大声を上げつつ、非常階段のほうへ走る。炎月と真輔も追ってくる。一気に階段を駆け下り、表通りに出る。片側二車線の、車通りの多い通りだ。

「渡れ！」

相手が凶器を持っているなら、とにかく逃げなければならない。三人が通りを渡った直後、

「逃げるな！」

金切り声を上げてマンションから彼女が飛び出してきた。すごい形相のまま、追いかけて通りに走り出てくる。

「おい……」

止まれ、という声が出る前のことだった。急ブレーキ音と衝突音が、空を切った。

彼女――本物の氷野美樹は、猛スピードで走ってきた赤い車に撥（は）ねられ、宙を舞った。

8

病院の待合室で、只倉は炎月と隣り合って座っている。百田真輔はその向かいで、この世の終

わりのような表情で語り続けている。

「お二人が出ていってすぐのことでした。美樹は突然、ふっ、と糸が切れたかのように床に伏したんです」

「伏した？」

「はい。どうしたんだと近づいていったら彼女はむくりと起き上がり、私を突き飛ばし、『もうたくさん、別れましょう』と……」

急な豹変ぶりに戸惑っていると、美樹はキッチンに飛び込み、包丁を持って出てきた。

「別れないというなら、この場であなたを殺してやるわ――そう言って急に襲い掛かってきたのです。美樹は普段はそんなことはしない女です。あの顔はまるで――」

そこまで言ったところで真輔は両手で顔を押さえ、あああ……と呻きはじめた。

「まるで、なんだというのです？」

炎月は質すが、只倉には真輔が何を言いたいのか、なんとなくわかってきていた。

「失礼ですが、亡くなった前の奥さん……百田鷹代さんの写真をお持ちですか」

真輔は顔をあげ、「はい」と力なく答えた。

「見せてもらえますか」

スマートフォンを取り出し、操作したあとで差し出してくる真輔。どこかの海辺で撮影されたらしい女性が映し出されていた。

「やはり」

炎月が不思議そうに只倉の顔を見る。片目を隠すほどの長い前髪、病的なまでにこけた頬……。

「どうしたのです？」

「俺が見ていたのは、この女だ」

間違いなかった。炎月の背後につきまとい、新宿のイベントの客席で笑い、昨晩よいどれ狸のトイレから覗いていたのもすべて、氷野美樹ではなく百田鷹代だったのだ。

「どういうことなんですか」

炎月はキャップを取り、わけがわからないというように髪の毛をかき回す。混乱しているのは只倉だって一緒だった。まだ情報が足りない。

「百田さん。氷野美樹さんとお付き合いするにいたったいきさつを、初めから話していただけますでしょうか」

彼は素直に応じた。

「私たちが出会ったのは二年前の夏です。私が勤める渋谷の韓国料理チェーンにアルバイトとして入ったのが、美樹でした。そのころ、私と鷹代は関係がうまくいかず、ちょっとしたことで諍いが絶えなかったのです。鷹代はことあるごとに『別れてやる』と私に暴力をふるい、私は疲れていました。そんな私はいつしか美樹に惹かれるようになり、関係が始まったのです」

ぴきっ、とすぐ近くで音がした気がした。振り返るが、窓ガラスがあるだけだ。待合室にいる他の患者たちは気にする様子がない。

「私の浮気に感づいた鷹代はさらに荒れました。事件の起こる少し前など、手あたり次第にものを投げつけてきたので、私は外に逃げました。鷹代は追いかけてきて、路地にある、排水溝の金網を取り外し、私に打ち付けてきたのです。私は逃れましたが、彼女は金網を持って追いかけてきて……そのときの傷が、まだここに」

腕の傷を見せる真輔。ぴきっ、ぴきぴきと窓ガラスが軋む。

「続けてください」

真輔はうなずいた。

「二年前のあの日、私は商品開発会議のため、大阪の研修センターに行っていました。警察から妻が殺害されたという電話があったのはその翌日の朝のことです。私はすぐに東京に戻りました」

「警察は氷野さんを重要参考人として注目したそうですが」

「とんでもない。美樹に殺人などできるわけがありません！……美樹はたしかに、怪談という妙な趣味はありますが、心の優しい女なんです」

ばしっ、ばしっと、窓に小石が当たるような音に変わっていた。ずん、と待合室全体が青くなった気がする。近づいてやがる、と只倉は感じた。

「事件当夜の氷野さんのアリバイについて、警察に証言していますね？」

「はい。あの日の十一時から一時間ほど、大阪のホテルで、美樹とビデオ通話をしています。背景はまちがいなく、美樹の部屋でした。彼女はスマートフォンを使っていて、リビングの中をあちこち移動しながら話していたので、背景を操作していたとは考えられません。私とちゃんと受け答えしていたので、前もって録画していた映像ということもありえません」

ファイルにあった通りの証言だ。草岡は怪しがっていたが、これが本当だとすると、事件の様相がまるっきりひっくり返る。

どたん、とものすごい音がした。

すぐ近くの壁際にあった観葉植物が、鉢ごと倒れていた。バーミキュライトが床に散らばっている。さすがに患者たちも驚いてそちらのほうを見ている。

「ひとりでに倒れました」

呆然とする炎月。すると今度はバチバチと、頭上の蛍光灯が明滅を始めた。患者たちがざわめく。

只倉も腰を浮かせるが、妙なことに気づいた。

真輔が落ち着いているのである。そればかりか、彼の周囲だけ、正常な雰囲気だ。

只倉が妙な寒気を感じるときに感じる視界の青み。ドームの中にでも入っているかのように、真輔の体の周囲だけ、その青みがない。

「百田さん、あんた、怖くないんですか」

おかしな訊き方をしてしまったと、自分で思った。真輔は「ああ」と天井を見上げた。

「こういうのは平気なんです。私、小さいころに近所のお坊さんに言われたことがあるんです。『あんた、強い者がついているから悪い霊からは一生守られる。でも、女運は悪いから、人間の女のほうに気をつけなさい』って。本当にそのようです」

ぱりん、ぱりん。天井の蛍光灯が相次いで二つ割れたが、その破片は真輔には届かない。只倉はヒントめいたものを感じていた。

鷹代は、夫にはとり憑くことができなかった……

今度は、窓ガラスが割れ、破片が飛び散った。

「ぎゃあぁ！」

患者たちが叫んで逃げ惑う。

「お義父さん、このままここにいたら迷惑をかけることになります」

「そうだな。百田さん、ありがとうございました」

真輔を残し、二人で出入り口へと駆ける。病院の外へ出ると、中の騒動が嘘のようによく晴れた空が広がっていた。百田鷹代の陰鬱な攻撃はついてきそうになかった。

一息ついたその直後、上着の中でスマートフォンが震えた。第二種未解決事件整理係の電話番号からだった。

「もしもし？」

〈ああ、只倉さん？　幕場だけど〉

細い板に意味不明の漢字を書き続けるあの女だった。

〈『夫の浮気相手に殺された女の霊』に心当たりある？〉

何の前触れもなく、彼女は言った。

「えっ……」

〈あるのか。そうか、あるのね、やっぱり〉

どことなく面倒くさそうだった。

「なぜ知っているんです？」

〈さっき母が私に電話をかけてきてね、只倉さん、その女と早くちゃんと話をしないと、もう全部吸い取られちゃうわって〉

百田鷹代のことに間違いない。だが、幕場の母はなぜ知っているのか。

〈拝み屋みたいなことやってるのよ、うちの母。私はまったく信じてないんだけど、こうやってたまに、『あんたの誰誰って知り合いが、こういう状態にあるから、私のところにこさせなさい』っていうの〉

参っちゃうわよねほんとに、と愚痴ったあとで、コーヒーをすする音が聞こえた。

〈そういうわけだから只倉さん。あと、隣に誰か若い男の人がいるならその人も一緒に、母の道場に行ってちょうだい。ただし、忙しいから、今日の午後七時ぴったりですって。一分でも遅れたらもう助からないそうよ〉

幕場は新宿区若葉（わかば）の住所を告げると、

〈全部伝えたからね。私は信じてないけど〉

へっへっといつものように笑い、一方的に通話を切った。腕時計に目を落とす。午後三時二十分。七時までには、まだ時間には余裕がある。

「炎月、行くぞ」

只倉は振り返った。

「どこへです？」

「蒲田だ」

9

再びＪＲ蒲田駅へやってきて、歩いて現場へ向かう。その途中から、炎月の様子がおかしくなってきた。あたりをきょろきょろするのである。

「どうした炎月」

「はい……私、このあたりに来たことがある気がします」

「なんだと？　いつだ」

「おそらくは怪談の取材で。東京だけでも千か所以上行っていますので、いつのことか思い出せないんですけど」

気にせず、《ハイツせんざき》の前までやってきたところで、ぴたりと炎月は足を止めた。

「やはり。来たことがあります」

視線の先にあるのは、《ハイツせんざき》の向かいの空き地にあるトンガリ道祖神だった。

「トンガリ道祖神というのはオミオサマのことでしたか」

「オミオサマ？」

「はい。このあたりに関する怪談がありまして、懇意にしている民俗学者の先生にお伺いを立てたところ、オミオサマのことだろうと。どうしてそんな名前なのかはその先生も知らないとおっしゃっていましたが」

「怪談というのはなんだ？」

「ちょっと忘れましたが、雀荘の関わる話ではなかったかと。それより来たとき、そこのアパートで何か事件があったようで、警察の黄色い規制テープが張られていたのはよく覚えています。そこから出てきた警察官に職務質問をされ『怪談師』と答えました」

「炎月。百田鷹代が殺されたアパートは、そこだ」

「えっ？　ああ……」

どこか予想していたかのように、炎月は呻いた。そして、ぐうっ、と喉を鳴らした。

「どうした？」

「なんだか、背中が重いのです。そういえばあの日も、ここでこんな感覚に……オミオサマのせいでしょうか」

炎月の背中に、黒いもやのようなものが渦巻いているのが見えた。

こいつめ。再び炎月に憑きやがったか。それならそれでいい、むしろ好都合だ。

「炎月、お前は先に、若葉の道場へ向かえ」

「はい？　しかし」

「やつの気が変わらないうちに。タクシー代くらいはあとで出してやる」

＊

炎月をタクシーに押し込んだあとで、再び《ハイツせんざき》に戻ってきた。肩は軽かった。

１０３号室の扉を眺める。あの中に入るのは無理だろう。もとより二年も前の事件の手掛かりが残っているとも思えない。只倉はアパートを後にし、注意深く道の脇を観察しながら歩き始めた。

求めていた場所はすぐ見つかった。ブロック塀とブロック塀のあいだに、人が一人ずつやっとすれ違えるくらいの路地がある。地元の人たちの抜け道といったところだろう。入って、十メートルほど進んで立ち止まる。

足元に、金網があった。その下は深さ三メートルほどの暗い空間がある。降水時には水が溜まるのだろうが、からっぽだった。しゃがんで、両手の指を金網に入れる。

ぐっ、と力を籠めると、土をぼろりと落としながら金網は外れた。普通はボルトで留めておくものだろうが、路地に入る者を想定していないのか、簡単に外れた。

――すべてが、つながった。

「見てろよ」

金網を顔の位置まで持ち上げ、只倉はつぶやいた。

「お前なんか、怪談じゃなくしてやる」

10

新宿区若葉は四谷にほど近い、坂の多い地域だ。現代風のマンションも多く建っているが、昔ながらの古いアパートや一戸建てが目立つ。窓に明かりが灯っていない廃屋のようなビルの角を曲がり、自転車が通るのも難しそうな細い道を抜けた先に、「幕場おがみ道場」と書かれた表札を見つけた。腕時計は午後七時ぴったりを指している。

引き戸のそばについているブザーを押すと、ややあって、がらりと引き戸が開いた。

出てきたのは、腰の曲がった七十歳くらいの老婆だった。黄土色の、全身をすっぽり覆う布のような服を着ている。やや四角い輪郭が、幕場清江に似ている気がした。

「来なすったか」

鳴きすぎて声帯をやられてしまった猫のような声だった。どろりと濁った目で只倉を見ると、彼女はこちらに背を向け「入りなさい」と告げた。

「……なんだ、これは」

通された部屋の内部を見て、只倉は思わず口にしてしまった。

十畳ほどの広さの部屋だ。フローリングの上に黄色いラグが敷いてあるが、その中央に、木で組まれたかまくらのようなものがあるのだった。その周囲に香炉があり、白い煙が立ち上っている。

「お義父さん……」

炎月は白装束に身を包み、その木のかまくらの中に胡坐をかかされていた。なんとも情けない声だ。

「さっそくはじめようね。あんたはこっち、私の後ろだよ」

老婆は只倉に指示を出した。壁際に、簡単な造りの祭壇のようなものがある。

「ほれ」

只倉に数珠をにぎらせると、老婆はその祭壇に向かって正座をした。

「あやつはこの世に留まっていてはいけない。留まり続けると、あんたのすべてを吸い取るだけでなく、関係のない者まで犠牲になる」

老婆は祭壇に向かい手を合わせ、

「あ――――っ」

折れそうな体のどこにそんな力があるのかと思えるほど、まるでサイレンのように大きな声を上げたかと思うと、ばんばらばらばらばら、ばんばらばらばらばら……只倉の理解できない呪文のようなものを唱えはじめる。

只倉はただ、借りた数珠を握り、ばっさばっさと揺れるその白髪を眺めているだけだ。

すると、しばらくして、

「うぐっ!」

木のかまくらの中から炎月の苦しむ声が聞こえた。

「炎月、大丈夫か」

思わず声をかけるが、

「ほうっておけ！」

老婆の怒号が響いた。

「心配しなくても、もう少しで、そこに引き出してやるで」

いっそう激しく呪文を唱え始める。うぐぅ、うがっ、と、生爪でも剝がされているかのような苦悶（くもん）の声。だがその炎月のうめき声が弱くなっていく。

まったく聞こえなくなったそのとき、突然、老婆の呪文は途切れた。

ばたり、と老婆は床に伏した。

静寂が、部屋を支配した。

一分ほど待ったが、何も起きない。さすがに心配になってきた。

「大丈夫ですか」

老婆の肩を揺すぶる。動かない。まさか、やられてしまったとでもいうのか。

「しっかり、してください！」

両肩をつかんで、仰向けにし――只倉はおもわずのけぞった。

「……やっと……やっと」

その赤い口から、言葉が出た。

床に両手をだらりとさせた肢体は、腰の曲がった老婆に間違いない。だが顔は、只倉の前に何度も現れたあの女だった。白かった髪も、長い黒髪になっている。

「百田鷹代だな」

「……ええ」

応えるが、仰向けになったまま起き上がらない。日向のスマートフォンの画像のことを只倉は思い出していた。おそらく、自分にだけ老婆の顔が彼女の顔に見えているのだろう。

「お前が何をしたかったのか、看破した」

「……ぐふ……ぐふふ」

鷹代はおぞましく笑った。負けるものかと、只倉は告げる。

「二年前の九月九日、夫の真輔が出張していた日の深夜、お前は部屋で殺害された。眠っていたところ、部屋に侵入され、胸にナイフを突き立てられた。傷は二つ付いていたが、共に深く、お前が起き上がることはできなかっただろう。お前は苦しみながらベッドから落ち、立ち去る相手を見送りながら息絶えることしかできなかった」

「ぐぐ、ぐぎ、ぐぎぐぐ……」

鷹代の顔から笑みが消え、その口から血の泡がぶくぶくと吹きだす。苦しそうなうめき声だった。

「怨霊などという存在を俺は認めん。だがここはあると仮定して、お前はそういう存在になった。夫の浮気相手である氷野美樹が自分を殺したのだと悟り、なんとかして彼女を呪い殺そうと思った」

「ぐぐぎ、ぐぎぎぐぐ……」

「だがお前は、殺された現場から動くことができなかった。自分の死体を見て取り乱す夫に訴えようとしても聞き入れられなかった。そして、お前の夫は生まれつき何かに守られていて、お前のような類のものは憑くことができない」

「ぐっ、ぐぎぐぐ……」

「警察官にとり憑こうにも、誰が氷野美樹のもとに聞き込みをするのかわからない。やりきれない怒りと悲しみと恨みを抱えたお前の前に、一人の男が現れた」

只倉は振り返る。木のかまくらの中から出てきた炎月がうつぶせに倒れている。

「お前のアパートの向かい側に偶然、トンガリ道祖神なる不思議な像があり、やつはそれを調べにきていた。現場にやってきた刑事に職務質問されたやつは律儀に、『怪談師をしております』などと言い放った。刑事にとってはただの変人だったろうが、そばで聞いていたお前にとっては違った。なぜならお前は、夫の浮気相手についての独自の調査で、氷野美樹の趣味を把握していたからだ」

「……ごぽ」

血の塊が、女の口から出た。

「怪談だ。この男についていけば、いつか氷野美樹にたどり着けるかもしれない。一縷（いちる）の望みをかけて、お前は炎月にとり憑いた。どうだ？」

血まみれの口元に、笑みを浮かべる。怨霊女なりの肯定であると、只倉は理解した。

「ここ二年、炎月の周囲で、仲の良い男女が別れる現象が相次いだ。お前にはとり憑いた人間の周囲にいる女をそういう気持ちにさせる〝力〟があるようだな。自分で意識しているのか、意識せずにそうしているのか俺にはわからん。お前にもわからないのかもしれないな」

女は小刻みに揺れている。

「俺は不本意ながら、あるきっかけでお前のようなものを視る力を得てしまったようだ。炎月に何度か会ううち、はっきりとお前の姿を視るようになった。先日のイベントでばっちり目が合ったな。お前も悟ったんだろう。俺がお前を視えていることに」

「がっこう……がっこう……」

あの廃校での事件のときから、気づいていたんだと言いたいらしい。

「思い出横丁の居酒屋でも姿を現したな。炎月からとり憑く対象を俺に変えたのはあのときか」

「やはりそうだったんだな。あれ以来、俺の周囲で男女のカップルが次々と別れ始めた」

「やき……とり…………」

「……ああ……ああああ」

そのうめき声は困惑か、それとも興がっているのか。

「まあいい。お前は自分のその〝力〟を利用しようと行動に出た。牛斧係長を操り、俺を蒲田のトンガリ道祖神に向かわせ、自分の事件との関わりを無理やり作った。そして、俺が氷野美樹のもとに聞き込みに行きたいと思わせる状況を作ったんだ。これこそが、お前の真の目的だ」

ぱあぁと、明るい表情になる鷹代。

「炎月にとり憑いて氷野美樹の情報を集めているとき、お前は彼女が真輔と結婚を前提に付き合っているという噂話を聞いたのだろう。お前はそれが許せなかった。だが氷野と真輔の家がどこだかわからない。刑事の俺なら、事件の捜査の一環として、二人のもとを訪れることがあるだろう。そのときを狙って、自らの〝力〟を発動させる。つまり、氷野に心変わりを促し、真輔に別れを切り出させるんだ」

ぐかああ――鷹代のおぞましい反応を前に、只倉は氷野のマンションで見た光景を思い出した。直前までにこやかに対応していたのに、包丁を振り上げて恋人に襲い掛かるあの姿。

何者かにとり憑かれたとしか思えない。

「氷野と真輔はおそらく破局するだろう」

只倉は言った。

「……あり……がとう……あり……がとう」

本懐を遂げたとでも言いたげに、鷹代は笑い始めた。

知らない毒虫の羽音を耳元で聞かされているようだった。気味の悪さはもちろんあるが、それ以上の感情が、只倉の中に込み上げてきた。

「これですべてを終わらせたつもりか」

たしかな怒りを持って、只倉はその女に告げた。

「いいか怨霊。俺は怪談なんか大嫌いだ。お前のことなんか信じるか。お前みたいなやつがこの世に渦巻いていると思ったら反吐(へど)が出る。だから、今から俺の言うことを聞いて、自分自身の勘違いに気づいたら、とっとと消えろ。怨みなどなくなったら、この世にいる意味なんてないだろう！」

鷹代の目が泳いだ。只倉の言っていることが不可解なのだろう。

「お前は根本的に大きな勘違いをしている」

かすかな爽快感をおぼえながら、只倉はその女に向かい、最も言いたかったことを告げた。

「お前を殺したのは氷野美樹ではない。別の人物だ」

11

すべての音が聞こえなくなったような気がした。

ぐらり。只倉は一瞬、めまいを覚えたが、なんとか足を踏ん張った。

炎月はまだ、木のかまくらから半身を出して伏したまま気を失っている。幕場の母親は只倉の目の前に仰向けに倒れ、その顔は不思議そうな顔をしている鷹代だった。

先を話せと促しているのだと、只倉は悟った。

「お前は、暗がりの中で殺された。だから自分を殺した相手の顔を見ていない。夫の浮気のことで頭がいっぱいだったお前は、自然と、氷野美樹が犯人だと思い込んでしまった。だが違う。氷野美樹は事件のあった時刻の前後、テレビ電話で通話をしていた。相手は百田真輔だ」

ぐわっ、と鷹代の顔が赤くなる。眉毛が吊り上がり、怨嗟が血の塊となって口の脇へこぼれ出た。

「二人で口裏を合わせたのだろうと言うのだな？　俺はそうは思わん」

血走ったその女の目を、只倉はまっすぐに見返す。

「友人や、仕事の仲間など、他にアリバイ証言者としてふさわしい者がたくさんいるのに、口裏合わせを疑われる真輔をわざわざ相手に選ぶのはおかしい」

鷹代は納得がいっていないようだった。

「氷野美樹が犯人ではないという根拠はまだある。お前の右足の打撲だ。お前の遺体には右足のくるぶし付近に打撲痕があった。骨にひびが入るほどの強い打ち身だ。検視の結果、それはお前が息絶える前後に打たれたものだろうということだった。凶器はお前の部屋の前で見つかった血まみれの金づちで間違いない。――犯人はお前を刺したあと、苦しんでベッドから転げ落ちたお前の足に金づちを何度も叩きつけたことになる。不自然だ。とどめを刺そうというならもっとナイフで刺すべきところを、どうして致命傷になりえない足を狙ったのか。一刻も早く現場を立ち去りたいはずの殺人犯がなぜ、そんなに時間のかかることをする？」

鷹代は目をぐりぐりと回している。

「被害者の心理はわかっても、犯人の心理はお手上げか、怨霊め。刑事畑三十二年の俺にはすぐにわかったぞ。人間がこんな執拗な行為に及ぶ理由、それは『復讐』だ。お前の足を金づちで打って傷つけてやることこそが、犯人の目的だったんだ」

目の回転は収まる様子を見せず、むしろ早くなっている。

「その様子だと、加害者の自覚もないようだな。いいか。お前が氷野美樹を疑った理由の一つとして、真輔から合鍵を受け取っていたこともあるはずだ。だが冷静になって考えてみろ。合鍵を持っているのは氷野美樹だけじゃない。もっと身近にいたはずだ」

「み……ぢ……か……」

「気づかないとは哀れなものだ。教えてやる」

只倉は女の顔に人差し指を突き付ける。

「お前を殺したのは、大家の仙崎ミヨシだ」

*

さかのぼること四時間。炎月と別れた後、只倉は蒲田東署へ行って草岡を呼び出した。

「はい？　仙崎ミヨシですか？」

只倉の推理を聞いた草岡は、目を丸くした。

「いやもちろん、合鍵の件から私たちも彼女について調べましたよ。しかしあの年ですしね……」

「年だってナイフで胸を突くのはわけないだろう。そして、一発では目的を成し遂げられないから、何度も何度も足に金づちを打ち付けたんだ」

「その『目的』っていうのは何なんですか？　復讐っておっしゃるけど、仙崎には動機なんてないですよ」

「事件の少し前、百田夫妻は夫の浮気を巡って大喧嘩をした。激情した妻の鷹代は外に逃げる夫を追いかけ、路地裏の壁際に追い詰めたあと、平手でさんざん頬を打ち、排水溝の上を覆っている五十センチ四方の金網を持ち上げてさらに打ち付けた。真輔はやっとの思いで路地の向こうに逃げた。鷹代は金網を持って真輔を追いかけた」

「それがどうしたんですか。今の話だったら、鷹代に恨みを持っているのは真輔ってことになる」

「話はまだ続きがある。その日、仙崎はいつものように犬を散歩に連れていった。散歩のコースにはその路地裏がある。幸か不幸か、その路地裏にさしかかったとき、仙崎はリードを離してしまった。犬は路地裏を走っていき――、金網の外された排水溝に落ちた」

「……ああ、そういえばあの犬、自分じゃ歩けなくなったそうですね。足を折って」

そこまで言って、草岡は青ざめた。

「まさか……」

「そうだ。わが子のように可愛がっている犬が足を折り、二度と前のように歩けなくなった。絶望にうちひしがれた仙崎がもし、金網を外したのが鷹代だと知ったらどうなる？　当の鷹代は何も知らずに大家の仙崎にはすべてを打ち明けている。夫が大阪出張で家を空けるスケジュールも把握済みだ」

「犬の足の復讐のために殺人など……」

「するんだよ。夫に先立たれた老女にとって、犬はかけがえのない家族だからな。同じく足を折ってやりたいと考えたんだ。だが、力の弱い彼女にとって実行は困難を極める。いきなり足に金槌を打ち付けたら鷹代に抵抗されて返り討ちに遭う。だから寝ている時間に部屋に忍び込んでまず体を刺し、息も絶え絶えになったところで足に打ち付ける方策をとったんだ。これ以外に、鷹代の足に何度も金づちが打ち付けられた跡がある理由はない」

草岡は気分が悪そうに頭を振っていたが、今から仙崎のもとに行こうという只倉の誘いを断ることはなかった。

＊

「仙崎ミヨシはもちろん、初めは、犯行を否定した」

「ぐぎ、ぐがぐぎぎ……」

只倉の話に耳を傾けながら、鷹代の怨霊は歯を食いしばっている。

「だが犬の足のことを何度も話すうち、様子がおかしくなっていった」

「ぎぎぐ……ぐが、ぎぎぎ……」

「両手で顔を覆い、蛙が押しつぶされるような声でむせび泣き始めた」

だって悔しいじゃない。うちの子は何も悪いことをしていないのに、あの女の、くだらない喧嘩のせいで――仙崎はそう言ったのだった。

「仙崎は認めたよ。自分の犯行をな」

くかっ、と血しぶきを散らしながら鷹代の口が開いた。呆けたように、目は真っ白だった。

「お前は夫の浮気で真実が見えなくなり、自分の犯した不注意が仙崎の恨みを買っているともしらず、勝手に氷野美樹を犯人と思い込み、関係のない人間にとり憑き、関係のない人間を不幸にし続け、そして——本来、お前など見なくて済んだ俺に姿を見せた。自分の愚かさを思い知れ！」

只倉は足を踏み鳴らす。鷹代の顔がびくりと揺れたが、再び口がカッと開いた。髪の毛が逆立ち、ぎしぎしと壁がきしむ。只倉はこめかみに激痛を感じた。

「消えろ。お前は氷野美樹への怨恨でこの世に留まっていた存在だろう。その怨恨そのものが勘違いだったんだ。もとより無に等しいんだ」

きりきりきりと締め付けられるような痛みだ。

「……消えろ。……消えろっ！　俺は、怪談なんか大嫌いだ！」

背中が凍り付くように寒くなる。痛みと寒さで耐え切れず、只倉は膝をついた。がらがらと、かまくらを形作っていた木の枠が崩れる音がした。逆上しているらしい。こいつめ！　という反発心はあるが、なすすべがない。

このまま、この得体のしれない怨霊に、身を蝕まれてしまうのか。心霊現象などこの世にないと信じて生きてきたこの俺が……

「大したもんだな、あんた」

聞き覚えのある声に、ぱっと顔を上げた。

幕場の母がそこに立っていた。だが、腰は曲がっておらず、髪の毛もずいぶん整っている。そして何より不可解なことに、今目の前で仰向けに倒れている、百田鷹代の顔をした幕場の母とまったく同じ、黄土色の服に身を包んでいる。

「誰だ？」

「妙なことを聞く。私だよ、幕場清江の母親の、幕場かの子だよ」

幕場の母親が、二人いる。

「だが、そんなに……」

「姿勢がよくなかったって？　あんたね、今、こいつに体を貸しているんだからもともとの私は外に追い出されて当たり前でしょうよ」

幕場の母は身をかがめると、喚いている百田鷹代の頭を右手でむんずとつかんだ。

「よっ！」

見る間に、鷹代の首と、それにつながる黒い影がずるずると仰向けの体から引き出される。引き出したそれを宙に放り投げるようにしたあとで、幕場の母は仰向けの体に入っていった。

いつしか、仰向けになっている老婆の顔は、幕場の母に戻っていて、ぱっちりと目を開けた。

「よっこらせ」

唖然としている只倉の前で手をついて身を起こすと、

「あとは私がやろうね」

座布団に正座をし、数珠をじゃらじゃら鳴らしながら拝みはじめる。

ばんばらばらばら、ばんばらばらばら……只倉にはわからない言葉を唱え始めると、空中の鷹代の顔がぐるぐると回りはじめた。

ばんばらばら、ばんばらばらばら……聞いているうち、只倉は激しい眠気を感じた。視界が歪んでいく。その茫漠(ぼうばく)たる白い空間の中、鷹代の顔が天井に吸い込まれていくのが見えた気がした——。

エピローグ

〈よいどれ狸〉の引き戸を開くと、もうすっかり馴染みになった四人席に、日向は座っていた。引き戸を閉め、只倉は彼女の前に腰掛ける。

「ずいぶん早かったね」

まだ午後五時前である。

「ああ。明日また、再調査だからな。係長が今日は早めに切り上げていいって言ってくれたんだ」

日向と二人で居酒屋に行くのだということを知っていて、係長は気を回してくれたのだった。

「へぇー。明日はどこなの？」

「福島だ」

ある旧家にまつわる忌まわしい事件だが、ここでそれを話して雰囲気を壊すこともあるまい。

「いらっしゃいませ」

いつもの中年女性の店員が、おしぼりと突き出しを持ってきた。小鉢の中を見て、ん、と思う。

茄子の揚げびたしの上に、ハート形のニンジンが載っている。

「なんだ、これは」

「私たち、今日、結婚記念日なんですよ」

彼女は嬉しそうに微笑み、厨房を振り返る。料理をしているオヤジが、こちらをちらりとみて、恥ずかしそうに笑った。

ビールを注文し、店員を見送る。どうやら破局は免れたらしい。

第二種未解決事件整理係の面々も、同様だった。柘榴井は黒氏のために弁当を作ってきたし、鴛海は婚約者とよりを戻したと嬉々として報告してきたし、牛斧係長も今度の休みは妻とフランス料理を食いに行くんだと張り切っている。今回の事件の陰の功労者であった幕場だけがつまらなそうに木を削る日常を過ごしていた。

忌まわしい別れの呪いから解放されつつあるのは喜ばしいことではあったが、一つだけ気に食わないことがあるのもまた、事実である。

「いいなあ、ああいう夫婦、あこがれるなあ」

厨房の前でジョッキにビールを注ぎながら、夫に話しかけている女性店員を眺め、日向がつぶやく。

「お前、あの男と別れるんじゃなかったのか」

声を低くして訊ねると、

「それは撤回」

日向はやはり、迷いなく答えた。

「こないだ私、どうかしてたんだ。せっかく炎月さんとお付き合いできるのに、自分からサヨナラなんて」

「あいつは怪談師としても情けない男だぞ」

わざと意地悪く聞こえるように言って、笑ってやった。

＊

新宿区若葉の、幕場かの子の「道場」でのこと。ふっと目をさますと、幕場かの子が崩れた木材を両手で拾い集めているところだった。

「ああ、手伝いますよ」

只倉は慌てて身を起こし、手伝いはじめる。照明は煌々としていて、床には血など何一つ残っていない。壁がきしむ音などせず、何より重苦しかった空気は雲散していた。黙々と薄い木の板を拾い集める腰の曲がった老婆の姿を見て、「祓った」のだと、漠然と只倉は感じた。

……さっきのは本当にあったことだろうか、と自問した。

あったわけがない。怨霊など、この世に存在しない。ただうやむやにされた犯罪があり、その真実を導き出しただけだ。刑事の仕事とはそういうものだ。

「ほれ、あんた、彼を起こしなさい」

幕場かの子が指さしたのは、折り重なった木の板の下で伸びている炎月だった。揺り動かすと、

炎月は目をこすったあとで、ハッとして、

「どこです？　鷹代は？」

キョロキョロと辺りを見回した。

かの子の道場からの帰途、炎月の落胆ぶりといったらなかった。

「怪談師として、こんな不覚があるでしょうか」

忌まわしい現場に居合わせながら気を失い続けて、一部始終を見逃したなんて……と、テストで名前を書き忘れた小学生のように泣きべそをかいていた。

「お願いです、何があったのか教えてください」

懇願されたが、もちろん只倉は断った。

「俺は怪奇現象など認めん。今日見たことは、全部、夢か幻覚だったんだ。怪談なんかにしてやるものか」

くぅ〜と唇をかみしめる炎月の悔しそうな顔に、そこはかとない快感を覚える只倉であった。

＊

「話してあげればいいのに」

日向がむくれる前で、只倉はやってきたばかりの生ビールを飲んだ。

「刑事が怪奇現象など認めるか。はっきり言ってやれ、もう怪談話なんか聞いてやるものかと」

「嫌だ。私は怖い話が大好きなの。炎月さんが真面目に怪談話に向き合ってるの、知ってるでしよ」

「何が『真面目に』だ」

がらがらと店のドアが開く。振り返って只倉はジョッキを倒しそうになる。

「いやあ、遅れました」

炎月だった。いつもの和服姿で、左手に紙袋を二つ持っている。

「お前、なんでここにいる？」

「私が呼んだの」

日向が手招きをした。炎月は勝手に日向のそばに座り、店員にビールを注文する。

「お前……」

「お義父(とう)さん、先日はお見苦しいところをお見せしました。これはお土産です」

紙袋から木箱を取り出し、テーブルの上に載せた。文句はとりあえず押し込め、木箱のふたを開ける。

「うわっ！」

ぎょっとして思わず椅子から転げ落ちてしまう。木箱の中にあったのは、顔の割れた西洋人形だった。

「ああ、間違えた。これはアントワーヌです。お土産はこっちでした」

別の木箱を取り出し、ふたを開いて日本酒の瓶を只倉の前に置いた。『菊姫(きくひめ)』——石川の銘酒だ。なかなか出会えない日本酒だが、それよりも気になる。

「なんだ、この不気味な人形は」

「アントワーヌといって、とある児童福祉施設から譲り受けてきたものです。夜な夜な、歌ったり笑ったりするのだとか」

朝一番の新幹線で金沢に行き、幽霊屋敷を三軒ハシゴしたあとでこれを譲り受け、帰ってきたのだと嬉しそうに炎月は言った。この怪談馬鹿は……と忌々しくなる反面、怪談の取材に相変わらず苦労しているんだなとも思う。

「とにかく、ふたを閉めろ」

「ええ、そうですか？」

炎月は口をとがらせつつ、西洋人形の木箱のふたを閉める。

「それよりですね、お義父さん、本日はご報告が」

炎月はぺらりと、一枚の紙を只倉の前に差し出した。イベントのフライヤーのようだが……出演者の欄に「只倉恵三」の名前がある。

「ん、なんだこれは」

「シエロ三橋さんが主催する『ダークミサ・イン・お花茶屋』にご出演が決まりました。おめでとうございます」

頭を下げる炎月。

「俺は承諾した覚えはない」

「私がご推薦申し上げました。ここで、先日の幕場道場でのお話をお聞かせ願えればと思います」

「勝手なことをするな！　俺は出ないぞ！」

「なんと！」炎月は信じられないというように額に手をやる。「若手怪談師がみんな出演したがるダークミサのご出演を断るというのですか？」

「俺は怪談師じゃない」

机を拳で叩いて立ち上がる。だが炎月も引かずに立ち上がった。

「『怪談シスター』『怪談コスプレイヤー』『キャベツ怪談師』、数多あるキャッチフレーズの中、『怪談刑事』の枠はまだ空いているんです。今がチャンスです、お義父さん！」

この野郎、とその胸倉をつかんでやろうかと思った瞬間、がらがらとまた店の戸が開く。

「はい、やってきました、ここが〈よいどれ狸〉です。おっ、いましたいました、関内炎月さん、そして只倉恵三さんです」

スマートフォンのカメラをこちらに向けながらしゃべっているのは、怪談ユーチューバー、芸田ナナヲ。すぐ横に、相棒の高菜トシユキもいる。

「なんなんだ、お前たちは」

「おっ、それは職務質問ですか？」

高菜が嬉しそうに只倉の顔を指さす。その横で炎月が、解説するように言った。

「《ドライブインおにぶか》の回はものすごい再生数だったそうで。もう一度お義父さんにご出演いただきたいとお二人が言うので、今日はお招きしたのです」

「勝手なことを……」

「いいじゃん、お父さん」日向が笑う。「出てあげなよ」

「お願いします、お義父さん」

「とっておきの怪談を、お義父さん」

迫ってくるユーチューバーコンビ。

「お義父さん」「お義父さん」「お義父さん……！」

マグマのように上がってきた怒りが、いっきに爆発した。

「お義父さんって、呼ぶなあああっ！」

ケタケタケタケタ――人形の入っている木箱から笑い声が聞こえた気がしたが、無視してやった。

【初出】
Webジェイ・ノベル
第1話　繰り返す男　二〇二二年五月十七日配信
第2話　猫に憑かれた女優　二〇二二年十一月七日配信
第3話　トンネルとマヨイガ　二〇二二年十二月十三日配信
第4話　物の怪の出る廃校　二〇二三年一月三十一日配信
第5話　対決・仏像怪談　二〇二三年五月二日配信
第6話　生霊を追って　二〇二三年九月二十六日配信

単行本化にあたり加筆修正を行ないました。

［著者略歴］
青柳碧人（あおやぎ・あいと）
1980年、千葉県生まれ。早稲田大学教育学部卒業。早稲田大学クイズ研究会OB。『浜村渚の計算ノート』で第3回「講談社Birth」小説部門を受賞し、小説家デビュー。〈浜村渚〉シリーズは10作を超える人気シリーズとなる。著書に『彩菊あやかし算法帖』『むかしむかしあるところに、死体がありました。』『赤ずきん、旅の途中で死体と出会う。』『名探偵の生まれる夜　大正謎百景』『怪談青柳屋敷』ほか多数。

怪談刑事（かいだんデカ）

2024年 4 月 5 日　初版第 1 刷発行

著　者／青柳碧人
発行者／岩野裕一
発行所／株式会社実業之日本社
〒107-0062　東京都港区南青山6-6-22 emergence 2
電話（編集）03-6809-0473　（販売）03-6809-0495
https://www.j-n.co.jp/
小社のプライバシー・ポリシーは上記ホームページをご覧ください。

ＤＴＰ／ラッシュ
印刷所／大日本印刷株式会社
製本所／大日本印刷株式会社

ISBN978-4-408-53854-9（第二文芸）

実業之日本社の文芸書　好評既刊

時計屋探偵の冒険
アリバイ崩し承ります2
大山誠一郎

難事件に頭を悩ませる新米刑事は、美谷時計店の店主・時乃にアリバイ崩しを依頼する。時乃の推理はいかに⁉　今、日本でもっとも愛される本格ミステリ作家が贈る「至極の作品集」。

廃遊園地の殺人
斜線堂有紀

銃乱射事件のため閉園となったテーマパーク。二十年ぶりに解き放たれた夢の国に招かれた客たちを待っていたのは、奇妙な伝言だった。止まらない殺人、見つからない犯人、最後に真実を見つけ出すのは――。

4月1日のマイホーム
真梨幸子

東京都S区の分譲住宅「畝目4丁目プロジェクト」。念願の新居に引っ越してきた住人たちだが、ある家から死体が見つかって――怖いけど、やめられない、中毒性100%ミステリー！

青柳碧人　好評既刊

彩菊あやかし算法帖

算数好きの女の子・彩菊が妖怪と勝負!?「賽目童子」への生贄に若い娘を捧げる習慣のある村で、彩菊はサイコロ勝負をするが……。数学の知識がなくても夢中になれる新感覚「時代×数学」ミステリー！

彩菊あやかし算法帖　からくり寺の怪

下級武士の娘・彩菊は、おしゃれが大好きな十七歳。ひょんな縁で、水戸の高那家の三男・半三郎のもとに嫁ぐことになった。水戸に来て早々、からくりの張り巡らされた寺に潜入してほしいという依頼が——。